CRUZADAS

PAIDÓS ORÍGENES

Últimos títulos publicados:

28. G. S. Kirk, *La naturaleza de los mitos griegos*
29. J.-P. Vernant y P. Vidal-Naquet, *Mito y tragedia en la Grecia antigua, vol. I*
30. J.-P. Vernant y P. Vidal-Naquet, *Mito y tragedia en la Grecia antigua, vol. II*
31. I. Mereu, *Historia de la intolerancia en Europa*
32. P. Burke, *Historia social del conocimiento*
33. G. Leick, *Mesopotamia*
34. J. Sellier, *Atlas de los pueblos del Asia meridional y oriental*
35. D. C. Lindberg, *Los inicios de la ciencia occidental*
36. D. I. Kertzer y M. Barbagli (comps.), *Historia de la familia europea, I*
37. D. I. Kertzer y M. Barbagli (comps.), *Historia de la familia europea, II*
38. D. I. Kertzer y M. Barbagli (comps.), *Historia de la familia europea, III*
39. J. M. Bloom y Sh. S. Blair, *Islam*
40. J. Dugast, *La vida cultural en Europa entre los siglos XIX y XX*
41. J. Brotton, *El bazar del Renacimiento*
42. J. Le Goff, *En busca de la Edad Media*
43. Th. Dutour, *La ciudad medieval*
44. D. Buisseret, *La revolución cartográfica en Europa, 1400-1800*
45. F. Seibt, *La fundación de Europa*
46. M. Restall, *Los siete mitos de la conquista española*
47. P. Grimal, *Historia de Roma*
48. J. Sellier, *Atlas de los pueblos de África*
49. J. Le Goff y N. Truong, *Una historia del cuerpo en la Edad Media*
50. A. Kenny, *Breve historia de la filosofía occidental*
51. R. Mankiewicz, *Historia de las matemáticas*
52. P. Lévêque, *El mundo helenístico*
53. P. Burke, *¿Qué es la historia cultural?*
55. G. Chaliand, *Guerra y civilizaciones*
56. J. Le Goff, *La Edad Media explicada a los jóvenes*
57. K. Armstrong, *La gran transformación*
58. B. Bennassar, *Reinas y princesas del Renacimiento a la Ilustración*
59. J. Sellier, *Atlas de los pueblos de América*
60. M. Pastoureau, *El oso. Historia de un rey destronado*
61. J. Clottes, La Prehistoria explicada a los jóvenes
63. J. Verdon, El amor en la Edad Media
64. M. Ferro, *El siglo XX explicado a los jóvenes*
65. P. Veyne, *El sueño de Constantino. El fin del imperio pagano y el nacimiento del mundo cristiano*
66. C. Frugoni, *Botones, bancos, brújulas y otros inventos de la Edad Media*
67. W. Rosen, *El fin del Imperio romano. La primera Gran Peste de la era global*
68. J. Bowker, *Creer. Una historia de las religiones*
69. A. Demurger, *Cruzadas. Una historia de la guerra medieval*

ALAIN DEMURGER

CRUZADAS

Una historia de la guerra medieval

PAIDÓS

Barcelona
Buenos Aires
México

Título original: *Croisades et croisés au moyen âge*, de Alain Demurger
Originalmente publicado en francés por éditions Flammarion, París, en 2006

Traducción de José Miguel González Marcén

Cubierta de Jaime Fernández

© Édition Flammarion, París, 2006
© 2009 de la traducción, José Miguel González Marcén
© 2009 de todas las ediciones en castellano,
    Ediciones Paidós Ibérica, S.A.
    Avda. Diagonal, 662-664 - 08034 Barcelona
    www.paidos.com

ISBN: 978-84-493-2199-3
Depósito legal: Na-3799-2008

Impreso en Rotativas de Estella, S.L. (Rodesa)
Villatuerta (Navarra)

Impreso en España - *Printed in Spain*

Sumario

Lista de mapas. 11
Introducción 13

Primera parte
LA IDEA DE CRUZADA

1. El punto de partida: el llamamiento de Clermont 21
2. Génesis 33
3. ¿Qué quería Urbano II? 37
4. La respuesta: la primera cruzada y la fundación de los
   Estados latinos de Oriente. 43
5. Una primera definición de la cruzada 49

Segunda parte
EL CRUZADO

1. El llamamiento pontificio y la predicación 59
2. La respuesta: voto y toma de la cruz (siglos VIII-X) 65
3. Por tierra o por mar 71
4. ¿Peregrinos o cruzados? 77
5. Los hombres de la cruzada. 83
6. La espiritualidad del cruzado 87

Tercera parte
LA BACTERIA

1. La iniciativa: el príncipe, el papa y el pastor   95
2. La financiación de la cruzada   105
3. Salvaguarda y recompensas espirituales   111
4. Un derecho de la cruzada   119

Cuarta parte
CRUZADA Y GUERRA SANTA:
¿UNA AMPLIACIÓN DEL CAMPO DE LA CRUZADA?

1. Reconquista española y guerra misionera en el Báltico . .   125
2. Desviación de la cruzada.   131
3. Cruzadas contra los herejes   137
4. Las «cruzadas políticas»   141
5. ¿Cruzada o guerra santa?   145

Quinta parte
EXPERIENCIAS DE CRUZADA

1. ¿Estados cruzados?.   151
2. La cruzada, una empresa bélica   157
3. Cruzada y poblamiento   171
4. Cruzada y comercio. ¿Un colonialismo medieval?   177
5. La cautividad   185
6. La cruzada y sus críticos   193

Sexta parte
LOS CRUZADOS Y LOS DEMÁS

1. La cruzada, ¡qué cosa más horrible!   201
2. Reacciones a la cruzada   203
3. ¿Qué hacer con los infieles? Cruzada y misión.   211

4. Cruzados y cristianos de Oriente   221
5. Coexistencia e intercambios   227

Séptima parte
IDEAL Y REALIDADES (1250-1500)

1. ¿Fue el fin de los Estados latinos de Oriente el fin de
   la cruzada?.   241
2. ¿Cómo recuperar Jerusalén?   245
3. Frente al peligro turco   253
4. Los últimos coletazos de la cruzada en Occidente   267

Conclusión: A vueltas con una definición   277
Notas.   285
Bibliografía.   309
Índice analítico y de nombres   325

Lista de mapas

Jerusalén a finales del siglo XI   27
Itinerarios comparados de la primera cruzada (1096-1099)
    y de la quinta cruzada (1218-1221)   69
Los Estados latinos en el siglo XII y en la primera mitad
    del siglo XIII.   150
El comercio Oriente-Occidente en los siglos XI-XII y el *efecto*
    cruzada sobre el comercio Oriente-Occidente
    en el siglo XIII   179
El Imperio otomano a principios del siglo XVI.   259
La orden teutónica en el Báltico (siglos XIII-XIV)   265

Introducción

Tanto la palabra como el concepto de cruzada son nociones ambiguas desde sus orígenes, cuando la predicó el papa Urbano II (1088-1099) en el concilio de Clermont, en 1095. La palabra no se pronunció entonces (no apareció hasta el siglo XV) y hoy se sigue dudando sobre el contenido exacto del discurso del papa, es decir, sobre el significado de la noción. Se trataba de socorrer a los cristianos de Oriente (esencialmente a los griegos de Bizancio, tal como lo planteaba el papa) y recuperar la tumba de Jesucristo (el Santo Sepulcro) en Jerusalén. La ciudad, tan cara para los cristianos, había sido conquistada por los árabes en el año 638, poco después de que el islam, la nueva religión predicada por Mahoma (570-632), se hubiera impuesto en la península Arábiga. Desde entonces, Jerusalén y el resto de lugares de Palestina vinculados con la vida y el martirio de Jesucristo estaban «mancillados por los infieles», como se decía en la época.

El llamamiento de Urbano II desencadenó un movimiento de fe en el que se mezclaban entusiasmo, generosidad, exaltación, codicia y violencia; de hecho, quienes primero adoptaron la cruz con fervor (convirtiéndose así en *crucesignati*, el término latino utilizado al principio), también fueron los responsables de los primeros pogromos de judíos en el valle del Rin y, más tarde, en 1099, de las matanzas que acompañaron la toma de Jerusalén, ya que, a sus ojos, el ultraje infligido durante largo tiempo a Cristo no podría ser lavado más que con la sangre del infiel.

La primera cruzada (1095-1099) fue consecuencia del llamamiento lanzado por Urbano II en Clermont, en 1095, y llevó a la toma de Jerusalén y a la formación de los Estados latinos de Oriente. La segunda cruzada (1146-1149), predicada por san Bernardo tras la caída del condado de Edesa, el primer Estado latino de Oriente, vio la partida del rey de Francia, Luis VII, y del rey de Germania, Conrado III. La tercera cruzada (1188-1192) fue impulsada tras la toma de Jerusalén y la práctica destrucción de los Estados latinos por el sultán Saladino; reunió a los contingentes alemanes del emperador Federico I Barbarroja (que murió accidentalmente en Asia Menor), los franceses de Felipe Augusto y los ingleses de Ricardo Corazón de León; los cruzados no consiguieron recuperar Jerusalén pero reconstituyeron un segundo reino de Jerusalén, con capital en Acre. La cuarta cruzada (1202-1204) tenía que haber renovado la tentativa de tomar Jerusalén, pero, desviada hacia Constantinopla, llevó a la destrucción parcial del Imperio bizantino y a la formación de los Estados latinos de Grecia (Imperio latino de Constantinopla, principado de Morea e Imperio marítimo veneciano). La quinta cruzada (1217-1221), sin duda la más importante de todas, fue cuidadosamente preparada por el papa Inocencio III y el cuarto concilio de Letrán, en 1215, y movilizó a todo Occidente; el objetivo era Egipto, que se consideraba la llave de Jerusalén; fracasó, en parte, por culpa de un legado pontificio poco inspirado, Pelagio. La sexta cruzada (1228-1229), dirigida por el emperador Federico II, excomulgado por entonces a causa de sus altercados con el papa, se redujo a la firma de tratados diplomáticos entre el emperador y el sultán de Egipto Al-kámil, lo que dio un resultado favorable, ya que permitieron que los cristianos recuperasen Jerusalén, perdida en 1187; aunque no por mucho tiempo, ya que tuvieron que abandonarla definitivamente en 1244. La séptima cruzada (1248-1254) es más famosa por la personalidad de su jefe, san Luis, el cruzado ideal, de una absoluta sinceridad, que por sus resultados: el rey fue hecho prisionero en Egipto con todo su ejército en 1250 y hubo de pagar un fuerte rescate para ser liberado; al menos, puso orden en el Oriente latino. También él patrocinó la octava cruzada (1270), dirigida hacia Túnez (podemos pensar que era el primer objetivo), pero que acabó prematuramente con su muerte.

Desde el principio, la cruzada ha estado marcada por el doble rasero del impulso desinteresado y la violencia fanática. Aún en nuestros días, encontramos esa ambigüedad en el uso abusivo que nuestros contemporáneos hacen de la palabra *cruzada*. Se habla de la cruzada contra la contaminación o contra el analfabetismo para dar a entender un compromiso total y benévolo con una causa justa. Que los islamistas fanáticos partidarios de la yihad denuncien a los «nuevos cruzados» de Occidente y sus iniciativas agresivas entra dentro del orden de las cosas, aunque, en el caso de al-Qaeda o del GIA, remita a una siniestra realidad. Que, en 2003, el presidente de la superpotencia, arropado por algunas voces de una *nueva Europa* que se ha olvidado de la historia, emprenda una cruzada del bien contra el mal es —intelectualmente— mucho más grave aún.

También hay ambigüedad en el hecho de que la cruzada, parte de un todo, se confunda en algunos discursos, históricos o no, con ese todo y deba asumir así responsabilidades que no son suyas más que en parte; como escribe Claude Cahen: «La cruzada interfiere con muchas cosas que no son la cruzada».[1] René Grousset, parafraseando al Tolstoi de *Guerra y paz*, abre su librito de la colección *Que sais-je?* sobre las cruzadas con esta frase lapidaria: «Las cruzadas representan una fase de la lucha de Europa contra Asia». Es un momento de una «cuestión de Oriente» planteada más de quince siglos antes de la primera cruzada, que, según las palabras de Grousset, está claro que prosiguió hasta el gran período colonial del siglo XIX.[2] La cruzada se sitúa en la problemática griega del *œkumene* y del mundo bárbaro, de la civilización y la barbarie. De ahí a representar esta problemática como un todo, no hay más que un paso, franqueado también por quienes la denigran. ¿No fue Claude Lévi-Strauss quien, en *Tristes trópicos*, responsabilizaba a la cruzada de la islamización del cristianismo, ya que la interposición del islam entre el budismo y el cristianismo habría impedido «la ósmosis con el budismo que nos habría cristianizado más»?[3]

Por último, hay otra ambigüedad, que data de la época misma de las cruzadas: el objetivo asignado a los cruzados por Urbano II era el de ayudar a los cristianos de Oriente y liberar los Santos lugares. Cuando Jerusalén fuera conquistada, había que conservarla y defenderla; pero los medios que se emplearon, ¿no podrían entonces utilizarse con otros fines que los definidos en Clermont? El campo de las cruzadas se amplió a otros territorios y a otras causas: ¿hay que hablar de extensión o de desviación de la cruzada? Los historiadores siguen discutiéndolo hoy, pero ningún estudio sobre la cruzada puede evitar tener en cuenta los diversos campos en los que se aplicaron las instituciones de cruzada definidas por la Iglesia.

La cruzada nació en el corazón de la Edad Media y en el seno de la cristiandad occidental y latina; en las estructuras y en la evolución de la sociedad occidental es donde hay que buscar, no tanto las razones de su nacimiento como las condiciones de su éxito. Jerusalén no hubiera podido ser un estímulo tan poderoso más que en razón de un contexto favorable en Occidente a partir del siglo XI: auge económico y demográfico y puesta en marcha de un marco político, social y religioso, que tuvo por nombre feudalismo, señorío o reforma gregoriana.

A partir del éxito de la primera cruzada, el movimiento no cesó. La tradición historiográfica distingue ocho grandes cruzadas entre la primera y la que acabó con la muerte de san Luis en 1270 (véase recuadro). Demasiado simple; en realidad, entre esas expediciones marcadas por una importante movilización de Occidente, tuvieron lugar muchas iniciativas más reducidas, a iniciativa de un príncipe o de un señor, de un obispo, de una ciudad o de uno de los grandes puertos italianos. Peregrinos y cruzados —o ambas cosas a la vez— cumplían los ritos de la peregrinación antes de poner su espada al servicio de los Estados latinos, creados al final de la primera cruzada. La tradición de las «ocho cruzadas» no tiene en cuenta los «pasos» (que era uno de los nombres frecuentemente utilizados en la época, para designar la cruzada), cuyo papel, sin embargo, fue esencial en la defensa, el gobierno, el poblamiento y la animación comercial de la Tierra Santa latina.

La historia de la idea de la cruzada, la percepción, la experiencia y la práctica que tuvieron de ella los hombres de la Edad Media, supera con creces el relato de las expediciones a Oriente o la historia de los Estados latinos. La cruzada ofrecía al que partía un medio para conseguir la salvación, un terreno de aventuras y hazañas y, al propio tiempo, la perspectiva de establecerse en un mundo mejor tanto en la tierra como en el cielo; ya que el cruzado sabía que podía morir al enfrentarse con el infiel. Éste, al principio anónimo, adquirió un rostro; los cruzados aprendieron a conocerlo; otra cosa es que aprendieran a comprenderlo. También hay que decir que la práctica de la cruzada llevó a plantear cuestiones sobre sus finalidades y métodos: la violencia y la guerra, la conversión y la misión pacífica, etc. Así pues, hay que estudiar la idea de cruzada, y las prácticas y experiencias de los cruzados en la Edad Media, a partir de una perspectiva dinámica.

Primera parte
La idea de cruzada

Capítulo 1

El punto de partida:
el llamamiento de Clermont

Partamos del siguiente postulado: la cruzada fue predicada por primera vez en Clermont, por el papa Urbano II, el 27 de noviembre de 1095; pero él no habló de cruzada, palabra que no existía entonces, ni en latín ni en lengua vernácula. ¿Qué pasó, que se dijo en Clermont, en Auvernia, aquel 27 de noviembre? No lo sabemos concretamente, pero podemos reconstruirlo a partir de un estudio minucioso de las fuentes.[1]

URBANO II EN CLERMONT

En la segunda mitad del año 1095, el papa Urbano II (1088-1099) emprendió un periplo por la Francia meridional para propagar la reforma gregoriana. Ésta debía su nombre a su principal inspirador, el papa Gregorio VII (1073-1084), pero había sido esbozada antes de él y se prolongó hasta mucho después de él. Su objetivo era ambicioso, ya que se trataba, no sólo de reformar al clero, de poner fin a los «abusos del clero», según una fórmula consagrada por la historiografía, sino también de reformar el conjunto de la sociedad cristiana, para hacer que la conducta de los hombres estuviera más conforme con la moral cristiana. Por tanto, concernía por igual a clérigos y a laicos, todos conducidos en esta vía hacia la salvación por el papado, que prentendía dirigir el mundo; el desarrollo de la reforma gregoriana se acompañó de la afirmación de un poder —o al menos de una voluntad— teocrático.

Urbano II pasó al Puy, donde se reunió con el obispo Adhémar de Monteil, y luego fue a Clermont para presidir un importante concilio regional. Iniciado el 18 de noviembre y concluido el 26, el concilio abordó la reforma de la Iglesia, los abusos del clero (en particular las prácticas simoníacas,[2] que se reprochaban a un buen número de obispos), así como los vínculos que la Iglesia debía mantener con una sociedad laica, que se separaba cada vez más de ella en la práctica, pero que tenía su lugar en la sociedad cristiana querida por Dios. El concilio de Clermont fue también un concilio de paz: el papa quería promover el movimiento de la paz y de la tregua de Dios que tendía a reducirse y canalizar la violencia de la turbulenta y dinámica categoría de los caballeros.

Para nuestro propósito, el momento más importante se sitúa al día siguiente de la clausura del concilio.

En el atrio de la catedral, el papa hizo un *mitin*. Se dirigió a una multitud de laicos y clérigos llegados de muy lejos para escucharle. No improvisó. Aunque las fuentes no lo dicen, es posible que primero presentara las principales decisiones del concilio (que eran conocidas por breves, decretos o cánones); después, volviéndose hacia los laicos, los apostrofó y los invitó a seguir la recta vía y a respetar la paz que debía guiar las relaciones entre los tres órdenes que componían la sociedad cristiana: los que rezan (*oratores*), los que combaten (*bellatores*) y los que trabajan (*laboratores*). Se reconocía ahí el famoso esquema de los tres órdenes o, mejor, de las tres funciones, jerarquizadas y solidarias, elaborado en el siglo X, pero formulado más claramente en el primer cuarto del siglo XI por dos obispos: Adalbéron de Laon y Gérard de Cambrai.

Urbano II se volvió entonces hacia los caballeros; eran hombres libres, especialistas en el combate a caballo, que servían honorablemente a los poderosos, a los príncipes, barones o señores que detentaban la riqueza (la tierra) y el bando (el poder de mandar, obligar y castigar). El papa les exigió que renunciasen a las guerras privadas que los enfrentaban entre sí; los conjuró para que abandonasen la violencia hacia los pobres, es decir, según la definición de entonces, hacia los que no podían defenderse (*inermes*): eran, junto con los clérigos y los servidores de la Iglesia, los *laboratores*, esencialmente campesinos, y las mujeres de cualquier condición. Y les instó para que reservasen sus excesos de energía para una causa justa: ir a liberar las Iglesias de Oriente del yugo turco y liberar Jerusalén, la ciudad de Cristo, por entonces en manos de los infieles (los musulmanes).

Los historiadores se han preguntado: ¿pronunció realmente el papa el nombre de Jerusalén? Los relatos de la primera cruzada son numerosos, especialmente en Francia. Todos fueron escritos por clérigos. Cuatro de ellos fueron escritos por participantes en la cruzada: Foucher de Chartres, Raymond d'Aguilers, Pierre Tudebode y el anónimo redactor de la *Gesta Francorum*; otros tres fueron compuestos por autores que no participaron en la expedición, pero que recibieron información de primera mano: Baudri de Bourgueil (o de Dol), Robert el Monje y Guibert de Nogent. Habría que añadir a autores no franceses, como Albert d'Aix, cuya importancia se reconoce hoy. Todos esos relatos fueron escritos posteriormente, tras el éxito de la primera cruzada y la toma de la ciudad santa. Pero tres de los autores citados habían participado en el concilio de Clermont: Foucher de Chartres, Baudri de Bourgueil y Robert el Monje. ¿No habrían modificado aquellos autores el verdadero discurso del papa en vista de los resultados obtenidos?

Únicamente Foucher de Chartres asistió al concilio y participó en la cruzada; los historiadores han dado prioridad a su testimonio hasta el punto, según Jean Flori, de sobrevalorarlo. Ahora bien, al dar cuenta del discurso del papa, no menciona Jerusalén. Su silencio se puede explicar: Foucher partió hacia Oriente con los cruzados del norte de Francia conducidos por Robert de Flandes, Robert de Normandía y Étienne de Blois. Una vez llegado a Antioquía, pasó al servicio de Balduino de Bolonia, de quien se convirtió en capellán y al que siguió a Edesa, donde fundó el primer Estado latino de Oriente, el condado de Edesa. Al igual que Balduino, Foucher de Chartres no siguió a los cruzados hasta Jerusalén. Sólo fue tras haberse tomado la ciudad, el 15 de julio de 1099, y con el éxito asegurado, siempre con Balduino, y cuando éste se convirtió en rey de Jerusalén (en 1100), se instaló allí. Para justificar su actitud y la de su patrón (¡que, como todos los cruzados, había hecho voto de partir sin ánimo de lucro para liberar el Sepulcro del Señor!), ¿no era preferible callar sobre el objetivo final de la expedición? Baudri de Bourgueil y Robert el Monje, por el contrario, al dar cuenta del discurso del papa, citan claramente a Jerusalén: «La ciudad real, situada en el centro del mundo, hoy mantenida cautiva por sus enemigos y reducida a la servidumbre por naciones ignorantes de la ley de Dios: os pide y ansía su liberación».[3]

Parece inverosímil que el papa no hablase de la ciudad santa. El canon del concilio que habla de la expedición comienza con estas palabras: «Para cualquiera que haya tomado el camino de Jerusalén para liberar la Iglesia de Dios, siempre que sea por piedad y no para ganar honores y dinero...».[4] Tanto en los sermones que Urbano II pronunció durante su gira por Francia en el invierno de 1095-1096, como en las cartas que escribió durante el mismo período, se habla de Jerusalén sin ambigüedades;[5] dirigiéndose a los flamencos, Urbano denuncia la «ira de los bárbaros», que se «apoderaron de la ciudad santa, hecha ilustre por la pasión y la resurrección de Cristo, y la redujeron a una servidumbre intolerable, junto con sus iglesias».[6] En Angers fue el mismo conde Foulque le Réchin quien dio algunas indicaciones sobre las palabras del papa: «Al acercarse la cuaresma, el papa romano Urbano vino a Angers y exhortó a nuestro pueblo para que fuera a Jerusalén a expulsar a los paganos que habían ocupado la ciudad y todo el territorio cristiano hasta Constantinopla».[7]

Liberar las Iglesias de Oriente y Jerusalén eran los objetivos de la expedición que se anunciaba. Pero antes de ir más allá, tenemos que presentar la situación en el Oriente Próximo de entonces y mostrar lo que significaba Jerusalén para los cruzados y, en general, para los cristianos de Occidente...

BIZANCIO Y EL ISLAM EN VÍSPERAS DEL LLAMAMIENTO DE CLERMONT

Oriente Próximo estaba afectado por profundas conmociones en la segunda mitad del siglo XI. El espacio estaba entonces repartido entre dos religiones, el cristianismo griego y oriental, y el islam, y entre tres conjuntos políticos.

El Imperio bizantino era el heredero del Imperio romano de Oriente. Su capital, Constantinopla (la nueva Roma), fue construida en el año 330 por el primer emperador romano cristiano, Constantino, en el mismo lugar que la antigua ciudad griega de Bizancio. A mediados del siglo XVI, Bizancio se extendía por Grecia, una parte de los Balcanes y Asia Menor; los territorios que los bizantinos aún poseían en la Italia del sur estaban a punto de escapárseles en beneficio de sus aliados normandos, quienes, dirigidos por los miembros de la familia de los Hauteville, se liberaban de la tutela imperial y fundaban.principados. El Imperio bizantino era un imperio cristiano, de lengua griega. En 1054, un cisma, que entonces no se pensaba que duraría mucho tiempo, lo había separado de Roma, de la que nunca había aceptado la primacía.

En otros tiempos, el Imperio romano incluía Egipto y Siria, que había perdido en el segundo tercio del siglo VII como consecuencia de la conquista musulmana. Las poblaciones de la península Arábiga se habían convertido hacía poco a la religión predicada por el profeta Mohámmed (llamado Mahoma en español), el islam. En el siglo XI, el Islam (con mayúscula, la palabra designa el conjunto de los territorios donde imperaba la religión musulmana o islam) se extendía desde Asia central hasta España; tres califatos (entidad religiosa y política que toma su nombre del término árabe *jalifa*, sucesor del profeta) se habían formado en el curso del tiempo: en España, el califato de Córdoba; en Asia y Oriente Próximo, el califato abasí (llamado así por la dinastía que lo dirigía desde el año 750), suní (ortodoxo) y cuya capital era Bagdad; en Egipto y la Cirenaica, el califato chií de El Cairo (cismático y heterodoxo, ya que la palabra herético se aplica mal a las realidades islámicas); también era llamado *califato fatimí*, ya que sus califas se remitían a Alí, cuarto califa después de Mahoma y, por haberse casado con su hija Fátima, su yerno. Los fatimíes habían llegado a Palestina y poseían Jerusalén desde el año 970. Debilitado y dividido, el califato de Córdoba desapareció en 1031 en provecho de reinos independientes (los llamados *reinos de taifas*).

En la segunda mitad del siglo XI, las invasiones de los turcos selyúcidas, musulmanes suníes procedentes de Asia central, conmocionaron la situación de Oriente Próximo. Tomaron el control del califato de Bagdad e impusieron un sultán como jefe político, que agrupó mal que bien a los diferentes principados (más a menudo denominados *emiratos*), que se habían desarrollado bajo la muy relativa autoridad de un lejano califa. Pero la unidad no resistió mucho y pronto se volvieron a encontrar en Mosul, Alepo, Chaizar, Damasco, etc., emiratos turcos o árabes. En los años siguientes, los selyúcidas prosiguieron su progresión en el Asia Menor bizantina y, el 19 de agosto de 1071, derrotaron al emperador griego Romano IV Diógenes en la batalla de Mantzikert. Aprovechándose de las divisiones bizantinas, conquistaron prácticamente todo Asia Menor, el verdadero corazón del Imperio. Antioquía pasó a su control, también expulsaron a los fatimíes de una parte de Palestina y se convirtieron en los nuevos amos de Jerusalén; los fatimíes resistieron y recuperaron el control de la ciudad entre 1077 y 1079 y, de nuevo, en 1098, en vísperas de la llegada de los cruzados de la primera cruzada. Las noticias de esos trágicos acontecimientos llegaban con bastante retraso a Occidente: el papado no parece que estuviera informado antes de 1074. El papa Gregorio VII envió una expedición de ayuda y de socorro hacia el Imperio bizantino y Jerusalén; establecía de esa manera un vínculo entre la pérdida de Asia Menor por los bizantinos y el «avasallamiento» de las Iglesias de Occidente, que se derivaba de dicha pérdida, con Jerusalén. La idea de *liberación* del yugo turco se aplicaba tanto al Asia Menor cristiana, perdida desde hacía poco, como a Jerusalén, que llevaba cuatro siglos bajo el control de los musulmanes.

JERUSALÉN CELESTIAL, JERUSALÉN TERRESTRE

¿Qué representaba Jerusalén para los cruzados de la primera cruzada? ¿Qué conocimiento tenían de la ciudad santa?[8]

La noción de Tierra Santa era antigua, pero poco concreta. Parece que el emperador Constantino, en una carta al obispo de Jerusalén en 325, fue el primero que habló de los «Santos lugares».[9] La noción tenía sus raíces en el Antiguo Testamento, pero su definición medieval la vinculaba con Cristo; era la tierra del Cristo, la tierra en la que había vivido Jesús: Jerusalén, Belén, Galilea, exclusivamente. Sin embargo, de hecho los cruzados identificaron la Tierra Santa con el conjunto de sus conquistas; más tarde, a finales del pontificado de Inocencio III y principios del de Honorio III, cuando se estaba preparando la quinta cruzada, la noción de Tierra Santa fue ampliada a Egipto, que podía ser (y lo fue, a fin de cuentas) el principal objetivo de los cruzados.[10] Esos lugares eran reales, Jerusalén era real y hacia ella se dirigían los peregrinos de la alta Edad Media. Pero ¿era la Jerusalén real la que veían? Más que la Jerusalén terrestre, ¿no era la Jerusalén celestial la que se aparecía a los peregrinos y a los cruzados?

Efectivamente, durante mucho tiempo la Jerusalén terrestre estuvo devaluada. Por supuesto, era el lugar de la pasión de Cristo, pero también en el que vivían sus asesinos. La Jerusalén celestial, que los clérigos contraponían a la anterior, no tenía localización geográfica concreta; estaba allí donde se encontraba la Iglesia. En el momento de la cruzada, esa concepción seguía siendo la de los monjes; era la de san Bernardo que, en una carta al obispo de Lincoln, para tranquilizarlo sobre el viaje emprendido por un joven canónigo de su iglesia, le decía: «Vuestro Philippe, que quería ir a Jerusalén, ha encontrado un atajo y ha llegado rápidamente adonde quería ir [...]. Por si quiere saberlo, a Clairvaux; aquí está otra Jerusalén».[11]

Jerusalén era también la ciudad futura, aquella en la que la Jerusalén terrestre y la Jerusalén celestial, reconciliadas, verían los últimos días, el segundo advenimiento de Cristo y el juicio final.

Jerusalén a finales del siglo XI

A partir de la alta Edad Media (en líneas generales, desde los tiempos carolingios) y hasta las vísperas de la primera cruzada, el desarrollo de la peregrinación a Jerusalén contribuyó a espiritualizar la Jerusalén terrestre. Durante ese período, los cristianos no dudaban en emprender largos y peligrosos viajes para ir a orar en lugares en los que la presencia divina se hacía sentir más intensamente y se manifestaba especialmente mediante milagros: iban a recogerse sobre la tumba de Cristo, sobre la de un santo, o, incluso, a un santuario que les estuviera consagrado, a ellos o a la Virgen. La Iglesia había comprendido el valor de la peregrinación como penitencia, ya que solía imponerla como expiación al cristiano que había pecado. En el siglo XI, la peregrinación a Jerusalén conoció un auge considerable, suplantando a la de Roma, que languidecía desde 1030. La tercera de las grandes peregrinaciones de la época, la de Compostela, en Galicia (donde se encontraba la tumba de Santiago el Mayor), no tenía todavía, si se puede decir así, más que un renombre *provincial*.

Los peregrinos iban a recogerse al Santo Sepulcro, en el monte del Calvario. Los romanos habían construido allí un templo en honor a Júpiter, que fue abandonado tras la conversión de Constantino; se hicieron entonces excavaciones, que permitieron encontrar la caverna que albergaba el Sepulcro (vacío) de Cristo, así como la cruz verdadera. El emperador Constantino hizo construir sobre el Calvario un vasto conjunto monumental dedicado a Cristo. Un *atrium* precedía a una gran basílica con cinco naves, construida encima de la cripta en la que se había descubierto la santa cruz; otro *atrium* separaba la basílica de la iglesia de la Resurrección (*Anastasis*); ésta era una amplia rotonda que albergaba el sepulcro de Cristo, que, a su vez, estaba protegido por un edículo más pequeño, también de forma circular.[12]

La moda de la peregrinación a Jerusalén pudo apoyarse en el recuerdo de Carlomagno, protector de los Santos lugares en su tiempo y que había contribuido a la fundación de un primer hospital destinado a acoger a los peregrinos. Pero el *Santo viaje* también lo facilitó, a partir del año 1000, la conversión de los húngaros al cristianismo; desde entonces, hasta Antioquía, el peregrino atravesaba tierras cristianas. El viaje por mar era frecuente; el peregrino llegaba a Jaffa, el puerto palestino más cercano a la ciudad santa. La peregrinación era tolerada por las autoridades musulmanas de Siria-Palestina, que se arrogaban derechos sobre cada peregrino, pero la población local la aceptaba mal y las trifulcas con los peregrinos no eran raras. En el año 966, musulmanes y judíos asaltaron el Santo Sepulcro y le prendieron fuego.[13] La violenta persecución desencadenada por el califa fatimí Al-Hákim contra los cristianos y los judíos (pero también contra los musulmanes suníes) interrumpió la peregrinación; en 1009, hizo destruir el conjunto de las construcciones constantinianas del Sepulcro. La persecución no duró mucho, pero fue conocida en Occidente: Raoul Glaber la mencionó en su crónica y la imputó a los consejeros judíos del califa, lo que era falso. Hay que relacionar ese relato con la primera ola de violencia hacia los judíos de Francia del norte y Renania de 1007-1012.[14] Tras negociar, el emperador bizantino Constantino Monómaco pudo hacer que se emprendiera una reconstrucción parcial del Santo Sepulcro; unos oratorios y una rotonda, que fue consagrada en 1048. Al lado de ese conjunto se encontraba el Gólgota, lugar de la crucifixión. También de Bizancio surgió la iniciativa de construir un nuevo hospital: comerciantes de la ciudad italiana de Amalfi, instalados en Constantinopla y a quienes sus asuntos llevaban a Jerusalén, financiaron el establecimiento que llegaría a ser la sede de la orden de los Hospitalarios de San Juan de Jerusalén.

Los peregrinos de Jerusalén, a quienes en el siglo XI se los llamaba «palmeros» (por la rama de palma que se les entregaba en Jericó después de su viaje al Jordán), tenían sin duda motivaciones muy variadas, que iban del conformismo social o religioso y los apetitos materiales a una piedad sincera marcada por el desprecio del mundo (el *contemptus mundi*) y la penitencia.[15] En el siglo XI, la peregrinación adquirió un carácter colectivo muy pronunciado, mientras que anteriormente el peregrino había sido por lo general un individualista. Sesenta y nueve peregrinaciones de este tipo están catalogadas en las fuentes latinas para el siglo XI.[16] El viajero musulmán Násir-i-Kushraw, que visitó la ciudad en 1047, escribía: «Los cristianos poseen en Jerusalén un gran iglesia que lleva el nombre de Bayt al-Qiyáma (iglesia de la Resurrección) y tienen por ella gran veneración. Cada año vienen multitudes de los países de Rum (Bizancio, Occidente) en peregrinación para visitarla».[17] Podemos citar como ejemplos de esos viajes masivos, organizados por clérigos y protegidos por laicos armados, el dirigido por Richard, abad de Saint-Vannes en Lorena en 1026 o el, más considerable aún, ya que se hablaba de siete mil peregrinos, conducido por el obispo de Bamberg en 1065; la magnificencia de esta peregrinación fue advertida y provocó la codicia de los beduinos, que atacaron al grupo; no tenía gran cosa que ver con el ideal de pobreza que seguía siendo el del peregrino.

El Santo Sepulcro, más aún que la misma ciudad de Jerusalén, atraía a los peregrinos.[18] Desde antes de la cruzada, se elevaban en Occidente iglesias en forma de rotonda que se le consagraban (Neuvy-Saint-Sépulcre, en Berry, por ejemplo). La capilla de Jaligny, en Auvernia, fue construida en su honor en 1037, por un señor que había hecho ese voto durante su peregrinación. El santuario, es decir, el edículo construido alrededor de la tumba de Cristo y encima de ella, era esculpido a veces en capiteles, como en algunas iglesias auvernesas (Brioude, Saint-Nectaire, etc.).[19]

La conquista de Jerusalén por los selyúcidas en 1073 se hizo sin violencia. Por el contrario, la región de Palestina fue un lugar de enfrentamiento entre turcos y fatimíes, que seguían poseyendo las ciudades costeras. ¿En qué medida eso impedía la peregrinación? Es cierto que los turcos mantuvieron la actitud tradicional de las autoridades musulmanas y dejaron llegar a los musulmanes. En la década de 1950, Claude Cahen se preguntó si la conquista turca exigía la cruzada, cuestión a la que respondió negativamente.[20] Pero los desórdenes que afectaban a la región crearon muchas dificultades que los peregrinos, menos numerosos, hicieron conocer en Occidente. Los desórdenes se atribuían a los «sarracenos» sin distinción: selyúcidas, fatimíes o beduinos. El acento se ponía en la necesidad de disponer de una escolta armada, como la que tuvieron los peregrinos alemanes de 1065. Desde ese momento, la peregrinación armada se convirtió en la práctica en una realidad. También el recurso a la guerra santa en dirección a Jerusalén era factible, si no es que estaba ya planteado. «Gracias a esos relatos, las ideas de la guerra santa contra el islam y de la prestación de ayuda militar a la cristiandad oriental se concretaron en la adopción del vocabulario de la peregrinación por los cruzados», escribe Arieh Graboïs.[21]

Urbano II también pudo verse influido en su decisión por un personaje que jugaría un papel primordial en la predicación y la conducta de los cruzados: Pedro el Ermitaño. Este clérigo de la región de Amiens había ido en peregrinación a Jerusalén en los años 1093-1094; a su vuelta se reunió con el papa para informarle de la situación en Tierra Santa.[22] También podemos tener en cuenta la fórmula de Bernard Hamilton, para quien en la predicación de la cruzada a finales de siglo influyó el hecho de que los fieles sintieran una «frustración» debida a las recientes dificultades con que se encontraban los peregrinos.[23]

Capítulo 2

Génesis

El discurso de Clermont lanzó a los caminos de Europa y del Próximo Oriente a una abigarrada multitud de *peregrinos*, algunos con armas y otros sin ellas, cuyo objetivo era el de conquistar por la fuerza Jerusalén y los Santos lugares, territorios considerados pertenecientes a la cristiandad e indebidamente ocupados por los «sarracenos». ¿Se trataba de una novedad radical, o al menos de una nueva formalización de elementos preexistentes? ¿O bien la cruzada no era sino la culminación de un proceso emprendido desde mucho antes? ¿Punto de partida o punto de llegada?

Desde hace mucho tiempo, la historiografía se ha enfrentado al problema del origen de la cruzada o, más exactamente, a los orígenes de la idea de cruzada. Se han aportado diversas respuestas a la cuestión, que implican propuestas también diversas de definición de la cruzada y de su campo de aplicación. Los historiadores de la cruzada se reparten en dos corrientes. La primera tiene como referencia el trabajo de Carl Erdmann, aparecido en 1935, que veía en el llamamiento de Urbano II una exhortación a socorrer a las Iglesias de Oriente, sin una referencia más que marginal a Jerusalén y a la peregrinación. La otra corriente, cuyo mejor representante es, en mi opinión, Herbert E. Cowdrey, que, por el contrario, insiste en la importancia fundamental de Jerusalén y de la peregrinación: la cruzada sería, ante todo, una peregrinación armada.[24] ¿Guerra santa o peregrinación armada? Dejemos por un momento de lado la cuestión, porque previamente hay que resolver otro problema: el de la violencia y la guerra. Los dos enfoques de la cruzada, citados más arriba, coinciden en que Urbano II, debido a su llamamiento, fue el iniciador de una empresa en la que se utilizarían las armas y la violencia bélica; en pocas palabras, decidió, y con él la Iglesia, embarcarse en una empresa militar.

Cuando en 1096, los cruzados llegaron a Constantinopla, las autoridades y la población griega los acogieron con inquietud. Para un griego, levantar la bandera de Cristo para combatir y matar, incluso a un infiel o a un enemigo de la fe, resultaba inconcebible: la guerra era un asunto de Estado, del emperador, y no de Dios. Por el contrario, el islam y el judaísmo aceptaban de buena gana el combate al servicio de Dios. En Occidente, el llamamiento bélico de Urbano II planteó problemas. Tenemos que esbozar brevemente la evolución del cristianismo occidental y de la Iglesia respecto al tema de la guerra.

Suele admitirse que la conversión de Constantino y la adopción del cristianismo como religión oficial del Imperio, en el siglo IV, llevaron a los cristianos a aceptar, en ciertos casos, la guerra. San Agustín dio por entonces una definición de guerra justa que todavía era válida en vísperas de la primera cruzada: es justa una guerra emprendida a iniciativa de una autoridad legítima para defender el país o los bienes, o para recuperar bienes injustamente arrebatados. Esa definición podía aplicarse a la expedición patrocinada por Urbano II, ya que uno de sus objetivos era «recuperar» la tierra de Cristo. Y, por supuesto, el papa era una autoridad legítima.

Sin embargo, la noción de guerra justa está lejos de la de cruzada. El esquema más corrientemente admitido es el de una evolución por escalones sucesivos, que permitió pasar de la guerra justa a la guerra sacralizada, después a la guerra santa y, por último, a la cruzada. Jean Flori, autor de numerosos artículos y síntesis sobre el tema, piensa en un itinerario diferente: la guerra justa no precedió a la guerra santa; más bien fue la imposibilidad de decidir si una guerra era santa la que impuso el recurso a la guerra justa.[25] Sigamos la demostración de Jean Flori: en el Antiguo Testamento se trataba de «guerras del Padre Eterno», guerras santas queridas por Dios para defender a su pueblo contra sus enemigos. Ahora bien, el cristianismo se desarrolló en el marco de un Imperio romano pagano, en el que la guerra era la del emperador; los cristianos se sometían al poder imperial siempre que la acción de éste no entrara en contradicción con la ley divina. No había una voz autorizada para manifestar la voluntad del Dios de los cristianos. El hecho de que el Imperio se convirtiera en cristiano no cambió nada. Así es que no podía haber guerra santa, como mucho guerras justas, mal menor aceptable, pero siempre manchado de pecado. La guerra, incluso justa, era un mal. Y, por otra parte, ésa era la posición de san Agustín. Señalemos desde ahora que esa posición prevaleció en el Imperio bizantino —Imperio romano de Oriente— durante toda la Edad Media. La idea de guerra santa no podía reaparecer en Occidente más que en el marco de una teocracia, o de una situación que tendiese a ella; precisamente el caso de la «monarquía pontificia» que la reforma gregoriana se esforzó por poner en funcionamiento a partir del siglo XI. Gregorio VII utilizó una vez en su correspondencia la fórmula «guerra de Dios» (*bellum dei*), que hacía referencia a las «guerras del Padre Eterno» del Antiguo Testamento.[26]

En el intervalo, hay que hablar, como hace Jean Flori, de guerra sacralizada. Podemos señalar algunos momentos importantes en la profundización de esa noción. Las guerras llevadas a cabo por los carolingios y después, en el siglo X, por los emperadores otonianos contra los paganos (sajones, sarracenos, húngaros) y para proteger al papa y el patrimonio de san Pedro, tuvieron un carácter cada vez más sacralizado. En el siglo XI, el papado armó caballeros para defenderse: fueron los *milites Sancti Petri*. En 1053, el papa reunió un ejército para combatir a los normandos del sur de Italia, que amenazaban Roma; fue vencido en Civitate, pero a los guerreros muertos en combate se les atribuyó la corona del martirio. El carácter sagrado de estas guerras se puso de manifiesto con la entrega de la bandera de san Pedro a los combatientes, la bendición de la espada, la entrega de cruces, y también por visiones de intervenciones milagrosas de santos guerreros, que estimulaban a quienes iban a defender su Iglesia.

La sacralización se desarrolló también mediante los movimientos de paz, aparecidos desde finales del siglo X en el centro de Francia: los obispos reclutaban milicias de paz para castigar a los responsables del desorden y hacer «guerra a la guerra».

Guerra sacralizada y no guerra santa. ¿Por qué?

Porque en esas guerras faltaba el elemento esencial que es la recompensa espiritual para quienes participaban en ellas. ¿La sacralización de la guerra se entendía también como sacralización de los guerreros? La guerra justa seguía siendo un mal; verter la sangre, incluso al servicio de una causa justa, seguía siendo un pecado que exigía confesión, penitencia y absolución. La sacralización del guerrero no siguió el mismo ritmo que la sacralización de la guerra. En 878-879, Juan VIII pidió en varias ocasiones al emperador Carlos el Calvo, y después a su hijo Luis el Tartamudo, que fueran en ayuda de una Roma amenazada por los sarracenos. Preguntado por un obispo sobre si «quienes mueren en combate en defensa de la santa Iglesia de Dios podrán obtener el perdón a sus faltas», el papa respondió: «Los que caen en el campo de batalla, teniendo el amor de la religión católica, entrarán en el reposo de la vida eterna».[27] Pero eso concernía a los guerreros muertos, no a los que sobrevivían.

El problema planteado era el siguiente: los guerreros que participaban en una guerra sacralizada habían podido, en el pasado, haber vertido sangre sin haber expiado aún su pecado; habían podido, en el curso del combate presente, matar antes de morir. El papa prometía la absolución a esos guerreros, muertos sin haber podido expiar sus culpas; además, los recomendaría a Dios en sus oraciones. En cuanto a los que sobrevivían, tendrían evidentemente ocasión para expiar y hacer penitencia para obtener su perdón. En otras palabras, no estamos ante una situación de guerra santa, puesto que lo propio de ésta es que es meritoria y santificante. Que se vierta sangre o no, que se muera o no, el mero hecho de tomar parte en ella, con una recta intención, vale por la remisión de los pecados; en cuanto a los guerreros muertos, ganan el martirio.

En la segunda mitad del siglo XI se franqueó esa etapa crucial, en Civitate y en la península Ibérica, en el momento en que los almorávides, llegados de Marruecos a instancias del rey de Sevilla, bloquearon la progresión cristiana; a finales de siglo, la conquista cristiana se convirtió verdaderamente en reconquista, guerra santa, meritoria y santificante.[28]

La cruzada o, mejor, ya que la palabra no existía todavía, la empresa (*negotio*) lanzada por Urbano II, que nosotros llamamos cruzada, ¿sería el punto final de esa evolución: la más santa de las guerras santas, una «guerra santísima» para utilizar una expresión de Jean Flori?

Capítulo 3

¿Qué quería Urbano II?

Volvamos a Clermont, aquel 27 de noviembre de 1095. Sabemos lo que ha dicho el papa; sabemos en qué contexto lo ha dicho. Tenemos ahora que precisar lo que quería. Entre los historiadores es fuerte la tendencia a considerar varias motivaciones, pero a privilegiar una, a veces en exceso. Como he dicho, dos corrientes dominan la historiografía: una que privilegia la guerra santa y otra la peregrinación armada a Jerusalén. ¿Es tan tajante la oposición?

Durante el concilio celebrado por el papa en Piacenza, en marzo de 1095, un enviado del emperador bizantino Alexis I Comneno se presentó para pedir al papa y a la Iglesia de Occidente su ayuda contra los turcos, que estaban culminando la conquista de Asia Menor. Bizancio utilizaba desde hacía mucho tiempo mercenarios extranjeros, a menudo originarios de Occidente, como los normandos; pero éstos, después de Mantzikert, jugaban su propio juego y Bizancio ya no podía contar con ellos. El emperador griego tuvo que pedir un aumento del reclutamiento de mercenarios, pero no pidió nada más. Durante el concilio de Clermont quizá se planteara la cuestión, pero no aparece en las fuentes. El asunto que sí se planteó fue el de las Iglesias de Oriente, lo que incluía a la Iglesia griega. El llamamiento efectuado por Urbano II iba mucho más allá de lo que había pedido Alexis I. El papa cambiaba de escala en cuanto a los medios y ampliaba el objetivo hasta Jerusalén. Inscribía la petición coyuntural y limitada del emperador en el objetivo general de liberación y reconquista de las tierras, antaño cristianas, que los infieles ocupaban; sin ningún derecho, en cierta forma.

Recuperaba un objetivo ya planteado, pero no llevado a cabo, por Gregorio VII cuando se enteró, en 1074, de la invasión selyúcida en el Imperio griego. Varias cartas escritas en 1074 dan testimonio de ello. La más interesante es la que envió, el 7 de diciembre, Gregorio VII al emperador germánico Enrique IV. Le informaba de los acontecimientos y le señalaba que los cristianos orientales habían implorado su ayuda. El papa incitaba a los cristianos «a sacrificar su vida por sus hermanos». En Italia y más allá de los Alpes había hombres que estaban dispuestos, si el papa quería guiarlos, a comprometerse «contra los enemigos de Dios e ir hasta el Sepulcro del Señor bajo su dirección».[29]

Al igual que sus predecesores, Urbano II estaba muy atento a lo que pasaba en España y en Sicilia, y podemos decir que la idea de reconquista cristiana (entendamos, como en el caso de Gregorio VII, una reconquista contra los enemigos interiores y exteriores de la Iglesia) estaba omnipresente en él: lo demuestran varias cartas a los obispos españoles en 1088-1089 o a Roger de Sicilia en 1093. En una carta no fechada, pero escrita después de 1096, se felicitaba por el hecho de que «En nuestros días [Dios] ha vencido, por medio de las armas cristianas, a los turcos en Asia y a los moros en España».[30] En 1098, se dirigía a Roger de Sicilia para evocar la *dilatatio* de la Iglesia de Dios, sobrepasando la noción más restrictiva de *recuperatio*, de liberación.[31]

La liberación podía obtenerse mediante la fuerza de las armas, es decir, por la guerra santa. El canon del concilio de Clermont, en su brevedad, era claro; el relato de Foucher de Chartres también. La expedición que Urbano II proponía era meritoria y santificante y estaba surtida de recompensas espirituales: el martirio para los que murieran y la indulgencia de la peregrinación para quienes sobrevivieran a todas las pruebas.

Apelando así a la guerra santa contra los infieles de Oriente, el papa recuperaba la ideología de los movimientos de la paz de Dios. Los cruzados eran *milites christi*, *buenos* enfrentados a *malvados*, al igual que las milicias de la paz de Dios movilizaban a los buenos caballeros contra los malos. Era el esquema que popularizaría más tarde san Bernardo cuando oponía la «nueva caballería», los templarios, a la caballería del siglo, la *militia* opuesta a la *malitia*. Tanto la paz de

Dios como la cruzada buscaban el restablecimiento del orden divino, la una en Occidente y la otra en Oriente.[32] Para Guibert de Nogent, los que partieron y conquistaron Jerusalén no lo habían hecho ni por ambición ni por codicia (¡evidentemente, habría que matizar!): «Siempre ha sido justo hacer la guerra para defender a la santa Iglesia [...]. Por eso Dios, en nuestros días, ha suscitado guerras santas, en las que caballeros andantes encontrarían, en lugar de matarse entre sí como hacían los antiguos paganos, nuevos medios para ganar su salvación».[33] Según Foucher de Chartres, Urbano II, en Clermont, había denunciado al «que haga prisioneros o despoje a los monjes, los clérigos, los religiosos y sus servidores, o a los peregrinos y mercaderes»; y añadía: «Hay que hacer que reviva la ley instituida antaño por nuestros santos ancestros y que, vulgarmente, se llama *tregua de Dios*». Después, al hablar de otras tribulaciones que afectaban a la cristiandad en otras partes del mundo, lanzaba su famoso llamamiento: «Que marchen [...] contra los infieles, y terminen con la victoria una lucha que ya debían haber comenzado hace mucho tiempo los hombres que hasta el presente han tenido la criminal costumbre de dedicarse a guerras interiores contra los fieles; que se conviertan en verdaderos caballeros los que durante mucho tiempo no han sido más que ladrones, que combatan ahora como es justo, contra los bárbaros, aquellos que antes volvían sus armas contra sus hermanos...».[34] Poco importa que estos textos estén escritos después de los acontecimientos (¿no es lo propio de todo discurso histórico?), ya que se inscriben con naturalidad en el contexto de los movimientos de paz.

También hay que conceder al papa intenciones más políticas, que, por otra parte, su predecesor ya había expuesto en 1074: «Otra cosa me impulsa también intensamente al cumplimiento de esta tarea —escribía Gregorio VII al emperador Enrique IV— y es que la Iglesia de Constantinopla, que diverge de nosotros en cuanto al Espíritu Santo, confía en el restablecimiento de la concordia con la sede apostólica, y también los armenios y casi todos los orientales, dispuestos a volver al apóstol Pedro para resolver la diversidad de opiniones».[35] Sin duda, el papa se hacía ilusiones, pero es la idea lo que cuenta. Urbano II tenía el mismo objetivo: reunir a griegos y latinos en una empresa común y resolver el cisma. En otras palabras, hacer que los griegos y las Iglesias orientales reconocieran la primacía de la sede romana.

Urbano II «era un político con un objetivo político: la afirmación de la supremacía de la sede de Roma», escribe John France, que añade que su principal preocupación era «la manipulación de la gente y la consecución de sus fines».[36] En Clermont, su objetivo sería el de movilizar, con ese fin, a la caballería occidental preocupada por conseguir su salvación y escapar al infierno, pero no es seguro que Jerusalén fuera ya un objetivo obsesivo. Serían los autores posteriores quienes, en el siglo XII, habrían idealizado y espiritualizado los objetivos de supremacía y de poder de Urbano II. Es un punto de vista paradójico y un tanto anacrónico, pero, sobre todo, contradictorio. Por un lado, el autor no otorga a Jerusalén más que un lugar secundario en la mente de los señores y de sus caballeros y, por otro, hace de la peregrinación a Jerusalén un factor esencial para la movilización de esas mismas categorías. Urbano II «supo aislar y exasperar los complejos deseos de una gran variedad de gente; en especial, supo movilizar en torno a Jerusalén y la indulgencia sus deseos de encontrar una escapatoria al infierno».[37]

Para John France, la peregrinación era un elemento autónomo introducido en el proyecto de Urbano II para favorecer un objetivo principal ante todo político. No se podía movilizar a la caballería occidental proponiéndole solamente que fuera a batallar contra los turcos bajo la batuta del emperador bizantino. No se podía esperar convencer a los caballeros de la Francia meridional, que, desde hacía varias décadas, partían a combatir a los moros en España, de que fueran lejos a combatir a otros infieles. Hacía falta un estímulo más importante: Jerusalén.

Por su parte, Jean Flori ve en el llamamiento de Clermont una exhortación a la guerra santa, y sería la mención de Jerusalén como objetivo último de la empresa la que introduciría inmediatamente la peregrinación y las recompensas espirituales vinculadas con ella. Así, la guerra santa adquiría lo que se llama un carácter «santísimo»: «La cruzada presentada como una reconquista y una operación de restablecimiento del orden divino, se convierte en una peregrinación debido al hecho de que conduce a Jerusalén». Al convertir Jerusalén en el objetivo final de la expedición, Urbano II incluía, de hecho, la peregrinación en la cruzada: «Según mi punto de vista, la idea de peregrinación estaría desde el origen en el pensamiento del papa [...].

Es la reconquista hasta Jerusalén la que induce la idea de peregrinación y no a la inversa».[38] En otras palabras, los valores de la peregrinación no se introdujeron como elemento autónomo, sino como extensión de la guerra santa, a causa de la singularidad del objetivo: Jerusalén.

Dejemos de lado el aspecto moderno de Urbano II como *político* sin escrúpulos para retener que, a pesar de los enfoques divergentes sobre el lugar de la peregrinación en la *psique* de Occidente,[39] ambos autores rechazan la idea de la peregrinación armada como elemento fundacional de la idea de cruzada, defendiendo así la opinión contraria a la defendida por Cowdrey, Riley-Smith y otros, entre los que yo también me encontraba.[40] No obstante, conceden a la peregrinación un papel importante, no en el origen del llamamiento de Clermont, sino en la recepción que tuvieron de él aquellos a quienes se dirigía.

Para comprender mejor la cruzada, no hay que considerar solamente el llamamiento, hay que escuchar la respuesta.

Capítulo 4

La respuesta: la primera cruzada y la fundación de los Estados latinos de Oriente

¿Podemos considerar la cruzada el único producto del llamamiento del papa y de las ideas que contenía? Urbano II había sido monje cluniacense. Era un clérigo, un gregoriano, que tenía una visión de conjunto de los problemas de su tiempo y de su Iglesia. La respuesta a su llamamiento superó todas sus expectativas. Además de los combatientes, una multitud de clérigos, de campesinos y de artesanos se presentaron y tomaron la cruz, símbolo de su compromiso de ir a liberar la tumba de Cristo. Cada uno se convertía así en un *cruce signatus*. Jerusalén era para ellos el objetivo primordial: ayudar a los cristianos orientales, ¡sí!, pero de paso, podríamos decir. Al tomar la cruz y comprometerse con Jerusalén, los cruzados iban a vivir la aventura como la vivía un peregrino, como penitencia. ¿Acaso la indulgencia concedida por el papa no era la misma que se otorgaba a los peregrinos?[41] Son las palabras de la peregrinación las que aparecen ante todo en los autores de relatos de la cruzada (volveré sobre estas cuestiones de vocabulario más adelante).

Todo cruzado se convertía en un penitente, bien hubiera decidido partir por propia iniciativa o bien hubiera sido obligado por alguna autoridad: a principios del siglo XII, el conde de Toulouse Raymond IV, acusado de complacencia hacia los herejes albigenses, fue condenado a partir a Oriente y ponerse al servicio de las autoridades latinas locales. La idea de penitencia, voluntaria o impuesta, permaneció en el corazón de la idea de cruzada. Aún en 1316, el enviado del rey de Aragón ante el papado de Aviñón escribía a su soberano que se trataba de una cruzada y que «algunos caballeros han recibido la cruz como signo de penitencia para pasar a ultramar».[42]

Desde la primavera de 1096, en un plazo extremadamente corto, hay que subrayarlo, los primeros grupos de cruzados se pusieron en marcha, antes incluso que los jefes designados (como Raymond IV de Saint-Gilles, conde de Toulouse) o autodesignados (Godefroy de Bouillon, Bohémond) hubieran reunido sus ejércitos. Urbano II había designado al obispo del Puy, Adhémar de Monteil, como legado, y citó a todo el mundo en el Puy-en-Velay el 15 de agosto de 1096. Durante mucho tiempo se ha hablado, como consecuencia de los estudios de Paul Alphandéry, recuperados por Alphonse Dupront, de cruzada *popular*, que habría concentrado todas las características auténticas. Ese enfoque se ha abandonado, e incluso es muy combatido por algunos historiadores de la cruzada. Sin duda, injustamente. Habría que matizarla y no renunciar a ella, como en mi opinión demuestra el mismo desarrollo de la primera cruzada. En realidad, había muchos caballeros y pequeños nobles en la cruzada denominada *popular*, al igual que había muchos no combatientes, elementos clericales y *populares* en la cruzada de los barones. La presión de los pobres sobre la dirección de la cruzada fue importante tras la toma de Antioquía, y el legado Adhémar de Monteil, poco antes de su muerte (el 1 de agosto de 1098), inspirándose en la teoría de las tres funciones, ponía en guardia a los barones: «Ninguno de vosotros puede salvarse si no honra y reconforta a los pobres; sin ellos no podéis ser salvados; sin vosotros ellos no pueden vivir. Hace falta que, con la oración cotidiana, rueguen a Dios por vuestros pecados, a ese Dios que ofendéis cada día». Sin duda, el legado hablaba de los clérigos pobres, pero el autor anónimo de la historia de la primera cruzada omitió esa precisión.[43] Sería mejor distinguir dos movimientos en la primera cruzada, el uno espontáneo y el otro organizado.

Pedro el Ermitaño, que muy probablemente ya había efectuado una peregrinación a Jerusalén, llevó a cabo una campaña de predicación, independiente de la organizada por el papa, al día siguiente mismo del concilio de Clermont. Movilizó rápidamente a *peregrinos*, que partieron muy pronto (en marzo) y que se reunieron en Alemania con grupos movilizados por otros predicadores y también conducidos por caballeros, que dieron a esta *primera* cruzada[44] su tonalidad de cruzada misionera, cuyo objetivo preliminar era convertir a los judíos de las ciudades renanas y, si rechazaban el bautismo, exterminarlos. Hasta Constantinopla el camino fue penoso, sembrado de emboscadas y trampas. Una vez franqueado el Bósforo, la cosa fue mucho peor, ya que los cruzados entraron en territorio enemigo. Al mortífero acoso de los turcos, se añadieron enseguida el hambre, el frío y la enfermedad. Las tropas de Pedro el Ermitaño fueron diezmadas y los supervivientes volvieron a Constantinopla para encontrarse con los jefes de la cruzada oficial y con sus tropas, con el legado Adhémar de Monteil.

Mejor armados y organizados, los cruzados desafiaron a los turcos en Asia Menor y llegaron a Antioquía, la gran metrópoli de la Siria del norte, sede de un patriarcado cristiano y ciudad mayoritariamente poblada por cristianos, griegos, jacobitas (sirios) o armenios. Tomaron la ciudad tras un largo asedio, pero los cruzados fueron sitiados a su vez. Consiguieron aguantar el ataque de Kerbogha y de los turcos de Mosul y vencerlos el 28 de junio de 1098. Victorias, visiones y milagros levantaban a los cruzados del profundo abatimiento en el que los sumían los fracasos y las dificultades. Habían partido al grito de «Dieu le veut» (Dios lo quiere) y llegaron a veces a dudarlo. Los milagros y las visiones, más o menos provocados, dejaban con frecuencia escépticos a los jefes, pero la masa de los cruzados se adhería a ellos; así ocurrió con el descubrimiento en una iglesia de Antioquía de la Lanza sagrada. Por otra parte, fue la presión de la masa de los cruzados la que obligó a los jefes de la cruzada, que ya estaban ocupados en repartirse las conquistas hechas o por hacer, a dejar Antioquía para dirigirse hacia el sur, hacia Jerusalén.

Fue en el curso de esa marcha, durante el sitio de Antioquía y más tarde, con el ejército en Maarra, ciudad tomada al asalto y tratada según las leyes de la guerra de la época —pillaje, destrucción, masacre de la población—, cuando se sitúan los episodios, aislados, pero que aún hoy son taquilleros, de actos de canibalismo. La mayor parte de los relatos de la cruzada relatan brevemente el hecho. El cronista anónimo de la cruzada escribe: «Entonces serraban los cadáveres por si encontraban monedas escondidas en su vientre; otros cortaban su carne en trozos y los cocían para comérselos».[45] La leyenda se apoderó de los hechos y la canción de Antioquía se los achacó a *pobres* organizados en grupos de presión denominados *tafures*, que se dedicarían a la caza del hombre.[46] No hay ninguna razón para dudar del hecho. Pero, a pesar del éxito mediático del tema (¡la serie presentada por la BBC, en 1994, hizo de él el símbolo de la horrible cosa que fue la cruzada!), hay que relativizarlo. Michel Rouche ha hablado al respecto de «canibalismo sagrado», asociando, para explicar ese fenómeno de trasgresión, el extremo crudamente material, el hambre, y la «sobrealimentación espiritual», provocada por las profecías y los encendidos sermones de los predicadores. Está bien, pero sigue siendo algo marginal.[47] De todas maneras, el hecho testimonia las fuertes tensiones de clases que agitaron la primera cruzada. La presión de los *pobres* obligó a Raymond de Saint-Gilles, el jefe del ejército, a partir hacia Jerusalén. Dejó Maarra tras quemar la ciudad, para que no pudiera servir a nadie, ni a enemigos ni a «amigos». Y partió descalzo, como un peregrino.

Por fin, Jerusalén fue tomada por los cruzados el 15 de julio de 1099. Fue una carnicería, y si bien la sangre no llegó al corvejón de los caballos, como dicen los textos de la época, muy dados a las fórmulas e imágenes bíblicas, la mayor parte de la población musulmana y judía de la ciudad fue masacrada, antes de que los vencedores se recogieran ante la tumba de Cristo, mientras lo hacían y después de ello. Tal violencia —no vamos a justificarla como *furor sagrado*— estaba contenida en germen en los llamamientos, pontificios o no, en las predicaciones y en los escritos que precedieron a la primera cruzada. Los temas de la «mancillación» de la ciudad santa y de su corolario, la «purificación» estaban muy extendidos. La idea de la contaminación de la ciudad por sus ocupantes musulmanes es inseparable de la demonización de éstos, que se daba en las prédicas de la época y en la literatura épica. El tema, expresado por Gregorio VII tras Mantzikert, de cristianos «masacrados como ganado» por los turcos fue muy utilizado después.[44] No es seguro que quienes pronunciaran esas palabras les dieran un significado simbólico; lo que sí es cierto es que quienes las escuchaban las tomaban al pie de la letra. Eso explica (sin excusarla, por supuesto) la actitud de los cruzados en la Jerusalén *liberada*: la ofensa justificaba la violencia purificadora y, así, la masacre de 1099 se convertía en la culminación de la guerra de Dios.[49]

En los relatos de la primera cruzada, esa violencia está evocada sin ninguna emoción: «Nadie ha oído ni visto nunca tal carnicería de gente pagana»,[50] o: «Todos los seguidores de la fe católica aspiraban a ver los lugares en los que Dios, el creador de todas las criaturas, se hizo hombre [...], purgados por fin de la presencia apestosa de paganos que los habitaban y los mancillaban...».[51]

Jerusalén estaba desde entonces abierta a los peregrinos. Todos los cruzados que volvían a Occidente llevaban con ellos las palmas obtenidas en Jericó. Desde entonces, los Santos lugares, incluidos los del Antiguo Testamento, volvían a ocupar su sitio: «Los cruzados son el pueblo elegido del nuevo Israel, herederos del Israel histórico», escribe Sylvia Schein.[52] Los cruzados fueron la vanguardia de los nuevos peregrinos. La crónica anónima hace decir al jefe de los ejércitos egipcios derrotado en Ascalón apenas un mes después de la toma de Jerusalén: «Heme aquí derrotado por un pueblo de mendigos, sin armas y pobre, que no tiene más que su bolsa y sus alforjas. Es el que persigue al pueblo egipcio, que tantas veces le ha dado limosna cuando, antes, venía a mendigar a través de nuestra patria».[53] El hilo de la peregrinación se había reanudado.

Así pues, hubo una alteración de las intenciones de Urbano II, tanto por la respuesta a su llamamiento como por el mismo curso de la primera cruzada que, sin cesar de ser una empresa militar, se convirtió en peregrinación y penitencia.[54] Añadamos a ello el carácter, considerado maravilloso, de la toma de la ciudad, prueba de la benevolencia de Dios para con su pueblo. La liberación no había sido solamente la de la ciudad santa, sino también la del pueblo cristiano que se había arrepentido de sus pecados.[55]

El objetivo de la cruzada se había alcanzado, pero, al liberar la tumba de Cristo, los cruzados habían conquistado a la vez territorios. En Clermont, Urbano II había llamado a liberar Jerusalén, y no a crear Estados. Y, sin embargo, es lo que ocurrió.

Apenas el grueso de los cruzados hubo salido del avispero de Asia Menor a finales de 1097, cuando Balduino de Bolonia, hermano de Godefroy de Bouillon, se lanzó a la conquista de Edesa, en la región del Alto Éufrates, para fundar, en febrero de 1098, el condado de Edesa. Antioquía tendría que haber sido restituida a Bizancio, pero no fue así. Las ambiciones del jefe normando Bohémond acabaron por imponerse y fue reconocido como príncipe de Antioquía. Hecho prisionero por los turcos en 1100, dejó Antioquía a otro normando, Tancredo.

Una vez tomada Jerusalén se planteó inmediatamente la cuestión del poder. El duque de la Baja Lorena, Godefroy de Bouillon, rico en vasallos y dinero, venció sobre el conde de Toulouse, Raymond IV de Saint-Gilles; pero renunció al título real contentándose con el de defensor del Santo Sepulcro. A su muerte, en 1110, su hermano y sucesor Balduino de Bolonia recibió la corona y se convirtió en el primer rey de Jerusalén (Balduino I). Raymond de Saint-Gilles, gran perdedor de las luchas por el poder, intentó construirse un principado alrededor de Trípoli, pero murió, y fueron sus herederos de la dinastía de los condes de Toulouse, quienes recogieron el fruto de sus esfuerzos en 1110.

Desde entonces, la cruzada tuvo como principales objetivos los de defender esos Estados y llevar ayuda a Tierra Santa (*in subsidium Terrae sanctae*).

Capítulo 5

Una primera definición de la cruzada

LAS PALABRAS

En Clermont, Urbano II no utilizó una palabra que significara concretamente *cruzada*; tal palabra no existía y el papa no la inventó. Al contrario, utilizó la expresión *cruce signatus*, para designar a quien, al coser la cruz sobre su vestimenta, quedaba marcado por el signo. Entre los muchos milagros que se manifestaron a lo largo de la primera cruzada, los cronistas señalan el de unos hombres, asesinados en una emboscada por los infieles, cuyos cadáveres fueron encontrados con el signo de la cruz inscrito en su carne, a modo de estigma.[56] No obstante, la expresión *cruce signatus* apenas fue utilizada antes de finales del siglo XII para designar al cruzado.

Entonces, ¿de qué palabras se servían para denominar la cruzada y el cruzado?

Para designar lo que nosotros llamamos *cruzada*, los contemporáneos utilizaban términos bastante neutros, vinculados con el viaje y con el alejamiento de la tierra natal: partir, ponerse en camino, o términos que, al estar asociados a la peregrinación, estaban revestidos de un sentido más marcado: la cruzada era una marcha (*peregrinatio*) a lo largo de un camino (*via*); era un viaje material y espiritual (*iter, sanctum iter*, «santo viaje»). *Peregrinatio* (peregrinación) era con mucho el término más empleado y, por lo mismo, el de *peregrinus* (peregrino) designaba al cruzado. Esta palabra no desapareció nunca, ni siquiera cuando Inocencio III optó claramente, en los cánones del IV concilio de Letrán, en 1215, por la utilización como sustantivo de *cruce signatus*, que la lengua vulgar conocía ya en la forma de *cruzado*.[57]

Así es que los términos vinculados con la cruz fueron introducidos tardíamente. Por otra parte, fue la lengua vulgar, de la que se ha hecho notar que era mucho más imaginativa que el latín, la que *inventó* a mediados del siglo XII palabras como *encrucijada* (en francés, *croisé*, en italiano, *crochiccio*), *crucero* (*croisière, crociera*) y *cruzado* (*croisé, crociato*). El término *cruzada* (*croisade, crociata*) es todavía más tardío.[58]

El vocabulario de la guerra santa no estaba ausente, pero era más raro. Poco después de la primera cruzada, Guibert de Nogent, a quien ya he citado, hablaba de guerras santas (*bellum sanctum*).[59] La misma expresión, afrancesada, fue la que utilizó el trovero normando Ambroise como título para su historia de la guerra santa (*Estoire de la guerre sainte*), lo que no le impidió usar la palabra *pèlerin* (peregrino) para designar a los cruzados.[60]

A falta de una palabra latina disponible, los contemporáneos del fenómeno de la cruzada indagaron en el vocabulario del que disponían, esencialmente en el de la peregrinación, con lo que reforzaron la importancia de ésta en la cruzada. ¿Tenemos que deducir de la prolongada ausencia de una palabra específica para designar la cruzada (aunque existía una expresión poco empleada para designar al cruzado, *cruce signatus*) que la noción era todavía informe y sin originalidad? Es lo que afirma Christophe Tyerman: «en el siglo XII —escribe— no había, en cierto sentido, cruzadas». Explica así su reflexión: «Lo que llamamos las "cruzadas" abarca de hecho una serie troceada de actividades militares y religiosas sin ninguna coherencia (hay expediciones generales, ejércitos privados, peregrinaciones, colonización, órdenes militares, etc.). Cada una de esas actividades era distinta en cuanto a su motivación, a su estímulo y a su realización, sin que nadie intentase seriamente incorporar esas ideas que fluían a una institución, una teoría o un nombre».[61]

En resumidas cuentas, no habría existido *cruzada* más que a partir de la publicación de la constitución *ad liberandum* en el cuarto concilio de Letrán.

Comparto con Jean Flori una opinión diametralmente distinta: hubo, desde el principio, una coherencia en la cruzada, y las dificultades de los hombres del siglo XII para *nombrarla* es, por el contrario, la prueba de la novedad del asunto.[62] La cruzada nació en Clermont y en los caminos que llevan a Jerusalén. Pero no nació adulta, ¡evidentemente!

¿Es legítimo, por tanto, proponer, sin esperar a la elaboración conceptual del concilio de Letrán, una primera definición de la cruzada en los albores del siglo XII? Creo que sí.

LA CRUZADA Y LA MAYONESA

Durante un tiempo, me decanté por la peregrinación armada entre los elementos constitutivos de la idea de cruzada; luego asumí los argumentos de quienes, como Jean Flori, recuperaban las ideas de Carl Eldmann sobre la guerra santa, sin por ello olvidar, más bien al contrario, la peregrinación. Para clarificar la posición que mantengo hoy sobre la definición de la cruzada (para la que, insisto, no existía la palabra, lo que da al historiador una mayor libertad), usaré de buena gana una comparación culinaria que confío que Urbano II me perdone: ¿Acaso no decía, al dirigirse a quienes exhortaba a partir para Jerusalén: «El Señor os ha nombrado dispensadores de su palabra para sus hijos, para que les distribuyáis, con medida, una literatura elaborada con condimentos de suaves sabores»?[63]

Efectivamente, la cruzada es como la mayonesa.

¿Qué hace falta para conseguir una mayonesa? Un cuenco y una cuchara de madera, una yema de huevo, mostaza y aceite. Se mezclan la yema de huevo y la mostaza en el cuenco y se añade poco a poco el aceite, se bate todo enérgicamente con la cuchara y se añade la sal y la pimienta. Y se obtiene la divina pomada, la mayonesa, un objeto culinario completamente nuevo.

¿Y qué hace falta para conseguir una cruzada? Un contexto —favorable— de reforma, un papa inspirado, la idea de la liberación de las Iglesias de Oriente, la guerra santa, la peregrinación penitencial, la remisión de los pecados y Jerusalén. De esta amalgama (¡también divina, ya que está inspirada por Dios!) nace la cruzada: una idea nueva, un objeto histórico nuevo.

El huevo, la mostaza y el aceite están en la mayonesa, pero existían antes y continúan existiendo después de la mayonesa. De la misma manera, la guerra santa, la peregrinación y la remisión de los pecados existían antes de la cruzada y continuaron existiendo después. Para que haya mayonesa, como para que haya cruzada, es necesario que una misteriosa alquimia transforme los elementos que la constituyen en algo diferente a sí mismos. Es el final de un proceso, pero también puede ser una base hacia nuevos horizontes.

Nos plantearemos, cuando llegue el momento, los problemas que surgieron de la extensión del campo de la cruzada, por no decir el de la guerra santa.

¿ANTECEDENTES? ¿PRECRUZADAS?

El que considere la cruzada un fenómeno nuevo y a Urbano II su inventor no quiere decir, como me parece haber señalado, que niegue la existencia de un proceso anterior, de una maduración que lleve al *surgimiento*, realmente innovador, de la cruzada. Y me adhiero plenamente a los análisis hechos sobre los temas obligados en ese proceso, como la peregrinación, la guerra justa, la guerra santa, los movimientos de paz, etc. De todas formas, hay dos nociones que son discutibles: la de los antecedentes de la cruzada, tal como fue predicada en Clermont, y la de precruzada. ¿No aparece la primera noción a causa de una confusión entre cruzada y guerra santa? ¿Y no lleva la segunda a aislar un elemento constitutivo de la idea de cruzada para hacer de él un todo?

La búsqueda de antecedentes para la cruzada no sólo es un tema de los historiadores *modernos*. Los clérigos-cronistas contemporáneos de la primera cruzada ya habían buscado precedentes en el pasado. Conocían bien la *Guerra de los judíos*, de Flavio Josefo, cuyo manuscrito figuraba en muchas bibliotecas monásticas, y rápidamente establecieron un paralelismo entre la conquista de Jerusalén por Tito, tema central de la obra, y la primera cruzada.[64]

A partir de entonces y hasta nuestra época, los historiadores de las cruzadas se han esforzado por encontrar antecedentes en el pasado, como, por ejemplo, la gran ofensiva llevada a cabo por el emperador bizantino Heraclio contra los persas entre los años 622 y 629. Heraclio reconquistó Siria y Palestina, y reinstaló solemnemente en

Jerusalén la reliquia de la Vera Cruz de la que los persas se habían apoderado. «Fue una guerra santa», escribe René Grousset, que concluye la frase con un «ya una cruzada».[65] Este punto de vista, basado en el único elemento de la Vera Cruz, no es de recibo. Sin contar con que es completamente extraño a la mentalidad griega, como explicaré más adelante. La guerra fronteriza librada por los bizantinos contra los musulmanes en Asia Menor, en los siglos IX y X, es considerada por el mismo René Grousset una «cruzada *avant la lettre*».[66] ¡Según eso, cualquier escaramuza con los musulmanes desde la aparición del islam es una cruzada!

La conexión con la conquista de la península Ibérica puede parecer más convincente. Cuando Urbano II hizo el llamamiento de Clermont, la península Ibérica era desde hacía tres siglos un terreno de lucha contra el infiel. Carl Erdmann habla de «cruzada española» y René Grousset escribe: «Esta vez sí que era una cruzada *avant la lettre*». Por otra parte, en la historiografía ibérica, esa opinión ha estado muy extendida: la cruzada comenzó en España mucho antes del llamamiento de Clermont. M. L. Ledesma Rubio lo afirma sin matices: «Las cruzadas, en su carácter "definitorio" de guerra santa, con aprobación papal y concesión de indulgencias, hicieron su aparición en el escenario peninsular. Las primeras cruzadas aragonesas preceden a las organizadas masivamente para ir a socorrer a Tierra Santa».[67] La obra de referencia en este ámbito, *Historia de la bula de la cruzada*, de José Goñi Gastambide, hace una cruzada de la menor expedición emprendida contra los musulmanes del al-Ándalus. Pero la reciente síntesis de Carlos de Ayala Martínez es el signo de que las cosas están cambiando.[68]

Para justificar esa concepción —¡tan laxa!— de la cruzada, se invoca a la vez la presencia de caballeros del sur de Francia al lado de los españoles en algunas operaciones (lo que es completamente secundario) y la concesión de recompensas espirituales a los combatientes. En 1063, el papa Alejandro II señalaba que combatir en España era un acto piadoso que merecía recompensas espirituales. La «cruzada de Barbastro», ciudad conquistada con la ayuda de caballeros de Aquitania y de Borgoña de 1064-1065 y pronto perdida, conoció un verdadero éxito historiográfico, y figuraba de manera resaltada en las «veintisiete cruzadas francesas en España» que establecía Prosper Boissonnade entre 1017 y 1148.[69]

Otros, más prudentes, han preferido hablar de precruzadas: «Si mantenemos para el término un sentido restrictivo, el de una guerra que, aunque posea los caracteres de guerra santa, no tenemos el derecho a darle el nombre de cruzada», según Paul Rousset.[70] Para este autor, a aquellas guerras les faltaban los atributos esenciales de la cruzada: el uso de la cruz y el mandato expreso del papa, y su objetivo: la liberación de Jerusalén.

A decir verdad, estas luchas no tuvieron apenas, hasta el siglo XI, aspectos religiosos. No nos dejemos engañar por la *Chanson de Roland*, que hace de la expedición de Carlomagno, marcada por el trágico episodio de Roncesvalles, una guerra de religión, ni por las crónicas españolas, todas compuestas posteriormente y que *revisitan* el acontecimiento según el rasero de la ideología de su tiempo. No eran más que conflictos fronterizos en los que las alianzas transgredían tranquilamente las fronteras religiosas. Al analizar las relaciones entre conquista y cruzada en España entre 1050 y 1150, Robert A. Fletcher puso los necesarios puntos sobre las íes. Se niega a utilizar el término —eminentemente ideológico— *reconquista* antes del siglo XI.[71] La Reconquista no pudo tener las características de la cruzada antes del éxito de ésta en Oriente: «La Reconquista no generó las cruzadas, sino que fueron las cruzadas las que transformaron (o remodelaron) la Reconquista», y, además, a partir del segundo cuarto del siglo XII;[72] el sitio de Barbastro no fue ni una cruzada ni una precruzada. La mera remisión de los pecados no crea ni la cruzada ni la precruzada. Volviendo a la metáfora culinaria comentada más arriba, me parece que a nadie se le ocurriría decir que el aceite o el huevo ¡son premayonesa!

Urbano II se interesó mucho por España, tanto antes como después del llamamiento de Clermont. Ya lo he citado: «En nuestros días, por medio de los cristianos, Dios ha combatido en Asia contra los turcos y en Europa contra los moros». Eso no significa que fuera, como escribe (¡espero que con una pizca de humor!) Jonathan Riley-Smith, el autor de la primera desviación de la cruzada, sino, sencillamente, que conducía paralelamente la guerra santa en España y la cruzada en Jerusalén.[73]

Queda por hablar de la carta, de la que ya he mencionado el contenido, que el papa Gregorio VII dirigió al emperador Enrique IV el

7 de diciembre de 1074, veintiún años antes de Clermont. El papa proponía ponerse a la cabeza de los cristianos «para marchar en armas contra los enemigos de Dios y llegar hasta el Sepulcro del Señor».[74] Encontramos en las palabras de Gregorio VII algunos temas del discurso de Urbano II en Clermont, como el de la remisión de los pecados. Otras prioridades impidieron que el papa concretara sus objetivos. ¿Quién sabe, si hubiera podido hacerlo, si la respuesta hubiera sido la misma que la de 1095-1096? Pero, en cualquier caso, se trata de un antecedente del llamamiento de Clermont y no un antecedente de la cruzada.

La guerra santa podía tener lugar en cualquier terreno en el que los «soldados de Cristo» combatieran a los infieles y a los enemigos de la Iglesia y de la fe. La peregrinación podía dirigirse hacia Roma, Compostela o cualquier otro santuario. Pero, a finales del siglo XI, la cruzada no podía tener otro objetivo que no fuera Jerusalén. Una vez liberada la ciudad santa, la cruzada dejó de ser solamente una idea; se convirtió en una práctica, creó sus instituciones y vivió su propia vida.

Pero algo había quedado: la cruzada nunca olvidó Jerusalén.

Segunda parte

El cruzado

Capítulo 1

El llamamiento pontificio
y la predicación

Sigamos ahora la trayectoria, en Occidente, de quien partía a la cruzada. No se partía por un arrebato súbito. Si se estaba casado, por ejemplo, era necesario el acuerdo del cónyuge. ¡Aunque en 1201, Inocencio III, inquieto por la situación desesperada de la Tierra Santa latina, violó deliberadamente el derecho canónico al autorizar que un hombre casado pudiera tomar la cruz sin el acuerdo de su mujer![1] Una cruzada se preparaba con minuciosidad, espiritual y materialmente. El papado estableció muy pronto reglas que permitían al cruzado cumplir su voto en las mejores condiciones.

El futuro cruzado tenía que cumplir una serie de ritos que se inscribían en una liturgia de la cruzada destinada a expresar su carácter colectivo.[2] Esa liturgia acompañaba todas las fases de la cruzada, ya que cumplía una doble función:

— contribuir a la movilización de la Tierra Santa,
— garantizar la caracterización espiritual de los cruzados.[3]

La cruzada era la *guerra de Dios*, no lo olvidemos, y su desarrollo depende en gran medida, no de la buena voluntad de Dios, sino de la confianza que el cruzado deposite en Él y de su respeto hacia las normas de conducta fijadas por la Iglesia. De ahí la popularidad, entre los cruzados, del modelo de los macabeos, los guerreros judíos que triunfaron porque era mayor su entrega a Dios que su confianza en sus propias fuerzas.

Bula y sermón de cruzada

La iniciativa pontificia se expresó en Clermont mediante un sermón, cuyo contenido quedó fijado por los cronistas. Posteriormente, el instrumento del llamamiento pontificio se convirtió en lo que se convino en llamar *la bula de cruzada*, a la que Eugenio III dio, en 1146, su forma casi definitiva: justificación de la empresa, privilegios del cruzado y recompensas espirituales. Esta bula, o encíclica (ya que tenía un alcance general), se dirigía a los arzobispos y a sus obispos sufragáneos, que eran los responsables de su distribución entre los fieles.

Seguía la predicación, que originaba actos litúrgicos que tenían por objeto la creación de condiciones favorables para la recepción del llamamiento que llevaba la bula. El grito (*clamor*) debía emocionar a los oyentes del sermón y suscitar la adhesión: «La necesidad de llevar socorro a Tierra Santa es más acuciante que nunca [...]. De nuevo os gritamos a vosotros de parte de Aquel que, al morir en la cruz, dio un gran grito».[4] Diversas secuencias de los oficios religiosos (salmos, versículos, oraciones) eran otras tantas súplicas para la «liberación del Santo reino». En tiempos de la predicación de la cruzada, se celebraban misas cotidianas en las parroquias o en las iglesias de las órdenes religiosas. La liturgia, según dice Amon Linder, era «constantemente reactualizada», a lo largo de los siglos XII, XIII y XIV, prueba de que no se trataba de un arcaísmo.[5] En algunas ocasiones, la liturgia se acompañaba con manifestaciones espectaculares: procesiones, oraciones y rezos públicos, e incluso con procesiones de flagelantes, como ocurrió en 1260 en Perugia.[6]

El sermón del predicador aseguraba la difusión de la bula de cruzada y del llamamiento. Esa tarea correspondía a los obispos. Ya he dicho que la palabra *cruzada* no existía en los siglos XII y XIII. Tampoco existían expresiones como *predicar la cruzada* o *predicación de cruzada*. Los textos de la época tienen un sesgo más concreto. Villehardouin, al contar la cuarta cruzada, nos dice que el predicador Foulques de Neuilly recorría Francia *preschant les croiz* (predicando las cruces), y en 1343 el papa Clemente VI exhortaba a los obispos a predicar «públicamente la cruz en vuestras ciudades y diócesis».[7]

Los predicadores, como los papas en sus bulas, se inspiraban en el sermón de Urbano II en Clermont. En el siglo XIII se crearon colecciones de sermones, catalogados por temas; eran los sermones *ad status*. Así, Jacques de Vitry recopiló sermones dirigidos a «los que son o serán cruzados».[8]

LA EVOLUCIÓN DE LA PREDICACIÓN

Se distinguen dos fases cronológicas en la práctica y el contenido de la predicación, con el punto de inflexión colocado, según Penny J. Cole, en el momento del pontificado de Inocencio III (1198-1216).[9]

En el siglo XII, la predicación se inspiraba, tanto en la forma como en el fondo, en el sermón de Urbano II, y jugaba con el carisma de los predicadores, quienes, designados por el papa, realizaban grandes giras a través de Occidente, ignorando la barrera de las lenguas. San Bernardo predicó la cruzada en Vézelay, ante el rey de Francia Luis VII, y luego recorrió Flandes y Alemania, donde obtuvo el voto del emperador Conrado III. Bernardo se dirigía a todos. Contaba con los cistercienses, que pasaban entonces por ser los mejores predicadores. El papado les dio su confianza durante todo el siglo: Henri d'Albano, a quien el papa Gregorio VIII envió a predicar la tercera cruzada en Francia y Alemania, tenía ya una larga experiencia, puesto que llevaba predicando contra los albigenses desde 1178. El contenido de los sermones era parecido al de Urbano II: llamamiento a ayudar a los cristianos de Oriente; acento puesto sobre el acto de fe que constituía el compromiso del cruzado; relación de las pruebas que habrá de superar, e incitación a la búsqueda de la salvación y a *convertirse*. Al final, Dios sabrá recompensar los méritos de los cruzados y recompensarlos (tal es el sentido de la indulgencia).[10]

Con la tercera cruzada, aparecieron nuevas orientaciones: la predicación se hizo más sistemática. Se acabaron las largas giras de predicadores prestigiosos: el país ya estaba *trabajado en profundidad* por misiones regionales a cargo de los obispos. En 1188, el arzobispo de Canterbury, Baudoin, asistido por Giraud le Cambrien, que relató los hechos en su crónica, realizó una gira por el país de Gales: partió de Hereford, se dirigió hacia el sur (Cardiff) y bordeó las costas del país antes de volver a Hereford; hizo dieciséis paradas para predicar (¡en latín y en francés!) y convencer: más de tres mil personas tomaron la cruz.[11]

El fracaso de los cistercienses contra los herejes del Languedoc, a principios del siglo XIII, modificó las perspectivas y los contenidos de la predicación: se dirigía a los herejes, a las ovejas descarriadas a las que se quería devolver al seno de la Iglesia, y no a los infieles. Esas perspectivas llegaron a Tierra Santa, donde los cristianos heterodoxos eran numerosos; la predicación tomó entonces acentos misioneros. Encargado por Inocencio III de predicar la cruzada en Francia en 1213, Jacques de Vitry continuó la tarea en el reino de Jerusalén, donde había sido enviado como legado del papa, antes de ser designado obispo de Acre. Se dirigía prioritariamente a los católicos del reino, pero también a los otros cristianos, orientales cismáticos o heréticos.

Los obispos se apoyaron desde entonces en los hermanos de las nuevas órdenes mendicantes, franciscanos (o hermanos menores) y dominicos (o hermanos predicadores), que habían hecho de la pobreza su tipo de vida y de la predicación su modo de acción. El 14 de septiembre de 1291, día de la exaltación de la Santa cruz, el arzobispo de York, John le Romeyn, hizo predicar simultáneamente la cruzada en treinta y cinco ciudades y pueblos de su provincia eclesiástica: él mismo y tres seglares maestros en teología, así como treinta y cinco predicadores franciscanos y dominicos, llegados de las casas franciscanas y dominicas de la provincia, llevaron a cabo la tarea.[12] El contenido de la predicación había cambiado hacia el desarrollo de una espiritualidad más dirigida hacia Cristo, su pasión y su sufrimiento. Se pedía a los hombres que pagasen su deuda con él y que recordaran su sacrificio. Ya en mayo de 1201, en Basilea, Martin, abad cisterciense de Pairis, en Alsacia, había hecho de ese tema el único argumento de su predicación: «Hoy os confío la causa de Cristo; pongo en vuestras manos, por así decirlo, al mismo Cristo, para que vuestro celo le restaure en su patrimonio, del que ha sido cruelmente despojado [...]. Así que ahora, verdaderos guerreros, apresuraos a ayudar a Cristo. Comprometeos en su ejército cristiano».[13] En el siglo XIV, Philippe de Mézières (1327-1405), que se había desvivido por la cruzada, propuso la creación de una orden de la Pasión para dirigir el combate.

Al objetivo del reclutamiento se le había añadido el objetivo de la financiación de la cruzada. El predicador también recogía fondos.

Aunque este objetivo hay que relacionarlo con la práctica de la con-mutación de los votos de cruzada (examinaremos la cuestión en el capítulo siguiente), precisemos desde ahora que los hermanos de las órdenes mendicantes, tanto por su número como por la densidad de sus implantaciones, eran los mejor situados para llevar a cabo esa doble tarea: tanto para la cruzada en Tierra Santa, la única predicada en toda la cristiandad, como para todas las guerras santas a las que el papado aplicó las instituciones de cruzada (España, Báltico, etc.).

La voluntad del papado de controlar el proceso de la predicación tuvo, en general, efecto. No obstante, san Luis supervisó la acción de los predicadores de su cruzada en el ámbito de su reino, eso sí, con la aprobación del papado. De todas formas, hubo desviaciones, predicaciones *salvajes*, por así decirlo. ¿Hay que hacer de Pedro el Ermitaño un predicador *salvaje* de la primera cruzada? Hay dudas sobre su papel exacto. ¿No fue —su leyenda no estaría entonces desprovista de fundamento— el primero, a la vuelta de una peregrinación a Jerusalén, en llamar la atención del papa sobre la situación de los cristianos orientales y en proponerle la peregrinación armada? ¿Organizó —controlado o no por el papa— su propia gira de predicación en el norte de Francia y Alemania? Es verosímil. Durante la cruzada fue considerado un predicador, y se apeló a su verbo ante los muros de Jerusalén, antes de lanzar el asalto.[14] Por otra parte, después fue a veces considerado, al lado de Godefroy de Bouillon y de Adhémar de Monteil, como jefe de la cruzada. En 1306, el gran maestre de la orden del Hospital, Foulques de Villaret, escribía que el papa Urbano II había escogido a Adhémar de Monteil «como su legado y capitán [...], al que asoció en la tarea de capitán a Pedro el Ermitaño; en las cercanías de Jerusalén, Godefroy de Bouillon se convirtió en capitán y conquistó Jerusalén».[15]

Hay casos más claros: Étienne de Cloyes, que dirigió la cruzada de los niños en 1212, o el Maestro de Hungría, que predicó la cruzada de los zagales en 1251, no tenían mandato alguno del papa. Pretendían haber recibido un mensaje de Cristo o de la Virgen, que, por su mediación, llamaban a movilizarse a los cristianos. Su predicación, además del objetivo de liberar Jerusalén, tenía un cierto tono anticlerical, que abarcaba a los ricos, a los poderosos... ¡y a los predicadores oficiales!

Capítulo 2

La respuesta: voto y toma de la cruz (siglos VIII-X)

EL VOTO

El fiel respondía al llamamiento del predicador comprometiéndose mediante un voto que hacía público con la toma de la cruz. El voto se pronunciaba después de la proclamación de la cruzada; sin embargo, san Luis hizo voto de cruzada antes de que el papa lanzara el llamamiento. A menudo, los príncipes hacían voto de cruzada al margen de cualquier llamamiento pontificio: pero ¡el papa estaba muy dispuesto a dar validez después a tales disposiciones!

Los testimonios escritos sobre el voto son raros, ya que era un compromiso privado; era una promesa hecha a Dios, que no necesitaba ser publicada (a diferencia de los votos de una profesión religiosa, que significaban una entrega a Dios). Los escasos textos que registran el voto de un cruzado son tardíos: en Marsella, en 1290; un documento conservado en Múnich y escrito en 1377; y los votos (se cuentan veinticinco) pronunciados por el duque de Borgoña y los participantes en el banquete del Faisán en febrero de 1454, tal como relata Olivier de la Marche.[16] El duque Felipe el Bueno pronunció allí el siguiente voto: «Prometo primeramente a Dios mi creador y a la gloriosa Virgen María […] que si el deseo del rey es tomar la cruzada y exponer su cuerpo para la defensa de la fe cristiana y resistir a la condenable empresa del gran Turco y de los Infieles […] le serviré con mi persona y mi poder a dicho Santo viaje de la mejor manera que Dios me conceda».[17]

Según Inocencio III, el voto que ligaba al cruzado con Dios tenía tanta fuerza como el que unía al vasallo con su señor. Lo comprometía y debía cumplirse hasta el final, so pena de excomunión. Los que abandonaron la primera cruzada en el camino tuvieron que volver una vez que Jerusalén fue conquistada. Fue el caso de Étienne de Blois: su mujer, a quien escribía cartas conmovedoras, no lo vio de la misma manera y, furiosa, lo reexpidió para Jerusalén;[18] su honor estaba en juego.

Casos de fuerza mayor —la enfermedad, por ejemplo— llevaban a diferir el voto o a hacer que lo cumpliera otra persona: el príncipe Eduardo, futuro Eduardo I, cumplió así el voto que su padre Enrique III no había convertido en acto. La Iglesia concedía dispensas a los poderosos de este mundo, ya que sabía que su participación en la cruzada reforzaba las posibilidades de éxito de ésta. Pero ¡no había que exagerar! Se ha podido criticar con razón el encarnizamiento del papa Gregorio IX contra el emperador Federico II, pero es que era un caso difícil: había pronunciado su voto en 1215; obtuvo aplazamiento tras aplazamiento y no se resolvió a partir hasta 1227; volvió enseguida a puerto, ya que había caído (realmente) enfermo. Gregorio IX no quiso saber nada y lo excomulgó. De todas formas, partió al año siguiente, todavía con el baldón de la excomunión.

Gregorio IX no hacía más que aplicar las decisiones del cuarto concilio de Letrán, que había hecho más apremiante la realización del voto. Pero, al mismo tiempo, aunque pueda parecer contradictorio, Inocencio III había autorizado la redención del voto para dos categorías de personas: los que no eran útiles sobre el terreno (mujeres, no combatientes) y los que estaban impedidos; de todas formas, los enfermos tenían la opción de retardarlo o de conmutarlo por dinero sin perder los beneficios espirituales. El venerable abad de Saint-Seine, que había recibido la cruz de manos del legado pontificio (el *signum crucis*) fue relevado de su voto el 9 de abril de 1202, a causa de su edad y sus achaques, a cambio de «una contribución idónea para el socorro a Tierra Santa».[19] El cuarto concilio de Letrán extendió esas disposiciones a quienes construían o armaban navíos para la cruzada. Naturalmente, todos los que habían conmutado su voto conservaban los beneficios espirituales vinculados a él. La corrupción y los abusos ya no estaban muy lejos, ya que la conmutación del voto servía para obtener dinero que el papado utilizaba como bien le parecía.

Se hacía el voto para partir a la cruzada que acababa de proclamar el papa. En caso de retraso o aplazamiento en el cumplimiento de la promesa, resultaba posible cumplir el voto en otro campo distinto a Tierra Santa —en España, o contra los herejes— beneficiándose igualmente de los privilegios de la cruzada en Tierra Santa.

Tales disposiciones exigían un control: a la predicación de cruzada se le añadió el desarrollo de una burocracia de cruzada.

LA TOMA DE LA CRUZ

La toma de la cruz manifestaba el compromiso público del fiel.

Tenía lugar generalmente con ocasión de la predicación. El abad Martin de Pairis terminaba así el sermón pronunciado en Basilea en 1201: «Ahora, hermanos, tomad el signo triunfal de la cruz con espíritu alegre; al servir fielmente la causa de Quien fue crucificado, ganaréis una recompensa suntuosa y eterna por un trabajo breve y vulgar...», y emplazaba a los fieles en la catedral, «con todos los asuntos arreglados, el día dicho, para tomar con él el camino de la santa peregrinación».[20] La práctica fue introducida en Clermont, en 1095, aunque las menciones escritas no aparecieron hasta el último tercio del siglo XII: en el pontificado de Alejandro III (1159-1181), el conde de Champaña recibió «de la mano de nuestro legado la cruz vivificante».[21]

A partir del siglo XIII, los grabados completan los datos textuales.[22] Muestran al predicador que, con la cruz en la mano, se dirige desde su púlpito a oyentes sentados y subyugados por su palabra; no llevan todavía la cruz, sólo la tomarán al final del sermón. En los grabados del siglo XIV la atención se traslada a los oyentes, que tienen la cruz en la mano o la ostentan en su vestidura: ¿futuros cruzados o ya cruzados?

La toma de la cruz se insertaba en la liturgia de la cruzada con una ceremonia sencilla en la que se asociaban oraciones, bendiciones y entrega de objetos: la cruz, y también el cayado y el morral de peregrino. Así, según el siguiente texto, extraído del pontifical[23] de Magdalen College (Oxford), estudiado por James A. Brundage, se sucedían:

Oraciones:

Bendición del cayado: *Sea bendito por el Señor sin que nadie pueda impedirlo.*

Tradición del morral: *Acepta este morral, signo de los peregrinos.*

Tradición del cayado: *Por este cayado aceptas la bendición.*

Oración: *Dios todopoderoso que es la vida, la verdad y muestra el camino.*

Bendición de la cruz: *Padre nuestro que estás en los cielos..., etc.*

Tradición de la cruz

Oraciones[24]

A finales del siglo XIII, el obispo Guillaume Durand de Mende, autor de un célebre pontifical que sirvió de modelo al de Inocencio VIII (1484-1492), colocó la tradición de la cruz al principio de la liturgia, antes de las del morral y del cayado.

Hay que subrayar el vínculo prolongado y tenaz entre la cruzada y la peregrinación.

Así pues, la cruz era una insignia, que se distribuía, al fin de la predicación, a quienes la pedían, a no ser que la hubiesen fabricado ellos mismos con cualquier pieza de tela roja; había cruces de formas y tamaños diferentes, aunque todas se cosían en el manto, a nivel del hombro izquierdo. Era una referencia a Cristo, que la llevó sobre el mismo hombro. Tomar la cruz equivalía a llevar la cruz. Fueron los *estamperos* de los siglos XVII-XIX quienes exageraron el tamaño, colocándola además sobre el pecho, lo que es una deformación parcial de la historia: los cruzados que partían a Tierra Santa colocaban siempre la cruz sobre el hombro izquierdo; por el contrario, los *cruzados* que intervinieron en la guerra contra los herejes albigenses (veremos más adelante si el término de cruzada es adecuado a esas guerras) llevaban la cruz sobre el pecho.[25] La distinción es importante. Sólo el *santo viaje* a Jerusalén era una *imitatio Christi.*[26]

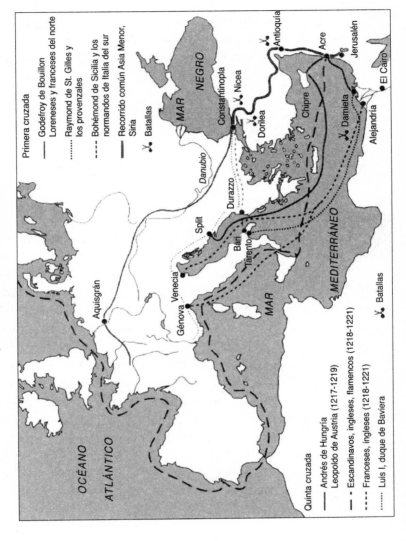

Itinerarios comparados de la primera cruzada (1096-1099)
y de la quinta cruzada (1218-1221)

Primera cruzada

——— Godefroy de Bouillon
      Loreneses y franceses del norte

·········· Raymond de St. Gilles y
      los provenzales

– – – – Bohémond de Sicilia y los
      normandos de Italia del sur

——— Recorrido común Asia Menor,
      Siria

✗ Batallas

Quinta cruzada

——— Andrés de Hungría
      Leopoldo de Austria (1217-1219)

–·–·– Escandinavos, ingleses, flamencos (1218-1221)

·········· Franceses, ingleses (1218-1221)

········ Luis I, duque de Baviera

✗ Batallas

Capítulo 3

Por tierra o por mar

¿QUÉ RUTA ESCOGER?

Para la mayoría de los que partieron en 1096, la cruzada fue una larga peregrinación terrestre que duró tres años. Además de los hombres, hubo que desplazar miles de caballos, bagajes y víveres. A finales del siglo XI, la ruta terrestre, pese a su lentitud, era la que mejor se adaptaba a un transporte de masas. Los problemas de avituallamiento se agudizaron rápidamente; enseguida hubo que comprar a los productores locales y tratar con las autoridades de los lugares que se atravesaban. Más que la mala voluntad, fue la dificultad para hacer frente a una demanda de repente acrecentada lo que provocó problemas y disturbios en los Estados cristianos de Hungría o de Bizancio; la indisciplina de los cruzados los agravó. El emperador bizantino no tenía más que una preocupación cuando una tropa de cruzados se presentaba en Constantinopla: hacerla pasar lo más deprisa posible a la orilla asiática del Bósforo. En Asia Menor tuvieron problemas con los turcos: se los podía atacar y robar sin remordimientos, pero ¡no se dejaban! La travesía de Asia Menor, ya de por sí difícil, llegó a menudo a ser una pesadilla debido a los ataques de los turcos selyúcidas: los ejércitos de la retaguardia cruzada de 1100-1101 fueron destruidos. Cincuenta años más tarde, en la segunda cruzada, se reprodujo la misma situación.[27]

El emperador Federico I, Barbarroja, siguió utilizando esa ruta en la tercera cruzada; murió en ella, aunque fue accidentalmente. Sus dos socios, Ricardo Corazón de León y Felipe Augusto, adoptaron la vía marítima, que fue la que se impuso desde entonces. En 1196, la cruzada dirigida por Enrique VI, el sucesor de Federico, se componía de tres grupos: el primero, dirigido por el arzobispo de Maguncia, llegó a Passau, franqueó el paso del Brennero y descendió por Verona, Roma y Bari hasta el puerto de Brindisi, donde se embarcó y, por Creta, llegó a Tiro. El segundo grupo, el de los brabanzones y loreneses, hizo el viaje enteramente por mar: Anvers, Cornualles, el estrecho de Gibraltar, y, después, siempre bordeando la costa, el grupo pasó por Barcelona, Marsella, Génova, Roma, Mesina, Creta y Acre. Por último, el tercer grupo siguió el itinerario del primero hasta Bari; una parte embarcó en ese puerto y la otra fue hasta Mesina; todos llegaron a Acre.[28] Ese tipo de trayecto, combinando vía terrestre hasta Italia del sur y vía marítima desde allí es el que describía, a mediados del siglo XII, el abad islandés Nicolás: los peregrinos del lejano Occidente desembarcaron en Dinamarca y desde allí, a través de Alemania e Italia, llegaron a Apulia, donde volvieron a embarcarse.[29]

¿Tierra o mar? Los cruzados se lo preguntaron durante mucho tiempo. El mar daba miedo, pero intervenían otros factores. En 1332, Felipe VI, que preparaba su cruzada, recogió opiniones contradictorias. Sus consejeros preferían sin duda la vía marítima: la vía terrestre era demasiado lenta, demasiado costosa, demasiado peligrosa y demasiado previsible en cuanto al objetivo planteado. El Consejo Real rechazaba así otra opinión, la de Guillaume Adam, quien, como deseaba ver al rey comprometerse en principio contra el emperador griego de Constantinopla, aconsejaba la vía terrestre; no se trataba de táctica, sino de política.[30]

La vía marítima era utilizada desde hacía mucho tiempo por los peregrinos. Era idónea para pequeños grupos, cuya estancia en Oriente no fuera muy larga. Por otra parte, la primera cruzada no fue enteramente terrestre: los cruzados genoveses llegaron a Antioquía por mar en 1098, y su flota acompañó y protegió después la lenta progresión del ejército hasta Jerusalén, aligerando a los cruzados de una parte de sus bagajes y avituallándolos. El rey Sigurd de Noruega, en 1107-1110, y los frisones, ingleses y flamencos, en la segunda cruzada, siguieron la ruta atlántica, cruzaron el estrecho de Gibraltar y atravesaron el Mediterráneo de oeste a este.

Las comodidades de la ruta marítima se hicieron evidentes una vez que se hubieron resuelto dos problemas: el número de barcos y el transporte de los caballos. En 1201, la República de Venecia se comprometió con los cruzados de la cuarta cruzada a construir, en un año, más de cien navíos, barcos alargados de tipo galera y buques de vela redondeados de tipo nao. Sólo Venecia y Génova estaban por entonces capacitadas para equipar de barcos una cruzada entera. San Luis se dirigió a Génova (y a Marsella), y más tarde, Felipe VI negoció con Venecia.[31] En cuanto al transporte de caballos, estuvo resuelto desde mediados del siglo XII con la puesta a punto (primero por los bizantinos) de un navío especializado, el navío *ujier*, cuya gran puerta se abría en el flanco del navío, lo que permitía a los caballos acceder directamente a tierra.[32]

PREPARATIVOS Y VIAJE

Partir en cruzada no se improvisaba. El cruzado partía para varios años y, en general, no lo hacía solo. Tenía que informarse sobre la ruta que seguir y los preparativos que hacer. En octubre de 1239, Thibaud, conde de Champaña y rey de Navarra, los condes de Nevers y de Forez y otros señores de Borgoña y Champaña, que habían tomado la cruz, plantearon a los prelados y barones de Tierra Santa cuatro preguntas: ¿cuándo partir?, ¿por qué puertos y qué vías?, ¿qué objetivo perseguir? y ¿qué provisiones llevar? Los prelados respondieron: *primo*, es inútil retrasar la partida por las treguas vigentes, ya que los infieles no las respetan; *secundo*, hay que partir de Marsella o de Génova, los puertos más cómodos para los franceses; *tertio*, hay que ir a Chipre, ya que, desde allí, ir a Siria o a Egipto toma el mismo tiempo (hay que ocultar al adversario el mayor tiempo posible cuál es el objetivo); *quarto*, hay que llevar víveres en abundancia, ya que será difícil encontrar los suficientes sobre el terreno.[33]

La primera preocupación, una vez que se había impuesto la vía marítima, era la de encontrar barcos. Es verdad que los reyes y príncipes dirigían generalmente su ejército y se hacían cargo de la intendencia, pero un buen número de cruzados negociaban ellos mismos su pasaje con un patrón de navío en los grandes puertos italianos, Génova, Pisa, Venecia y, en Italia del sur, Bari, Barletta y Brindisi. Marsella, Barcelona y puertos menos importantes (Collioure, Toulon,

Niza) también podían garantizar el transporte. Se firmaba un contrato de *nolis* (o alquiler) con un armador. El barco se podía alquilar entero, a tanto alzado, armado y aprovisionado para un lapso de tiempo (de ocho a doce meses), o bien por puestos (que es lo que hacían generalmente los peregrinos).

Como ya he dicho, los responsables de una cruzada negociaban el alquiler de una flota entera. Geoffroy de Villehardouin, el cronista de la cuarta cruzada, que fue uno de los negociadores del acuerdo con Venecia en 1201, relataba así las palabras del dux de Venecia, Enrico Dandolo: «Haremos *ujieres* para pasar cuatro mil quinientos caballos y nueve mil jinetes y, en las naves, cuatro mil quinientos caballeros y veinte mil infantes; y para todos los caballos y la gente lo convenido será que lleven víveres para nueve meses. Eso es lo que al menos haremos por vosotros, sobre la base de que se darán cuatro marcos por caballo y dos por hombre».[34]

Entre 1244 y 1248, san Luis hizo construir barcos a sus expensas, además de los que alquiló en Génova (doce naves) y en Marsella (veinte naves). Hizo también acondicionar el nuevo puerto de Aigues-Mortes, sobre el delta del Ródano, para concentrar en él todos los medios indispensables para el éxito de su empresa.[35] Los preparativos no se reducían a alquilar los barcos. Durante cuatro años, san Luis puso minuciosamente a punto la logística de su expedición. Joinville nos cuenta que, cuando él llegó a Chipre, poco después que el rey, se quedó maravillado por la cantidad de aprovisionamientos reunidos en la isla: «Había montones de trigo y cebada en medio de los campos; y, cuando se los veía, daba la impresión de que eran colinas, ya que la lluvia, que desde hacía mucho tiempo caía sobre los cereales, había hecho germinar las capas superiores, de manera que aparentaban ser hierba verde. Y sucedió que, cuando se quiso transportarlos a Egipto, se hicieron caer las costras superiores con la hierba verde y se encontró el trigo y la cebada tan frescos como si estuvieran recién segados».[36]

Sigamos ahora a Joinville en sus preparativos y su viaje.

Reunió a la corte de sus vasallos en su castillo de Joinville, en Champaña, para festejar el nacimiento de su hijo Jean y celebrar las Pascuas. Se dirigió a cada uno de ellos para asegurarse de que no dañaba a ninguno. En los días siguientes fue a Metz, donde empeñó una parte de sus tierras a los cambistas de la ciudad para financiar su viaje.

Llegó el momento de dejar su tierra, su familia y sus amigos para partir a una expedición llena de incógnitas. Fue como un penitente, descalzo y en camisa, hasta el vecino convento cisterciense de Cheminon, donde el abad le entregó el bordón y el echarpe (el sayal) del peregrino; luego visitó todos los santuarios con reliquias de la vecindad. Fue después al puerto de Auxonne, en el río Saona, donde le había precedido su equipaje. Bajó en barco por el Saona y después por el Ródano hasta Arles mientras que, a lo largo del curso de agua, lo seguían los destreros, los potentes caballos de batalla que no se encontraban en Oriente. Joinville iba acompañado por nueve caballeros. En Marsella se reunió con su primo, el conde de Sarrebrück, también acompañado por nueve caballeros. Juntos, alquilaron una nave, para ellos y su gente.[37]

Llegó el día de la partida. Los caballos entraron en el navío *ujier*, cuya puerta se cerró y calafateó; después, los hombres subieron a bordo. El capitán hizo llamar entonces a los sacerdotes, que bendijeron a los pasajeros y el equipaje, y cantaron el *Veni creator*. Por último, dejaron tierra. Con temor.

A causa de los vientos y las tormentas, la navegación era más rápida de oeste a este que en sentido contrario.[38] Felipe Augusto realizó el trayecto entre Mesina y Tierra Santa en tres semanas. San Luis dejó Aigues-Mortes el 25 de agosto y desembarcó en Chipre el 18 de septiembre de 1248. Joinville llegó poco después que el rey. El número de hombres embarcados en los navíos era tan variable como diversa la capacidad de los barcos. Un navío *ujier*, que podía alojar en sus bodegas una cincuentena de caballos, transportaba menos hombres que una nave con dos o tres puentes. A la vuelta, el barco que transportaba a san Luis chocó con un banco de arena y se temió por el rey y las ochocientas personas que estaban a bordo. Conocemos la lista de pasajeros de un barco de Provenza o Languedoc que debía reunirse con san Luis en Egipto en 1250 y que hizo escala en Mesina: eran cuatrocientos cincuenta y tres.[39]

He descrito aquí la situación de una salida en cruzada, para la que los barcos alquilados no transportaban más que cruzados con sus caballos y su equipamiento, pero los barcos que surcaban el Mediterráneo de aquel tiempo, transportaban las más de las veces, además de cruzados, peregrinos y mercaderes.

Capítulo 4

¿Peregrinos o cruzados?

He dicho que la cruzada es el producto de la guerra santa y la peregrinación. El valor penitencial característico de la peregrinación se aplicó de manera natural a la cruzada y la marcó a lo largo de su historia, no sin algunas evoluciones.

LA CRUZADA VIVIDA COMO PEREGRINACIÓN

La peregrinación estaba constantemente presente en la cruzada; por las palabras *peregrinus* (peregrino) y *peregrinatio* (peregrinación), que designaban al cruzado y a la cruzada; y por la entrega de las insignias de la peregrinación, que acompañaban a la toma de la cruz. La visita a santuarios cercanos, las oraciones, los ayunos, las bendiciones, las procesiones y las misas eran parte integrante de la liturgia casi común a la cruzada y a la peregrinación.

Esa liturgia concernía a los cruzados, pero también a todos los cristianos. Después del desastre de Hattín, en 1187, la Iglesia impuso un ayuno en todo Occidente. En vísperas de la batalla de Las Navas de Tolosa, momento decisivo de la Reconquista, en 1212, Inocencio III ordenó procesiones y plegarias; y cuando proclamó la cruzada en 1213 (la que sería la quinta cruzada), invitó a los cristianos a celebrar cada mes una procesión por la liberación de Jerusalén.[40]

Para el cruzado que llegaba a Oriente, el primer objetivo era el de ir a orar al Santo Sepulcro y visitar los santuarios con reliquias de Tierra Santa. En *Elogio de la nueva caballería*, que escribió para los templarios, san Bernardo exaltaba su misión (proteger a los peregrinos, usando la fuerza si era necesario) magnificando los lugares de la tierra de Cristo donde se ejercía esa misión. En el curso de la segunda cruzada, el rey de Francia, Luis VII, se comportó más como un peregrino que como un cruzado. En el otoño de 1145, el rey, para expiar sus pecados (especialmente el incendio por su ejército de la iglesia de Vitry, en Champaña, con todos los que se habían refugiado allí) hizo voto de ir en peregrinación a Jerusalén. Poco después, la noticia de la caída de Edesa llevó al papa Eugenio III a lanzar una cruzada. Según Arieh Graboïs, «la cruzada de Luis VII fue una peregrinación a Jerusalén emprendida como acto expiatorio. Las necesidades de la jerarquía eclesiástica francesa, ansiosa por salvar el prestigio del rey, condujeron a presentarla como una cruzada».[41]

Sobre el terreno, el rey no dejó de ir a rezar a Jerusalén antes de dirigirse hacia Damasco. Tras el fracaso de Damasco, Luis VII pasó la Navidad de 1148 y las Pascuas de 1149 en Tierra Santa. Visitó todos los Santos lugares y distribuyó generosamente limosnas antes de volver a Francia.

Cruzados o/y peregrinos

Hasta la pérdida de la ciudad santa en 1187, los objetivos del peregrino y del cruzado coincidían. Sin duda, el peregrino y el cruzado se distinguían mal, el mismo hombre podía ser una cosa y luego la otra; pero se distinguían: el cruzado iba armado y el peregrino, no; los cruzados «no eran solamente penitentes en busca de remisión, sino combatientes reclutados para un trabajo con indulgencia», escribe Jean Richard, que también distingue —volveré a ello— entre indulgencia de peregrinación e indulgencia de cruzada.[42]

Las grandes cruzadas que marcaron la historia del Oriente latino asociaron combatientes y no combatientes, soldados y *pobres* desarmados, para oprobio de Eudes de Deuil quien, al relatar la cruzada de Luis VII, señala que muchos de los que seguían al rey de Francia eran peregrinos no combatientes, que no tenían armas, sino bastones, ¡y no servían para nada en los combates![43] Entre las grandes cruzadas hubo un flujo incesante de peregrinos a Tierra Santa que, al estar en manos de los francos, resultaba más fácilmente accesible. Guillaume de Tiro señalaba la llegada de un barco cargado con mil quinientos peregrinos en 1182. Con esa previsión de mil quinientos pasajeros por barco, los templarios y los hospitalarios trataron con la ciudad de Marsella en 1234: cada una de las dos órdenes podría hacer dos viajes por año para transportar peregrinos sin pagar derechos.[44]

Alejandro III, en su bula de cruzada de 1169, hizo una advertencia especial a los peregrinos: a los que querían visitar el Santo Sepulcro, aconsejaba, en las presentes circunstancias, que hicieran la peregrinación a título de penitencia, como señal de obediencia y para renunciar a sus pecados.[45] Por otra parte, algunos de esos peregrinos podían prestar su ayuda militar en caso de necesidad, pero no forzosamente tenían que implicarse en los combates: en 1172, Enrique el León, duque de Sajonia, fue con un grupo de quinientos caballeros; hizo la peregrinación a la ciudad santa y dejó las armas y los caballos a las órdenes militares, pero no se inmiscuyó en ninguna acción militar.[46]

La presencia de esos peregrinos justificó la creación de la orden del Temple, cuya misión primordial era organizarlos y defenderlos, si era necesario por las armas, en las rutas que llevaban a Jerusalén y al Jordán. En la ciudad santa, un hospital situado en las proximidades del Santo Sepulcro daba albergue y comida a los peregrinos pobres y, si era necesario, cuidaba a los enfermos. La orden de los Hospitalarios de San Juan de Jerusalén nació en ese lugar como orden caritativa; pero, después del reconocimiento de la experiencia de la orden del Temple por el papado en 1129, el Hospital añadió una función militar a sus funciones hospitalarias.

Algunos de esos cruzados-peregrinos se quedaron en Tierra Santa y abrazaron allí la profesión religiosa, convirtiéndose en ermitaños. Elias de Narbonne se retiró a una gruta tras haber efectuado su peregrinación. Guillaume de Maraval, un caballero francés, renunció a las armas; el papa Eugenio III lo recomendó al patriarca de Jerusalén, así que, cuando hubo satisfecho sus obligaciones de peregrino, se encerró en el silencio en una pequeña celda construida en la casa del patriarca. Se pueden multiplicar los ejemplos.[47]

Después de 1187 y salvo el corto período entre 1229-1244, Jerusalén ya no estuvo en manos de los cristianos. Como antes de 1099, el acceso a la ciudad dependía de la buena voluntad de los musulmanes.

Los cruzados de Ricardo Corazón de León pudieron, una vez firmada la tregua con Saladino, recogerse en Jerusalén; pero el rey Ricardo se abstuvo: ¿acaso no había fracasado en su empeño de devolver la ciudad a los cristianos? Las buenas relaciones establecidas con los sultanes ayubíes, sucesores de Saladino, permitieron el acceso a Jerusalén sin demasiadas dificultades. La ciudad fue de nuevo abierta sin restricciones a los cristianos entre 1229 y 1244, y los peregrinos volvieron. Se puede establecer un vínculo entre esa situación y los acuerdos a los que llegaron los templarios y los hospitalarios con la ciudad de Marsella.

Después de que los mamelucos tomaran el poder en El Cairo, el papado prohibió a los cristianos que visitaran la ciudad santa; la liberación del Santo Sepulcro volvía a ser, como antes de la primera cruzada, el objetivo de la cruzada. Sin embargo, muchos peregrinos desafiaron la prohibición. La prueba la proporciona la publicación, a finales del siglo XIII, de las primeras guías de peregrinación que incluyen los diferentes enclaves de Jerusalén. Burchard de Mont-Sion visitó la ciudad entre 1274 y 1284, como menciona en su *Descripción de la Tierra Santa*.[48] En 1290, Nicolás IV autorizó al patriarca de Jerusalén a absolver a los que habían visitado los Santos lugares, a condición de que hicieran voto de alistarse en la siguiente cruzada.[49] En esa situación, se esforzó por promover los lugares sagrados de Acre y sus alrededores.[50] No era fácil, ya que los peregrinos se sentían poco involucrados en las realidades y los problemas de un reino latino que despreciaban y al que algunos clérigos describían como corrupto.[51] Jacques de Vitry decía de Acre que era la guarida de todos los vicios y todos los pecados, y eso que él mismo era el obispo.

Más en general, el cruzado que partía a Oriente podía visitar de paso otros lugares de peregrinación: Roma, por ejemplo. Fue una de las etapas de los cruzados alemanes de Enrique VI en su travesía de Italia. En la opinión dada al rey Felipe VI en 1332, el Consejo Real preveía pasar por «Roma la Grande para visitar los santos cuerpos de los Apóstoles y los otros Santos lugares, y ver la Verónica y la Santa imagen de Nuestro Señor».[52]

Queda por mencionar la utilización, en el siglo XIII y a principios del XIV, de la cruzada/peregrinación como sanción judicial y ya no sólo espiritual (caso de la peregrinación penitencial desde, al menos, el siglo IX). A decir verdad, un canon del segundo concilio de Letrán (1139) ponía, como penitencia a los incendiarios, ponerse al servicio de Dios durante un año en Jerusalén o en España.[53] El papado así lo hizo con Raymond VI, conde de Toulouse, en 1210;[54] Clemente V hizo lo mismo con Guillaume de Nogaret, responsable del atentado de Anagni contra Bonifacio VIII en 1303: el papa le ordenó que hiciera toda una serie de peregrinaciones y que, después tomara la cruz y se comprometiera a estar seis años en Tierra Santa durante el siguiente *paso*.[55] Las justicias laicas también castigaban con esta sanción a los asesinos. Un acuerdo aprobado en 1279 en el Parlamento de París, el tribunal superior de justicia del reino, entre una mujer y el asesino de su hijo, imponía al homicida «partir el día de la fiesta de la asunción de Nuestra Señora a ultramar y permanecer allí cuatro años, y, al cabo de los cuatro años, traer cartas del Temple, y del Hospital probando que ha permanecido cuatro años en la tierra»; ¿peregrinación o/y cruzada? En 1314, Hugues de La Houssay, un caballero que había encarcelado y torturado a una pareja de siervos (lo que llevó consigo la muerte de la mujer), fue condenado a indemnizar al superviviente; además, debía ir a Chipre y esperar allí la próxima expedición a Tierra Santa;[56] ¿cruzada o/y peregrinación?

En Jerusalén a finales de la Edad Media: ¿peregrinación sin cruzada?

Después de 1291 y hasta 1340, el acceso a los Santos lugares fue difícil, incluso imposible. Después, las negociaciones, instigadas por los reyes de Aragón y de Nápoles, con los sultanes mamelucos condujeron a la reanudación de la peregrinación y, sobre todo, a la posibilidad de celebrar el culto latino en el Santo Sepulcro. El papa Clemente VI (1342-1352) dio su aquiescencia. Hermanos franciscanos instalados en el monte Sión y cerca del Santo Sepulcro albergaban allí a los peregrinos, a quienes después guiaban, material y espiritualmente, durante su estancia. Pusieron a punto, en el mismo Jerusalén, las tres peregrinaciones «tras los pasos de Cristo», que, por el nombre de una de ellas, se llamaron *via crucis* (camino de la cruz), que fue introducido simbólicamente en todas las parroquias de Occidente en los siglos siguientes.[57]

A partir de la década de 1380, Venecia puso a disposición de los peregrinos una línea especial con una galera peregrina que enlazaba con Jaffa, convertida a finales de la Edad Media en el puerto de la peregrinación, como ya lo había sido antes de la primera cruzada. Se proponía a los peregrinos turistas fórmulas de viaje con visita a los principales santuarios de Palestina y del Sinaí,[58] absolutamente comparables a las que ofrecen hoy las agencias de viajes. Los relatos de viajes se multiplicaban. El de Breydenbach (1480) es célebre por sus ilustraciones, pero hubo otros.[59] Los nobles de Occidente o los burgueses de las grandes ciudades (alemanes, especialmente), tomaban el camino de Jerusalén, como pacíficos peregrinos. De nuevo dejaban de coincidir cruzada y peregrinación y, sin embargo, permanecía el espíritu común a ambas. Nompar de Caumont, un señor gascón que partió en 1419, cumplía así el voto de su padre, que no había podido realizar «el Santo viaje de ultramar a Jerusalén, allí donde Jesucristo nuestro Salvador sufrió voluntariamente su muerte y su pasión por nosotros, pobres pecadores, para rescatarnos de las penas del infierno, de las que estábamos amenazados sin el sacrificio de su precioso cuerpo».[60] Es el mismo vocabulario que el de las cartas de donación de los que partían en cruzada dos siglos antes. Pero Nompar no habla ya de liberar Jerusalén. A la espera de una hipotética cruzada, el «santo viaje» volvía a ser una peregrinación.

Capítulo 5

Los hombres de la cruzada

TODOS CRUZADOS

¿Quién respondía a los llamamientos de cruzada? ¿Quién partía?

La Iglesia no rechazaba a nadie, ya que la cruzada era un medio para la salvación, pero desde el principio tomó precauciones: enfermos, impedidos, viejos y monjes (los que habían hecho voto de estabilidad) no podían partir. Ya he mencionado la lista nominativa de cruzados elaborada en Mesina en 1250, con ocasión del proceso que enfrentó al patrón del navío *Saint-Victor* con los pasajeros.[61] Los cruzados habían acordado con él que los llevara hasta Damieta para reunirse con san Luis. En la escala de Mesina, supieron que el rey había dejado Damieta y se encontraba en Acre; el patrón del navío se negó a llevarlos allí, y de ahí la acción judicial. La lista consta de cuatrocientas cincuenta y tres personas. Muchos eran originarios del norte de Francia y, más en general, de Europa del norte. Había catorce caballeros, de los cuales dos eran templarios y uno hospitalario; ocho señores y sus vasallos (noventa); siete clérigos y trescientas cuarenta y una personas —o sea, las tres cuartas partes— que pertenecían al «común».

Como se ve, no había —como nunca hubo— ostracismo contra los que no eran nobles; una parte de ellos podía ser combatiente. Además, sin poblamiento, la Tierra Santa no podía conservarse y, al tratarse de la cruzada de san Luis, sabemos que se había planteado un establecimiento duradero en Egipto.

En la cruzada participaban mujeres: algunas acompañaban a sus maridos, y no sólo fueron las reinas, como Leonor de Aquitania, esposa de Luis VII, o Margarita de Provenza, mujer de san Luis, que tuvo tres hijos en Damieta y en Tierra Santa. La lista de 1250 incluye cuarenta y dos nombres de mujeres: veinte acompañaban a sus maridos y veintidós iban solas. Durante el sitio de Acre, de 1189-1190, las mujeres ayudaron a los cruzados y es verosímil pensar que algunas combatieron.[62]

Retengamos, pues, que cualquier persona válida podía partir, con excepción de los monjes (salvo si estaban comprometidos como capellanes de algún señor cruzado). Queda decir que había más necesidad de combatientes. La práctica de rescate del voto de cruzada, desarrollada en el siglo XII, permitió seleccionar. Señalemos de paso que la selección se hacía en las órdenes religioso-militares: los que entraban en ellas como caballeros partían bastante rápidamente hacia Oriente, así como los infantes capaces de combatir; por el contrario, los hermanos de oficio hacían a menudo toda su carrera en Occidente.

DE LAS REDES FAMILIARES...

El llamamiento de Clermont provocó en la conciencia de los cristianos una profunda emoción y un indudable entusiasmo; gente de todas las edades y de toda condición partieron a la aventura. No obstante, sólo se trataba de una minoría, pero su salida resultaba de la movilización de una familia, de un linaje, de un pueblo o de una *mesnada* señorial.

Investigaciones recientes han llamado la atención sobre la importancia de esas redes en el compromiso de tal o cual cruzado. En las familias nobles y en las cortes principescas se formó una ética de cruzada y se transmitió de generación en generación: los condes de Champaña, los duques de Borgoña, la familia de los *sires* de Joinville y tantos otros procuraron cruzados. Citemos a la familia condal de Flandes: Robert fue uno de los jefes de la primera cruzada; Thierry partió a Oriente en cuatro ocasiones, en 1139, 1147, 1157 y 1167; su mujer Sybille acabó su vida en Tierra Santa, como monja en Betania; su hijo Philippe participó en dos expediciones, en 1177 y 1187, y murió en Oriente; Balduino, hijo de Philippe, llegó a ser el primer emperador latino de Constantinopla.

La documentación privilegia a la aristocracia (hay que contar también con la implicación de los nobles en las órdenes religioso-militares). Las cartas de donaciones piadosas redactadas en vísperas de la salida o durante la cruzada, y también los testamentos, dan nombres y permiten reconstituir redes familiares, de vasallaje o de vecindario.[63] Se inicia así un estudio prosopográfico (prosopografía: biografía colectiva de un grupo determinado por criterios externos) de los cruzados. Los «compañeros de Villehardouin», en la cuarta cruzada, o los cruzados de la quinta cruzada han sido identificados. Jonathan Riley-Smith ha podido establecer así una lista de setecientos noventa y un cruzados de la primera cruzada.[64]

...A LAS COMPAÑÍAS DE VASALLAJE

Los vínculos feudales y de vasallaje constituyeron otro importante factor para la salida; la libertad del cruzado, que respondía únicamente a la llamada de su conciencia, no siempre era evidente: los servidores y vasallos de los señores occidentales apenas tenían otra opción que la de seguirlos. Robert de Flandes partió con tres capellanes: ¿eran los tres voluntarios? ¿No serían las reticencias expresadas por los trovadores de la obligación de seguir a su señor, lo que los privaba de servir a su dama (que solía ser la esposa de su señor)? Los testamentos, redactados por los cruzados antes de partir o sobre el terreno, en Tierra Santa, revelan, entre los testigos que suscribían el acto, la presencia de vasallos al lado de parientes y allegados. Un papa como Inocencio III no se privó de un poderoso incentivo para arrastrar a los cristianos a tomar la cruz: la comparación entre el servicio a Cristo y el servicio al señor feudal aparece frecuentemente en sus escritos.

En Occidente, los príncipes fueron reclutando cada vez más a sus ejércitos por el sistema de contrato. La práctica, no feudal, fue también utilizada para reclutar soldados en los ejércitos de las cruzadas. Se ha demostrado, a propósito del reclutamiento del príncipe Eduardo de Inglaterra (el futuro rey Eduardo I) y de su séquito por san Luis en 1270, que una gran parte de los cruzados ingleses, que Eduardo puso al servicio del rey de Francia, habían establecido un contrato con éste. Cuando se conoció la noticia de la muerte de san Luis en Túnez, el príncipe y los cruzados ingleses se fueron a Acre.[65]

Se ha escrito muchas veces que la atracción de los occidentales por las cruzadas se desinfló rápidamente. Es verdad que se ha podido exagerar el entusiasmo de la respuesta al llamamiento de Clermont, pero, a la inversa, ¿no se ha concedido demasiada importancia a la corriente crítica de la cruzada? Tanto las cruzadas llamadas *populares* del siglo XIII como la respuesta de los medios aristocráticos a los llamamientos lanzados en el mismo período (los estudios prosopográficos permitirán cuantificar el fenómeno) prueban que la cruzada seguía atrayendo. La ironía crítica de los trovadores no debe hacer olvidar la lección muy diferente de los testamentos. Asimismo, se ha aceptado, sin el suficiente examen crítico, que las órdenes religiosomilitares estaban en crisis a finales del siglo XIII y principios del XIV y reclutaban caballeros cada vez con más dificultad. El análisis de las deposiciones de los templarios, durante el proceso que se entabló contra ellos, desmiente ese aserto: hasta el final, hasta los últimos meses antes de la detención, la orden del Temple reclutaba y enviaba caballeros a Chipre.[66]

Todo no había parado en 1291.

Capítulo 6

La espiritualidad del cruzado

Cuando los historiadores se preguntan sobre las motivaciones de los cruzados, se manifiestan dos tendencias antagónicas: exagerar las motivaciones espirituales o no ver en su trayectoria más que aspectos materiales. No hay necesidad de ser adepto a las vías medias para afirmar que hay que considerar ambas, tanto en 1096 (primera cruzada), como en 1270 (segunda cruzada de san Luis) o incluso en 1396 (cruzada de Nicópolis). Los cruzados no eran puritanos; eran simplemente hombres... que tomaban la cruz.[67]

UNA ESPIRITUALIDAD PARA LOS LAICOS

Hay una espiritualidad de la cruzada, una espiritualidad propia del cruzado. El vínculo de la cruzada con la peregrinación hizo que, *de manera natural*, la espiritualidad de cruzada derivase de la propia de la peregrinación.[68] Pero no hay que limitarse a los pecadores. André Vauchez escribe acertadamente: «Con las cruzadas se revela, por primera vez en Occidente, la existencia de una espiritualidad popular que aparece de entrada como un conjunto coherente».[69] El proceso de autonomía de una espiritualidad propia de los laicos fue favorecido por los reformadores gregorianos, que, recuerdo, en su preocupación por reformar el conjunto de la sociedad cristiana, habían otorgado a los laicos un lugar y un papel en ella (véase el esquema trifuncional y los movimientos de paz ya comentados). También abrieron a los laicos vías propias para su salvación. La cruzada era una de esas vías.

No obstante, algunos teólogos de principios del siglo XII hubieran deseado que la cruzada permaneciera en el seno clerical; intentaron *monasterizar* la cruzada, por utilizar un neologismo no muy afortunado, haciendo de los cruzados monjes temporales.[70] Esa concepción se diluyó y el carácter laico y militar de la cruzada impuso finalmente sus leyes.[71] De todas formas, el aspecto religioso no desapareció de la cruzada, sino que encontró un marco a su medida con la aparición y el desarrollo de las órdenes religioso-militares, «una experiencia nueva en el seno de la espiritualidad medieval».[72]

Al asignar a los guerreros la misión de liberar Jerusalén, el papa les ofrecía una vía propia de salvación: la orden religioso-militar le añadía una ascesis adaptada a su tipo de vida. El laico ya no estaba obligado a retirarse a la soledad del claustro benedictino para lograr su salvación. Había un lugar, en el camino que llevaba al paraíso, para la acción, al lado de la meditación y la oración.[73] La sociedad occidental, con unas pocas excepciones clericales, aceptó la novedad de una institución religiosa que asociara los votos religiosos y el compromiso militar del caballero. Los hermanos de las órdenes religioso-militares no pronunciaban el voto de cruzada, sino los votos del monje: obediencia, castidad y pobreza, y, a diferencia del cruzado, que se comprometía para una duración determinada, se comprometían de por vida. No obstante, sin ser cruzados, encarnaron la permanencia de la cruzada, tanto en sus ideales como en su práctica.

Las dos primeras órdenes militares nacieron en Tierra Santa. Su actividad en el siglo fue a la vez una actividad de guerra santa y una obra caritativa y hospitalaria, y por esta última estaban estrechamente vinculados con la peregrinación. La orden del Temple fue la primera orden militar, aunque cronológicamente la creación de la orden del Hospital fue anterior.

Hacia 1070, antes de la primera cruzada, se fundó un hospital cerca del Santo Sepulcro para acoger a los peregrinos. En 1113, el establecimiento se convirtió en la sede central de la orden de los Hospitalarios de San Juan de Jerusalén, que comenzó entonces su implantación en Occidente. En 1120, algunos caballeros laicos (nueve según la tradición) al servicio de los canónigos del Santo Sepulcro se liberaron de su tutela para fundar una orden religiosa de «pobres caballeros de Cristo»: sus miembros pronunciaban los tres votos monásticos y vivían según una regla, pero ejercían una actividad militar de asistencia y protección de los peregrinos en los caminos que llevaban a los Santos lugares. El rey de Jerusalén, Balduino II, los apoyó e instaló en su palacio, situado en el sitio del que había sido palacio del rey Salomón (mezquita al-Aqsa), en las proximidades del sitio del antiguo templo de Salomón (mezquita de la Cúpula de la Roca, donada por los latinos a un colegio de canónigos que hicieron allí el *Templum Domini*). Por eso, la orden se convirtió en la de los «pobres caballeros de Cristo y del Templo de Salomón». Su primer maestre, Hugues de Payns, partió a Occidente de 1127-1129, para hacer que se reconociera su obra y aquella nueva experiencia de vida religiosa. Se logró en el concilio de Troyes, que se celebró en enero de 1129 en presencia de san Bernardo: se dio validez a la regla del nuevo instituto.

Proteger y guiar a los peregrinos en los caminos era la misión de los templarios; albergarlos y cuidarlos si era necesario, la del Hospital. Pero éste se militarizó en las décadas que siguieron al reconocimiento de la experiencia templaria. Ambas órdenes, como se verá, no se limitaron a la tarea de policía y se convirtieron en los elementos preponderantes de las estructuras militares de los Estados latinos.

La regla del Temple ha sido definida como una regla anti-ascética y anti-heroica.[74] Es decir, que aunque fuera estricta, era accesible al caballero; sin embargo, sólo una minoría de cruzados podía aceptar sus preceptos. El cruzado de base no iba tan lejos; la *peregrinatio* ya era en sí misma una obra ascética. No obstante, algunos que dieron el paso e hicieron profesión en la orden del Temple o en la del Hospital, no se contentaron y prefirieron el monaquismo más estricto de la orden del Císter: Évrard des Barres, que fue maestre del Temple de 1149 a 1152, acabó sus días en la abadía de Clairvaux, la de san Bernardo. En cuanto a los que escogieron el eremitismo, quizá tuvieran exigencias espirituales más altas, pero sí, probablemente, una cierta desconfianza hacia la novedad de las órdenes militares.

UNA ESPIRITUALIDAD SIMPLE Y FRANCA

De tan simple, algunos podrían calificar de simplista esa espiritualidad popular. La fórmula *Dieu le veut* (Dios lo quiere) la expresa por entero. Esa respuesta de la multitud al llamamiento de Urbano II es inseparable de la concepción providencial que reinaba entonces en todos los medios. Dios lo quiere: la voluntad de Dios es absoluta.[75] Victorias o derrotas no son más que el signo tangible de esa voluntad. En la conducción de su pueblo, Dios se sirve de los enemigos para reparar errores. Humillarse, rezar, reconocer los propios pecados (y no volver a cometerlos) es la única manera de recuperar la confianza de Dios.

De ahí la constante referencia a los macabeos en la literatura de cruzada. Esos guerreros, promotores de la revuelta judía contra Antíoco IV en el siglo II antes de Jesucristo, eran la prefiguración del cruzado, dispuesto al martirio para defender la causa de Dios, que rechazaba cualquier tipo de orgullo para entregarse completamente a Él. No es con las propias fuerzas con lo que hay que contar para vencer, sino sólo con Dios. Cuando en 1177, en Montgisard, el rey Amaury derrotó a Saladino a pesar de su inferioridad numérica, quizás estuvo inspirado por los macabeos. Pero no funcionaba siempre; en mayo de 1187, en La Fontaine de Croisson, el maestro del Temple Gérard de Ridefort quizás hubiera pensado en los macabeos antes de lanzarse con un puñado de caballeros a un ataque suicida contra el mismo Saladino; pero ¿había reconocido con contrición sus pecados?

También se comprende que la perspectiva de obtener la remisión de los pecados fuera para los cruzados un poderoso atractivo. Urbano II no se había equivocado cuando hizo de la remisión, común a la peregrinación y a la guerra santa, uno de los primeros y principales elementos de las futuras instituciones de cruzada.

Un segundo rasgo de la espiritualidad del cruzado está vinculado con la cruz y con Cristo. La pérdida de la Vera Cruz, tras la derrota de Hattín, fue sentida casi más intensamente que la pérdida de Jerusalén. En las batallas se llevaba «la preciosa madera de la cruz vivificante».[76] Como símbolo de Cristo y de su sacrificio para salvar a los hombres, recordaba al cruzado su deuda para con Él y su compromiso para verter su sangre como Él la había vertido por ellos. El recuerdo era aún más insistente, dado que, hasta 1187, Jerusalén estaba en manos de los latinos y los lugares reales del sacrificio de Cristo eran directamente accesibles al cristiano.[77]

Las primeras manifestaciones de flagelación pública en Occidente se produjeron en relación con las cruzadas: durante la cruzada de los niños (véase *infra*), y sobre todo con el gran movimiento de 1260, surgido en Perugia, en Umbría, y que se propagó por Alemania. El movimiento ha sido relacionado con los grandes acontecimientos que, por entonces, sacudían a Italia central: lucha contra los adversarios gibelinos del papado, en especial el Staufen Manfredo, hijo de Federico II y dueño del reino de Sicilia; lucha contra la herejía, y amenaza mongola contra Europa central y oriental. Todos esos hechos se pudieron asimilar a la cruzada, al menos a su utilización en las operaciones de defensa de la Iglesia romana.[78] El comendador de la casa del Temple en Perugia, el hermano Bonvicino, apoyó el movimiento en sus inicios, y en los frescos de la iglesia templaria de san Bevignate se representa un flagelante.[79] Una mención de la crónica de al-Makin, un copto de Egipto, hace pensar que en Acre desembarcaron flagelantes en el año 658 (es decir, diciembre de 1259-diciembre de 1260): «Contaban que el cielo había hecho caer sobre ellos una lluvia de arena roja. Estaban desnudos y tenían en la mano fustas con las que se flagelaban; decían que eso les sucedía debido al gran número de sus faltas y de sus pecados».[80]

La búsqueda de reliquias fue también un importante motor de la cruzada. No llegaré a decir que la cuarta cruzada fue desviada hacia Constantinopla para conseguir las que abundaban en la ciudad,[81] pero, de hecho, es verdad que, una vez conquistada, ¡los cruzados se sirvieron a placer! Oriente rebosaba de reliquias; Occidente no tenía más que migajas. Visitar los santuarios con reliquias formaba parte del periplo del peregrino a Tierra Santa, y, por tanto, del cruzado. No insistiré sobre los medios utilizados por los cruzados (además del pillaje) para procurárselas. Se creó un tráfico no siempre… católico, como el que implicó en 1245 al obispo de Pafos (Chipre), acusado de haber robado las reliquias de Belén.[82]

Cuando ya no tuvieron acceso más que episódicamente a Jerusalén y hubieron desaparecido los Estados latinos, se visitaban las reliquias en Chipre y en Rodas; en 1291, templarios y hospitalarios evacuaron su *tesoro* hacia Chipre: no constaba de lingotes de oro, sino de archivos y reliquias.

Queda por considerar un último aspecto de la espiritualidad de los cruzados: la parte escatológica y profética. Muchos cruzados de la primera cruzada partieron con la idea de encontrar una Jerusalén reconquistada a los impíos y rendida a Cristo, a la espera de los últimos días. El anticristo debía aparecer entonces para combatir a los fieles, reunidos alrededor de Cristo. Empezaban así los tiempos finales, que debían terminar con la derrota del anticristo y el establecimiento del reino de Dios sobre la Tierra. Entonces, la Jerusalén celeste se uniría con la Jerusalén terrestre.

Jerusalén fue reconquistada y no ocurrió nada, lo que no impidió que los milagros y las profecías resurgieran en las cruzadas posteriores. El esquema era casi siempre el mismo: llegaría un rey cristiano que pondría fin al reinado del islam. Ricardo Corazón de León debía vencer a Saladino; la quinta cruzada debía destruir el islam. La victoria cristiana precedería la venida del anticristo (era preciso que Jerusalén estuviera en manos de los combatientes cristianos para que apareciera el anticristo) y comenzarían así los tiempos finales. Las profecías de Joachim de Flore, el ermitaño de Calabria, fueron esenciales: Ricardo Corazón de León se reunió con él cuando pasó por Sicilia, mientras esperaba a embarcarse hacia Oriente. Las profecías de Joachim marcaron también la quinta cruzada y las siguientes.

Todavía a finales del siglo XV, Jean Michel, servidor del rey Carlos VIII, recuperó en sus *Visiones* la más célebre de las profecías milenaristas francesas, el *Karolus*. La adaptó a su tiempo y a su señor: el joven Carlos VIII sería el nuevo Carlomagno, que vencería a los enemigos de la fe, ceñiría la corona de Nápoles y liberaría Jerusalén para reinar en el mundo; así se abriría la era de paz de mil años que precedería al reino de Dios sobre la Tierra y al juicio final. En lugar de eso comenzaron las guerras de Italia.[83]

Tercera parte

La bacteria

Capítulo 1

La iniciativa: el príncipe, el papa y el pastor

La iniciativa de la cruzada incumbía a la Iglesia, pero sin los medios militares de los príncipes y sin las flotas de las ciudades italianas, nada era posible. La cruzada se dirigía a todos los fieles, combatientes o no: contradicción o, mejor, dualidad fundamental que le otorgaba, más allá de aparentes vacilaciones, su carácter singular con respecto, especialmente, a la guerra santa.

LA BULA DE CRUZADA

La primera cruzada se lanzó a iniciativa del papa; su realización se confió a los príncipes y a los señores de Occidente, pero el legado pontificio Adhémar de Monteil era el jefe al mismo nivel que los príncipes. Adhémar murió antes de la toma de Jerusalén y no podemos saber qué iniciativas hubiera tomado en cuanto al desarrollo de la conquista. Sólo sabemos que Godefroy de Bouillon, entronizado por sus pares en Jerusalén, no quiso tomar ninguna decisión definitiva sobre el tema antes de haber consultado con el papa. Su hermano y sucesor, Balduino I, no tuvo sus escrúpulos y fue proclamado rey. Al menos, el poder temporal y el poder espiritual se respaldaban.

La segunda y la tercera cruzada respondieron a los graves acontecimientos que acaecieron en Oriente: la caída de Edesa para la segunda y la caída de Jerusalén para la tercera; los papas respectivos reaccionaron y emitieron bulas de cruzada para ir en socorro de Tierra

Santa. Eugenio III dio a la bula de cruzada, en marzo de 1146, su doble carácter de promulgación (de la expedición) y de codificación (las garantías concedidas al cruzado durante su ausencia, la remisión de los pecados y las indulgencias).

El modelo era la bula *Quantum praedecesores* (las bulas eran conocidas por sus dos o tres primeras palabras) que Eugenio III hizo difundir por toda la cristiandad como consecuencia de la noticia de la caída de Edesa y la matanza de su población por parte de Zengi, en diciembre de 1144. La versión de 1146 recuperaba y ampliaba una primera versión fechada el 1 de diciembre de 1145.[1] Seguía fielmente el tema del llamamiento de Urbano II en Clermont, del que recordaba las iniciativas a favor de la liberación de las Iglesias orientales y de Jerusalén; el relato de la toma de Edesa estaba calcado del de las desgracias de los cristianos de Oriente hecho en Clermont. La misma Edesa era comparada con Jerusalén: su primer rey, Agbar, habría sido el primer rey en convertirse en cristiano y la reliquia más preciosa de la ciudad, la carta que Cristo le habría dirigido. Eugenio III también tuvo en cuenta los cincuenta años de práctica de la cruzada: la bula precisaba las medidas ya en vigor para proteger a los cruzados durante su ausencia. En el mismo orden de cosas se señalaban las recompensas espirituales concedidas a quienes se lanzaran a «una obra y una labor tan santas y tan indispensables». La idea de prueba, de sufrimiento, también estaba presente, lo que hacía de la cruzada una obra de salvación. Las bulas de cruzada que siguieron (citemos *Audia tremendi* de Gregorio VIII en 1188, *Quia major* de Inocencio III en 1213, e incluso *Insurgentibus contra fidem* de Clemente VI el 30 de septiembre de 1343)[2] presentaban algunos desarrollos a veces nuevos (la financiación de la cruzada, por ejemplo), pero seguían manteniendo el doble carácter de promulgación y codificación. Si se quiere ser riguroso en la definición, las bulas (y fueron muchas) que no tenían ese carácter no merecían el marchamo de bula de cruzada.

Los predicadores transmitían después el llamamiento a los fieles y, a veces, tomaban iniciativas que el papado asumía (por ejemplo, san Bernardo en la segunda cruzada).

INOCENCIO III O EL RETORNO A LAS FUENTES

Decidir la cruzada era una cosa. Dirigirla era otra. La tercera cruzada fue lanzada por el papa, pero dirigida por un emperador y dos reyes. La cuarta cruzada también fue, al principio, el fruto de la iniciativa del papa Inocencio III, pero perdió totalmente su control y fue desviada hacia Constantinopla sin su aval; los mismos legados pontificios, si bien no traicionaron al papa, sí le ocultaron parte de la verdad.

Inocencio III supo reaccionar.

La encíclica *Quia major* de 1213,[3] que lanzaba la quinta cruzada, indicaba claramente las intenciones de Inocencio III de volver a las fuentes de la cruzada. Fue decidida por el papa y se convirtió en un asunto de toda la Iglesia: el cuarto concilio de Letrán, convocado en el mismo momento, debía aportar el último toque a la organización de la expedición.

Inocencio III recuperaba el mensaje de Urbano II al colocar a Jerusalén y a la liberación de los cristianos orientales en el corazón de la cruzada. La Iglesia asumía todas las responsabilidades de la dirección, el financiamiento, la organización y la codificación de la cruzada, y fue el objeto de la constitución conciliar *ad liberandam*. Inocencio III murió antes de la partida de los cruzados. Aunque su sucesor, Honorio III, prosiguió en la misma vía, no tenía su clarividencia. Su legado, el cardenal portugués Pelagio, que llegó a Egipto en 1219, asumió la dirección efectiva de las operaciones militares. El rey de Jerusalén, Juan de Brienne, en total desacuerdo con sus iniciativas, dejó el campo de Damieta y volvió a su reino. ¿Habría permitido Inocencio III tal desafección? Debido a su torpeza e intransigencia, Pelagio no supo explotar el éxito que representaba la toma de Damieta y rechazó las ofertas del sultán, que proponía devolver Jerusalén a cambio de Damieta. En una carta dirigida al sultán de El Cairo, en el momento de la publicación de *Quia major*, Inocencio III le había propuesto una especie de mercadeo: devolved Jerusalén a los cristianos y os dejaremos en paz.[4] No se supo más del asunto y Damieta hubo de ser devuelta sin compensaciones. Hay que decir en descarga del legado que estaba apoyado por una facción belicista, en la que los templarios y los hospitalarios tenían gran predicamento, y que pensaba obtener un éxito total gracias a la llegada —que se pensaba inminente— del emperador Federico II con importantes tropas.

Lo cierto es que fue el chivo expiatorio. Un poeta normando, Guillaume Le Clerc, escribía hacia 1226-1227: «Seguramente va contra la ley que los clérigos manden a los caballeros. El clérigo debe leer su Biblia y sus salmos y dejar el campo de batalla al caballero».[5]

El equilibrio era muy difícil de encontrar. Porque no había que olvidarse de los príncipes.

Dos príncipes en cruzada: Federico II y san Luis

La cruzada de Federico II fue paradójica por partida doble: partió cuando estaba excomulgado y consiguió el objetivo de toda cruzada: devolver Jerusalén a los cristianos. Había pronunciado el voto de cruzada en 1215 y lo renovó en 1220, en ocasión de su coronación imperial en Roma. Debía partir para prestar ayuda a los cruzados de la quinta cruzada, pero obtuvo varios aplazamientos del papa Honorio III. Por fin, en 1225, asumió el compromiso y se sometió de antemano a las graves sanciones de la Iglesia si no lo cumplía al cabo de dos años. Mientras tanto, se había casado con la heredera del reino de Jerusalén, Isabelle de Brienne. Efectivamente, partió en 1227, pero enfermó y hubo de volver a puerto. El papa Gregorio IX era menos comprensivo que Honorio III y lo excomulgó inmediatamente (¡aunque estaba realmente enfermo!). Federico II no hizo caso y volvió a la mar en junio de 1228. Las fuerzas militares que lo acompañaban, aunque no eran despreciables, resultaban insuficientes para esperar un éxito militar de envergadura, dado que, además, su excomunión y sus achaques lo privaron del apoyo de la mayoría de los barones de Tierra Santa, así como del de los templarios y los hospitalarios. En cambio, pudo contar con el sostén de la orden de los teutónicos. Necesitaba un éxito; su prestigio e incluso su autoridad en Occidente pedían ese precio. Jugó la carta diplomática.

Federico II mantenía, desde hacía mucho tiempo, relaciones epistolares con el sultán al-Kámil, con el que discutía sobre temas científicos y filosóficos, y tenía la esperanza de poder jugar con las rivalidades que le enfrentaban al resto de los príncipes de la familia ayubí, pero la reconciliación se produjo poco antes de la llegada del emperador. No obstante, Federico II obtuvo de al-Kámil, por el tratado de Jaffa de febrero de 1229, la restitución de Jerusalén a los cristianos, con la condición de no establecer defensas en la ciudad. Pudo así ser coronado rey el 18 de marzo de 1229, justo antes —¡el colmo de la ironía!— de que el patriarca latino de Jerusalén lanzara un interdicto sobre la ciudad santa. Federico II dejó Tierra Santa poco después, abucheado por la población de Acre.

El resultado obtenido era considerable, aunque fuera frágil e incompleto. El papa tuvo que aceptarlo y se reconcilió con Federico en 1230. De todas formas, la manera en la que se había desarrollado la cruzada no podía ser satisfactoria para un papado que había quedado fuera de juego. La cruzada tenía que ser una manifestación de la unidad de la cristiandad occidental y no sacar a la luz sus divisiones, y, en este caso, había sido una herramienta en manos de dos poderes intransigentes que seguían pretendiendo regir el mundo. Evidentemente, el conflicto entre Gregorio IX y Federico II tardó poco en reavivarse, en Italia esencialmente. En julio de 1244, los latinos perdieron definitivamente Jerusalén. Los jwarizmíes, un pueblo turco expulsado de Asia central por los mongoles, fueron llamados por el sultán de Egipto al-Sálih Ayyub para contrarrestar la coalición de sus parientes ayubíes de Siria y Palestina, que se habían aliado con los francos. Arrasando todo a su paso y sembrando el pánico tanto entre los musulmanes como entre los francos, los jwarizmíes se apoderaron de Jerusalén en julio de 1244. Tres meses más tarde, con sus aliados egipcios, infligieron a los francos y a sus aliados la derrota de La Forbie, un nuevo Hattín.

En ningún momento Federico II tuvo una autoridad indiscutible, ni en Oriente ni en Occidente. Sin embargo, Luis IX (san Luis) sí tenía esa autoridad. Pero en 1244, el papa Inocencio IV, que continuaba su conflicto con el emperador (lo depondría en el primer concilio de Lyon, en 1245), acogió sin excesivo entusiasmo el voto del rey de Francia; se sabe que Luis IX, muy enfermo y casi moribundo, se encomendó a Dios y prometió partir en cruzada si se restablecía. Una vez sano, confirmó su voto. No sabía entonces que Jerusalén acababa de perderse ni que los francos habían sido vencidos en la batalla de La Forbie el 17 de octubre de 1244. La cruzada del rey de Francia molestaba al papa; sin embargo, la apoyó y nombró un legado ante él. La predicación no desbordó más que marginalmente el marco francés y, de manera paradójica pero bastante evidente, no se la puede considerar un «paso general».[6] Una vez más, el papado quedó a trasmano.

La cruzada de Luis IX fue una de las más sinceras, y una de las más cercanas al espíritu de la cruzada; también una de las mejor dirigidas, tanto material como espiritualmente. Tuvo mucho que ver con la canonización de quien se convertiría en san Luis. En 1239, mucho antes de haber pronunciado su voto, el rey había ido a Villeneuve-l'Archevêque para recibir la reliquia de la corona de espinas (el 9 de agosto), para la que hizo construir la Sainte-Chapelle: «Nueve años antes de partir para la cruzada, san Luis vivió el éxtasis del cruzado», ha escrito Jacques Le Goff.[7] A lo largo de la cruzada, tanto en el éxito inicial de Damieta como en la derrota y cautiverio de Mansura o en Acre, donde durante cuatro años, sin ningún título —y sin reivindicarlo—, administró los asuntos del reino latino, el rey de Francia fue un *cruzado ideal*.[8] Es un error que se siga presentando su empresa como anacrónica, ya que ese cruzado ideal llegó a ser realista y acabó por comprender la realidad del Oriente latino. Supo abrir algunas rutas para el futuro, como la alianza mongola o el mantenimiento sobre el terreno de un «regimiento francés permanente, pagado a sus expensas».[9]

La Iglesia nunca volvió a encontrar un paladín como él; se las vio después con muchos Federico II, menos ambiciosos, pero más fuertes (Felipe IV el Hermoso, Jaime II de Aragón, Eduardo I), para quienes primaban los intereses del Estado monárquico. Quizá fueran sinceros cuando tomaban la cruz, pero aplazar la realización de su voto no los turbaba. Mientras tanto, recogían del clero los diezmos generosamente concedidos por el papa y se servían de ellos para asuntos más urgentes. ¿No hacía el papado lo mismo cuando utilizaba la cruzada para beneficio de sus propios intereses italianos?

En esas condiciones, no era extraño que se propagasen rumores contra los malos pastores del pueblo cristiano, incapaces de recuperar Jerusalén, y que hubiera quien pasaba a la acción sin ocuparse ni del papa ni de los príncipes.

LAS CRUZADAS «POPULARES»: NIÑOS, PASTORES Y ZAGALES

En el siglo XIII, sin el aval de la Iglesia, sin voto de cruzada y sin concesión de indulgencias, hubo autoproclamados predicadores que incitaron a las capas populares de Francia y del Imperio a ir en socorro de Jerusalén. En parte, esos movimientos eran el reflejo en esos medios de las críticas espontáneas que se daban, no contra la cruzada en sí, sino contra sus fracasos y desviaciones. Tal fue el caso, en 1212, de la cruzada llamada *de los niños* (se trataba en realidad de jóvenes de orígenes humildes), que quizá fuera un efecto derivado e imprevisto de las predicaciones hechas en la misma época contra los herejes albigenses o contra los moros de España. El movimiento parece ser que se originó en dos núcleos.[10] En Holanda y en la Alemania renana, Nicolás, originario de Colonia, decía que había recibido un mensaje de Cristo para que reuniera adeptos y partiera a la reconquista de Jerusalén. Al mismo tiempo, en Vendômois, Étienne, un pastor de Cloyes, asimismo inspirado, se lanzó a una aventura idéntica. Los primeros pasaron por Alsacia y el valle del Ródano hasta llegar a Marsella, donde se dispersaron. Una leyenda dice que algunos de ellos consiguieron embarcar hacia Marsella; ¡ay!, marinos poco escrupulosos los habrían vendido como esclavos a los sarracenos. En cuanto a los segundos, fueron recibidos por Felipe Augusto, quien los rechazó.

A lo largo del siglo siguiente, se dieron no menos de tres movimientos del mismo tipo. En 1251, la noticia de la captura de san Luis en Egipto provocó una intensa emoción. La cruzada de los zagales (*pastoureaux*) fue una manifestación espectacular de tal emoción.[11] Jacques, un monje llamado *El maestro de Hungría*, quien afirmaba haber recibido una carta de la Virgen, arrastró en pos de sí a miles de pastores y otros campesinos del norte de Francia; convergieron en París, donde la regente Blanca de Castilla los recibió con cierta simpatía. Descendieron hacia el sur, multiplicando las exacciones y los pillajes, lo que les acarreó su represión y, después, su dispersión. No obstante, algunos consiguieron llegar a Tierra Santa. El movimiento de 1309 afectó a todo el noroeste de Europa: se presentaron muchos grupos ante el papa Clemente V para incitarle a lanzar una cruzada general, cuando él no estaba preparando más que un paso particular destinado a reforzar la conquista de Rodas por los hospitalarios. En cuanto al movimiento de 1320, fue una especie de repetición de la cruzada de los zagales que agitó el mediodía de Francia, sin mayor éxito que las precedentes.[12]

Todos esos movimientos tenían rasgos comunes. En ellos se reencontraban los entusiasmos y los excesos de los *pequeños* de la primera cruzada. *Pastores* y *pobres*, que criticaban a los poderosos, a los príncipes henchidos de orgullo y a los clérigos avariciosos y altivos, a quienes se hacía responsables de la pérdida de Jerusalén y de la Vera cruz. Sólo los humildes eran capaces de devolver a la cristiandad la ciudad santa y la preciosa reliquia. Todas y cada una de las veces, grupos de jóvenes más o menos custodiados por clérigos disidentes, partieron con esa esperanza, dirigidos por jefes inspirados por Dios, Cristo o la Virgen. El movimiento se desarrollaba, o bien relacionado con alguna predicación de cruzada (como la de 1208 contra los albigenses, o en 1309, a iniciativa de Clemente V), o bien con ocasión de algún acontecimiento relacionado con Tierra Santa: en 1251 se acababa de recibir en Francia la carta que san Luis había escrito a sus súbditos para tenerles informados de su situación.

Estos movimientos se acompañaban de violencia anticlerical y, a veces, de violencia contra los judíos. En 1320, el fantasma de un complot judío y musulmán, del que los leprosos serían agentes, desencadenó la matanza de muchos de esos desgraciados, acusados de envenenar los pozos. Hechos sobrenaturales reforzaban la convicción de los participantes. Hay que señalar también el vínculo entre esos movimientos y las corrientes de pobreza voluntaria que se desarrollaron desde finales del siglo XII, especialmente en el seno de la orden franciscana. También se puede apreciar en ellos la expresión de un malestar espiritual y social que se manifestaba mediante el desarrollo de herejías de todo tipo o hasta con el movimiento de flagelantes de 1260 en Perugia.

¿Podemos hablar de cruzadas a propósito de esas *emociones* populares? Fueron ignoradas o deformadas por clérigos hostiles, a los que se marginaba o se rechazaba; fueron reprimidas por las autoridades laicas a las que desagradaban los desórdenes que engendraban. Los movimientos no tuvieron resultados concretos, pero, sin embargo, los *humildes* se consideraban más capaces que los poderosos de recuperar Jerusalén a base de oración y penitencia, y no mediante las armas. Se volvía a las fuentes más auténticas de la cruzada, a las «varias "primeras" cruzadas».[13] Fueron la prueba de la persistencia del ideal de cruzada y de la existencia continua de una corriente popular, casi autónoma, en la cruzada. Podemos admitir, según la expresión de Hans E. Mayer, que los movimientos espontáneos no eran, técnicamente, cruzadas,[14] pero que estaban más próximos a la idea y al espíritu de la cruzada que muchas de las cruzadas predicadas a lo largo del siglo XIII.[15]

Capítulo 2

La financiación de la cruzada

El llamamiento de Clermont obligaba a los que partían a prever un viaje costoso; no obstante, la tradición de la peregrinación había preparado a algunos para la experiencia. El peregrino tenía que manejarse solo; no podía contar ni con la ayuda de la Iglesia ni con la del rey. El cruzado, como el peregrino, tenía que contar con sus propios recursos. Los cruzados que siguieron a Pedro el Ermitaño no tenían experiencia y se encontraron rápidamente sin blanca. Fue una de las razones de los pillajes y la violencia que marcaron la primera cruzada.

LA FINANCIACIÓN PRIVADA

En la sociedad caballeresca, la largueza acompañaba a la proeza: gastar sin tino era una cualidad. Raros eran los que ahorraban antes de partir. El único atesoramiento posible era el de las joyas o la vajilla. No obstante, los más pudientes a veces anticiparon e hicieron transferir fondos a Oriente antes de partir: el rey Enrique II de Inglaterra hizo que se depositasen quince mil libras en Jerusalén en previsión de una cruzada que, por otra parte, nunca realizó.

Los cruzados movilizaban su capital, esencialmente territorial, para financiar su viaje: Godefroy de Bouillon vendió su castillo de Bouillon y su condado de Verdun; Eudes Arpin, vizconde de Bourges, cedió su ciudad al rey de Francia en 1101.[16] Las más de las veces, sin embargo, los cruzados obtenían préstamos empeñando sus bienes inmobiliarios a instituciones religiosas: primero, a la orden de Cluny, y luego a las órdenes militares. Estas instituciones conservaban los bienes si el cruzado moría durante la cruzada o si era incapaz de reembolsar el préstamo a su vuelta. Las cartas redactadas para la ocasión y conservadas en los cartularios de las abadías permiten conocer la amplitud de las transacciones así realizadas.[17] Para evitar los perjuicios que se podían derivar de tales situaciones, la Iglesia fue elaborando poco a poco una legislación, de la que trataremos a continuación en este capítulo.

También podían dirigirse a sociedades de crédito: Jean de Joinville empeñó sus bienes a usureros[18] de Metz en 1248: «Como no quería llevar ningún dinero innecesario, fui a Metz, en Lorena, para dejar en prenda una gran cantidad de mi tierra. Y sabed que el día que partí de nuestro país para ir a Tierra Santa, no contaba ni con mil libras de renta, ya que mi señora madre vivía todavía. Y fui con nueve caballeros y llevábamos tres estandartes. Y os recuerdo estos hechos porque si Dios, que nunca me ha dejado, no me hubiera ayudado, no hubiera conseguido soportar la situación durante un período tan largo como los seis años que pasé en Tierra Santa».[19]

Los cruzados recurrieron cada vez más al préstamo puro y duro desde que en el siglo XIII aparecieron organismos de crédito importantes: las compañías bancarias italianas. Incluso san Luis, a pesar de la minuciosa preparación de su cruzada, tuvo que recurrir a veces a las sociedades genovesas, de las que había muchas operando en Palestina, para pagar a sus tropas.[20] No obstante, el rey también solía hacer préstamos: Joinville, que, como hemos visto, se encontró muy pronto en dificultades, las resolvió no directamente gracias a Dios, sino gracias al rey de Francia que lo tomó, junto con sus caballeros, a su servicio. Eduardo, el futuro Eduardo I de Inglaterra, trató con el mismo san Luis los medios para financiar su participación en la segunda cruzada del rey de Francia; obtuvo setenta mil libras, que prometió reembolsar al Tesoro a partir de 1274 y durante siete años. De hecho, los reembolsos se fueron aplazando hasta 1289. El préstamo del rey no representaba más que, aproximadamente, la cuarta parte de la suma reunida por Eduardo para su cruzada.[21]

Las pobres gentes, el común del que nos hablan las fuentes, se organizaban en cofradías, a imagen de las cofradías de Santiago que ayudaban a sus miembros a partir hacia Compostela. El 4 de mayo de

1247, Inocencio IV confirmó los privilegios de una cofradía de laicos piadosos de Châteaudun, que había reunido un fondo común para comprar armas y alquilar un barco con el que partir en cruzada con san Luis.[22] En los ejércitos de la cruzada, fondos comunes para ayudar a los cruzados pobres eran alimentados por las donaciones o los legados piadosos de los participantes más pudientes; en 1220, en Damieta, Berzella Merxadro, un cruzado de Bolonia, enfermo, hizo su testamento, en el que legaba «a la tesorería del común del ejército, un besante [moneda de oro]».[23]

LA AUTOFINANCIACIÓN DE LA CRUZADA

La cruzada era un acto de fe y la fe financió la cruzada. Los que no partían —¡que eran la mayoría!— contribuían por caridad, espontáneamente o algo obligados, a financiar el viaje de los que partían. En las iglesias, se recogían las limosnas de los fieles en cepillos especiales. Los cruzados, sus familias y sus amigos contribuían a la financiación de la empresa mediante donaciones piadosas hechas en el momento de la partida. En cuanto a las órdenes religioso-militares, transferían una parte de los ingresos de sus dominios occidentales a Oriente para las necesidades de su misión (a esa parte se la llamaba la *responsio*). Dar al Temple o al Hospital venía a ser como dar para la cruzada. La Iglesia recompensaba todas esas donaciones «espontáneas» con una indulgencia que, aunque no era plenaria, no dejaba de representar un importante estímulo.

En 1215, el cuarto concilio de Letrán generalizó la práctica de la conmutación del voto: se podía rescatar el propio voto sin perder el beneficio de las ventajas espirituales que comportaba. La Iglesia podía así aceptar los votos de todos, pero era libre para no dejar partir más que a los que podían ser útiles sobre el terreno (que no eran más que los meros combatientes); el resto rescataba su voto. La cruzada pagaba la cruzada.

Estos medios resultaron ser insuficientes y hubo que desarrollar procedimientos de financiación que podríamos calificar de institucionales.

Financiación institucional

La mayoría de los participantes nobles de la cruzada mantenía vínculos feudales y de vasallaje. Los señores solicitaban ayuda financiera a
sus vasallos cuando partían en cruzada (era uno de los cuatro casos
que justificaban la ayuda feudal). De todas formas, la mayor parte de
las veces, el vasallo servía en armas a su señor, que, a su vez, se hacía
cargo de su mantenimiento. Joinville era un señor de importancia y
partió acompañado de nueve caballeros a los que tenía que mantener;
cuando estuvo escaso de dinero y el rey lo tomó a su cargo, se daba
por supuesto que también lo hacía con su mesnada.

Los príncipes disponían de ingresos importantes, ya que, además
de sus recursos territoriales, consiguieron gravar al conjunto de sus
súbditos y establecer una fiscalidad de cruzada. Luis VII fue el primero que recurrió a ella en Francia. Enrique II procedió a una re-
caudación general en Inglaterra en 1166. Cuando se comprometieron en la tercera cruzada, Felipe Augusto en Francia y Ricardo
Corazón de León en Inglaterra establecieron el diezmo saladino. Las
recaudaciones también podían responder a una petición de los Estados latinos de Oriente, transmitida por el papado: ayuda *in subsidium Terrae Sanctae* (para el socorro de Tierra Santa). El producto
de esas tasas se solía transferir a Oriente por medio de las órdenes
militares.

De todas formas, la principal financiación institucional venía de
la Iglesia, que recaudaba impuestos específicos sobre el clero. Era la
consecuencia lógica de la voluntad del papa de afirmar su autoridad
y su control sobre el conjunto del proceso de la cruzada. Inocencio III
impuso en 1199 la primera tasa directa sobre los ingresos del clero:
se trataba de la deducción de una cuadragésima parte.[24] El siguiente
año, los obispos de Francia, reunidos en Dijon, decidieron a regañadientes la deducción de una trigésima parte.[25] El cuarto concilio de
Letrán, en 1215, puso las bases de una financiación regular: en cuanto se pronunciaba una cruzada, los clérigos debían entregar una vigésima parte de sus ingresos (bienes materiales e ingresos vinculados
con la función que ejercían). Más tarde, se adoptó el principio de una
décima parte de los ingresos, de donde viene el nombre de diezmo
dado a los impuestos pontificios.

Una comisión compuesta por dos o tres clérigos seculares asistidos por un templario y un hospitalario vigilaba la colecta de los fondos en cada diócesis. Gregorio X (1271-1276) dividió a la cristiandad en veintiséis circunscripciones, con un recaudador general a la cabeza en cada una.[26] Ése fue el principio de los diezmos eclesiásticos, decididos para un período de tres a seis años (duración en principio de una cruzada), cualquiera que fuera, por otra parte, el objetivo de la empresa: el 3 de marzo de 1263, el papa Urbano IV cargó al clero con un diezmo durante tres años para sostener a Carlos de Anjou contra el rey Manfredo (hijo de Federico II), en Sicilia y en el sur de Italia.[27]

Inocencio III quiso que el papado participase en cuanto tal en la financiación de la cruzada: la constitución *ad liberandam* del cuarto concilio de Letrán preveía la inversión de treinta mil libras para la cruzada en preparación (la quinta); además, la curia se comprometía a financiar el armamento de la flota que transportaría a los cruzados de Roma y las regiones vecinas. Y, en lugar de la vigésima parte exigida a todos los clérigos, «nosotros y nuestros hermanos cardenales de la santa Iglesia de Roma, pagaremos el diezmo, sin reducción».[28] Inocencio III y sus sucesores supieron aprovechar las lecciones de la deficiente financiación de la cuarta cruzada. Las sumas recaudadas por la Iglesia habían sido transferidas a Oriente y no entregadas directamente a los cruzados. Éstos, reducidos a la financiación privada, no pudieron reunir la suma negociada con Venecia y tuvieron que plegarse a sus condiciones. Desde entonces, el dinero recaudado por la Iglesia se entregaba directamente a los cruzados.

La financiación de la cruzada mediante el diezmo recaudado al clero llevó a dos formas de abusos. Por una parte, el papado utilizó los fondos recaudados para el socorro a Tierra Santa en otras operaciones abusivamente calificadas de cruzada (véase *infra*, IV parte).[29] Por otra parte, los príncipes laicos que habían obtenido del papa la concesión de los diezmos impuestos al clero de sus reinos, los utilizaron con otros fines. Aunque san Luis aceptó el juego, su nieto, Felipe IV el Hermoso, fue menos escrupuloso y financió con los diezmos, generosamente concedidos por el papado, sus guerras contra Flandes o contra el rey de Inglaterra en Guyena.

Las sumas movilizadas eran considerables. La cruzada de san Luis fue financiada con los ingresos de la corona —doscientas cincuenta mil libras—, con el producto de los diezmos sobre el clero del reino, concedidos por cinco años y que aportaron en total novecientas mil libras, por las donaciones exigidas de las ciudades —doscientas setenta y cinco mil libras— y por algunos otros recursos.[30] El rey gastó cada año, durante seis, el equivalente de vez y media el presupuesto del reino, y su amigo Joinville apenas exageraba cuando decía al legado del papa durante un consejo celebrado por el rey en Acre en 1250: «Se dice, señor —no sé si es verdad—, que el rey aún no ha gastado nada de su dinero, sino solamente el dinero del clero».[31]

Queda decir que la financiación de las cruzadas estuvo a lo largo de todas ellas garantizada por la combinación de las aportaciones personales de los cruzados, las donaciones y las limosnas, así como por los impuestos, especialmente los diezmos percibidos sobre el clero. A fin de cuentas, la fe y la piedad de los fieles fueron el principal motor de la cruzada.

Capítulo 3

Salvaguarda y recompensas espirituales

La Iglesia garantizaba al cruzado una protección material durante toda la duración de la cruzada y le prometía una recompensa espiritual con la condición de que cumpliera su voto totalmente y con intención recta. Los privilegios y la recompensa se definían en la bula de cruzada. La referencia a Urbano II era una constante. De una bula a otra, las medidas anunciadas no cambiaron de naturaleza, pero su contenido se fue concretando y desarrollando. Los concilios ecuménicos, que se reunieron a lo largo del siglo XII, trasladaron el contenido de las bulas a sus decretos o cánones. La forma más acabada de esta legislación o teoría de la cruzada se encuentra en la constitución *ad liberandam* del cuarto concilio de Letrán en 1215;[32] recuperaba, amplificándolos, los textos de los tres primeros concilios de Letrán (1123, 1139 y 1179).[33] Esta constitución, elaborada en el contexto concreto de la preparación de la quinta cruzada, no se aplicó más que en Tierra Santa.

Entre las muchas cuestiones tratadas en el decreto, las concernientes a los privilegios y las recompensas espirituales del cruzado, estaban en primera fila.

LOS PRIVILEGIOS DEL CRUZADO

Ad liberandam fijaba en principio la duración del compromiso del cruzado en tres años. La empresa (*opus*, *labor*, *negotio*) era larga, costosa y penosa, por lo que «es justo que quienes se ponen al servicio del Rey del Cielo gocen de prerrogativas especiales»; conforme a las disposiciones en vigor desde el principio de la cruzada, «a partir del momento en que tomen la cruz, tomamos a sus personas y sus bienes bajo la protección de san Pedro y la nuestra». A los obispos encargados de hacer que se aplicase dicha protección, el concilio añadió protectores especiales, a los que se exigía (para que no hubiera abusos) que también hicieran voto de cruzado. En la práctica, con eso se imponía al obispo que tuviera una contabilidad exacta de los cruzados de su diócesis.

Las principales medidas de salvaguarda eran las siguientes:

El cruzado estaba exento del pago de la talla y de cualquier percepción de dinero impuesta por los señores o por el rey. Los clérigos, cualquiera que fuese su rango, tenían que «consagrar para ayuda a Tierra Santa, durante tres años, la vigésima parte de los ingresos eclesiásticos». Estaban exentos «algunos religiosos y quienes, habiendo tomado la cruz o antes de tomarla, partirán en persona». Por «algunos religiosos» hay que entender a los miembros de las órdenes militares, templarios, hospitalarios y teutónicos, ya implicados en la defensa de los Estados latinos y que consagraban una parte de sus ingresos occidentales para el cumplimiento de sus tareas en Oriente.

Los ingresos de los cruzados estaban protegidos por disposiciones, que también distinguían entre clérigos y laicos. Los clérigos que hacían el voto continuaban percibiendo durante su ausencia las rentas de sus prebendas (obispado, canonjía, curato), tanto en lo temporal como en lo espiritual; incluso estaban autorizados a empeñar esas rentas para obtener un préstamo que les permitiera financiar su viaje. Para los laicos, la cuestión que había que resolver era la de los créditos que pudieran crear sobre las rentas de sus posesiones. El mecanismo del crédito era el siguiente: se pedía una suma que debía devolverse en un cierto plazo, en general corto; el préstamo se garantizaba con la entrega de un objeto de valor o de un bien. Si, al agotarse el plazo, no se había podido reembolsar, había que pagar intereses, casi siempre muy elevados. La constitución *ad liberandam* describe dos situaciones, en dos momentos del proceso: o bien el cruzado, en el momento de su voto, no está todavía en la fase de pago de los intereses, o bien sí lo está. En el primer caso, la protección de la Iglesia le permitía aplazar hasta su vuelta el inicio del procedimiento; en el segundo, el pago de los intereses, ya comenzado, se suspendía hasta la vuelta del cruzado.

De manera natural, los préstamos eran gestionados por los judíos, que eran los únicos autorizados para dedicarse a esa actividad, prohibida a los cristianos y, sin embargo, necesaria. Las disposiciones establecidas por la constitución *ad liberandam* respecto a los prestamistas judíos son interesantes. Están obligados a «descontar del reembolso del capital, contando con los gastos indispensables, las rentas de los bienes confiados a ellos; así, ese privilegio [del cruzado], no implicaría demasiadas desventajas [para el prestamista] ya que, al retardar el pago, no haría desaparecer el objeto de la deuda». En otras palabras, una deuda seguía siendo una deuda, aunque la legislación canónica se esforzaba en aligerar su peso.

Esas medidas se añadían a las reglas ya promulgadas en el pasado: no emprender persecuciones judiciales contra un cruzado hasta su retorno; no ejercer violencia contra él, los suyos y sus bienes. Seguimos en la lógica de los movimientos de paz. Cualquier atentado contra esos privilegios era sancionado con penas eclesiásticas: excomunión, anatema o incluso, para los poderosos, puesta en entredicho de sus señoríos, principados o reinos.

¿Se aplicaron las cláusulas de salvaguarda? ¿Fueron eficaces? Sin duda, pero hubo muchos casos en los que el cruzado, de vuelta a casa, se encontraba con alguna sorpresa. Se encontraba con todas las obligaciones que tenía pendientes antes de su partida, ya que no habían sido más que suspendidas. Muchos no pudieron reembolsar sus deudas ni pagar los intereses y tuvieron que abandonar sus prendas. Eso ocurrió en los compromisos establecidos tanto con los judíos como con los establecimientos religiosos. Estos últimos no estaban afectados por el decreto del concilio, ya que no gestionaban préstamos propiamente dichos (había algunas excepciones): era un anticipo otorgado a cambio de un bien empeñado; a la vuelta, se devolvía el dinero y se recuperaba el bien, o no se devolvía el dinero y se perdía el bien; no había aplazamientos suplementarios basados en el pago de intereses. La codicia de los prestamistas y de los clérigos no es una invención, pero es, como poco, un tópico. Los cruzados tampoco estaban desprovistos de astucia y de cautela. El 24 de mayo de 1271, el Parlamento de París denegó la apelación del procurador del vizconde de

Melun, que demandaba a la abadía de Saint-Martin de Tours, en virtud del privilegio concedido a los cruzados. El tribunal adujo que el privilegio había expirado, ya que el rey y los cruzados habían vuelto al país (digamos que el rey era Felipe el Atrevido, que estaba en Túnez y que había vuelto con los cruzados tras la muerte de su padre). Pero el vizconde no había vuelto, de ahí la demanda de su procurador ante la justicia. Se había quedado en Apulia (sur de la península Itálica); pero, dijo el tribunal, como había sido para su provecho personal, ya no podía valerse del privilegio de cruzado.[34]

En cuanto al respeto debido al cruzado durante su ausencia, hubo casos donde quedó en letra muerta. El decreto del concilio de Letrán amenazaba con graves castigos a los obispos «que mostraran negligencia para hacer justicia a los cruzados y a su familia». Prueba de que faltaba rigor moral.

Ricardo Corazón de León, el rey de Inglaterra, padeció la amarga experiencia durante la tercera cruzada: ni Felipe Augusto, que emprendió las hostilidades contra el rey-cruzado mientras éste seguía combatiendo en Tierra Santa, ni el duque de Austria, que lo hizo prisionero cuando, tras desembarcar en Venecia, pasaba por los Alpes de vuelta a Inglaterra, respetaron la salvaguarda que lo protegía. ¡Y no fueron sancionados! Evidentemente, es un caso espectacular, pero hubo otros muchos que no merecieron la atención de los cronistas.

La indulgencia de cruzada

Desde el concilio de Clermont, la cruzada se asimiló con una penitencia que valía al cruzado la remisión de las penas terrestres a las que se exponía por sus pecados: «Para cualquiera que haya tomado el camino de Jerusalén con el fin de liberar la Iglesia de Dios, siempre que sea por piedad y no por ganar honor o dinero, este viaje contará por cualquier penitencia», según el corto decreto del concilio. Eso no prejuzgaba el perdón divino. La regla fue recordada durante todo el siglo XII. En 1187, Gregorio VIII todavía escribía: «A los que, con corazón contrito y alma sencilla, emprenden con humildad la obra de este viaje, si mueren en el arrepentimiento de sus pecados y en la verdadera fe, les prometemos la indulgencia plena de sus faltas y la vida eterna; tanto si sobreviven como si mueren, que sepan que obtendrán la remisión de la reparación impuesta por todos los pecados de los que se hayan confesado».[35]

La indulgencia dispensaba al penitente de todas o parte de las obligaciones que pesaban sobre él tras haber confesado sus pecados y haber sido absuelto por un sacerdote. Esa concepción de la indulgencia era heredera de la indulgencia plenaria de la peregrinación a Jerusalén en el siglo XI. En otras palabras, la peregrinación sustituía a las sanciones y penitencias habituales (ayunos, oraciones, etc.).[36]

En Clermont, Urbano II asoció la indulgencia de peregrinación con una empresa armada, una guerra santa, dando a la vez a ésta el valor de peregrinación y de penitencia. En todo caso, así lo entendieron quienes respondieron a su llamamiento. Pero hasta entonces, la participación en una empresa armada, incluso en las apoyadas por el papado, no se asimilaba a una penitencia. Comentando la remisión de los pecados concedida por Alejandro II a los que iban a la península Ibérica a combatir a los moros, o incluso la empresa pisano-genovesa contra Mahdiya en 1087, Jean Richard hace notar que «todas esas empresas pueden, de una manera u otra, considerarse cercanas a los movimientos de paz; eliminan situaciones que no están conformes con las exigencias del orden divino. Pero no se puede considerar que la lucha contra el islam, en tanto que tal, estuviera identificada como una obra piadosa».[37]

El mismo autor demuestra que indulgencia de peregrinación e indulgencia de cruzada eran distintas. Urbano II y, más de un siglo después, Gregorio VIII, vincularon la indulgencia a la peregrinación, al viaje, que ambos evocaban sin aludir al combate, aunque asociaran la indulgencia a una acción militar. Pero, al mismo tiempo, salió a la luz otra concepción que vinculaba la indulgencia directamente con el combate y, más ampliamente, con cualquier acción emprendida por la Iglesia. Así, en 1169, la bula *Inter omnia* del papa Alejandro III decía: «El que sea apto para defender esta tierra [Tierra Santa] y esté dispuesto a cumplir ese servicio, que reciba su penitencia permaneciendo durante dos años defendiendo la tierra [Tierra Santa] y soportando la obra del combate a las órdenes del rey y de los barones del país por amor a Cristo, podrá regocijarse por haber adquirido la remisión de la penitencia en cuestión».[38] Alejandro III detallaba después las medidas de salvaguarda concedidas al cruzado y concluía con la frase: «Además, a todos los que quieran visitar el sepulcro del Señor en las circunstancias presentes, les ordenamos que hagan la peregrinación a título de penitencia, como señal de obediencia y para la remisión de sus pecados, para que, sea que la muerte les sorprenda en el camino o sea que consigan su objetivo, después de las penas de esta vida, accedan a la vida eterna». Está clara la distinción entre la indulgencia concedida al cruzado y la del peregrino.

La evolución y la distinción (no siempre tan clara) son importantes. A decir verdad, el papa Pascual II las hacía implícitamente después de la primera cruzada: para impedir que los españoles fueran en masa a Jerusalén, con el peligro de debilitar las campañas militares cristianas contra los moros, amplió a ellos la concesión de la misma indulgencia que a quienes iban a Tierra Santa.[39]

La indulgencia de cruzada se desvinculaba de la indulgencia de peregrinación. En esta nueva concepción, la indulgencia podía aplicarse a cualquier empresa militar patrocinada por la Iglesia y el papado. Tampoco consistía, por otra parte, en hacer, de todas las campañas, unas cruzadas. La indulgencia no era más que uno de los elementos constitutivos de la idea de cruzada y no bastaba, por sí misma, para definirla.[40] Eso es lo que lleva a Jean Flori a preferir la noción de indulgencia de guerra santa a la de indulgencia de cruzada.[41]

La tendencia natural de los cruzados fue la de considerar que la indulgencia no sólo borraba la pena, sino también la falta, que incluía la remisión de los pecados y no solamente la anulación de su sanción terrestre. Esa concepción cundió aún más fácilmente dado que los teólogos y los canonistas (Gratien, por ejemplo) iban en el mismo sentido. La doctrina fue fijada por Inocencio III en el concilio de Letrán, en 1215: «En virtud del poder de atar y desatar que Dios nos ha otorgado a pesar de nuestra indignidad, concedemos el pleno perdón de sus pecados a todos los que emprendan esta obra en persona y a sus expensas, una vez que de esos pecados hayan hecho una verdadera contrición y se hayan confesado».[42] El papa, como sucesor de san Pedro y vicario de Cristo, se arrogaba el derecho de sustituir a Dios y hacer que se olvidasen los pecados confesados con contrición y absueltos por el obispo. Era una promesa en nombre de Dios. El cruzado estaba seguro de merecer el paraíso: «Si morían al servicio de

Cristo, eran considerados verdaderos mártires, liberados de pecados veniales y mortales, de cualquier penitencia que pudiera imponérseles, absueltos del castigo por sus pecados en este mundo y de la pena del purgatorio en el otro».[43]

Tal que así era la indulgencia plenaria que valía por la remisión total de los pecados para quienes cumpliesen el voto de cruzada. Para los que rescataban su voto, la indulgencia no era más que parcial, proporcional al mérito; hablemos claramente: ¡proporcional a los fondos que aportaban! Se caminaba hacia todos los abusos que denunciaría Lutero cuando la venta de indulgencias se generalizó. Se consideraba que el dinero recuperado contribuía a la financiación de la cruzada, pero ¿de qué cruzada se trataba?

Capítulo 4

Un derecho de la cruzada

El concilio de Letrán IV prácticamente puso punto final a la elaboración de un derecho de la cruzada y a la formación de instituciones específicas: la bula de cruzada y la predicación representaba la iniciativa pontificia; el voto y la toma de la cruz, el compromiso del fiel; los privilegios del cruzado, la protección de la Iglesia; la remisión de los pecados por medio de la indulgencia, la recompensa divina. El papado también actuó sobre lo que llamaré *el entorno de la cruzada*, para que fuera eficaz.

Actuaba en primer lugar cerca del cruzado. Tenía que haber confesado sus pecados, ser humilde y no permitirse el uso de vestimenta o equipamiento lujosos, tampoco nada de lujuria ni de juegos ni de torneos; en resumen, nada de placeres mundanos, como habría dicho Bernardo de Clairvaux. ¡En verdad, los clérigos debieron suspirar más de una vez al constatar cómo ese ideal de la orden religioso-militar era inaccesible para un buen número de caballeros!

A la predicación acompañaban plegarias y procesiones, una puesta en condiciones de los fieles, para que partieran, o para que pagaran. En *Ad liberandam*, Inocencio III puso a punto una política y unas instituciones para la financiación de la cruzada por la Iglesia: diezmos para el clero, cepillos para la ayuda de Tierra Santa, colectas, etc. Por último, el mismo texto definía una política de embargo en las relaciones con los infieles y sanciones a los mercaderes, a los *malos cristianos* que no la respetaran. Más concretamente, se prohibió la venta de productos estratégicos (madera, hierro, navíos) y de esclavos (cristianos, por supuesto).

La cruzada era una obra de paz; no se podía llevar a cabo más que si ésta reinaba en la cristiandad. El papado tuvo que actuar para mantener —o casi siempre restablecer— la paz en la cristiandad. De la exigencia de paz y de unión se desprendían dos consecuencias: todo lo que atentaba contra ella debía ser combatido sin desmayo; y cuanto más se combatía al cristiano que amenazaba la unidad, más había que exagerar la amenaza del enemigo de fuera, el infiel. Examinemos aquí la primera consecuencia.

¿Quién turbaba la paz en la cristiandad? En el siglo XI, eran los caballeros o los clérigos simoníacos; en tiempo de Inocencio III, eran los herejes y todos los que se rebelaban contra la autoridad de la Iglesia y las órdenes del papa (un Federico II o un Manfredo, por ejemplo). ¿Era legítimo el uso de la cruzada contra ellos? Inocencio III, no sin vacilaciones, dijo que sí; Inocencio IV no tuvo ningún escrúpulo al respecto, apoyado como estaba por los canonistas. El más célebre de ellos, Enrique de Susa, llamado Hostiensis, desarrolló en su *Summa aurea*, escrita hacia 1250, la siguiente idea: una cruzada contra los que desobedecían las órdenes del papa, vicario de Cristo, estaba justificada, ya que los rebeldes, al romper la unidad de la Iglesia, eran heréticos. La ruptura de la unión era más peligrosa que la pérdida de una tierra cristiana, aunque fuera Tierra Santa. El mismo Hostiensis reconocía que esa idea no era compartida ni lo sería nunca por la masa de los «simples», que continuaba asimilando cruzada y Tierra Santa.[44] Hostiensis basaba su razonamiento en la soberanía absoluta del papa, único poseedor del *imperium* en su plenitud, la autoridad que le permitía conceder la indulgencia y borrar de ese modo los pecados, y no sólo la penitencia que los pecados llevaban consigo.

Es fácil comprender lo que se desprendía de tal teoría: desde el momento en que la cruzada se convertía en un conjunto de instituciones en manos del papado, ¿no podría ser aplicada a otras causas que no fueran la de Tierra Santa y la conservación de Jerusalén? La cruzada podría predicarse contra todos los cristianos que protestasen por la autoridad del papa (herejes, cismáticos, rebeldes). Al colocar la indulgencia en el corazón de la cruzada, los canonistas permitían su extensión, al mismo tiempo que asimilaban totalmente, hasta el punto de confundirlas, cruzada y guerra santa. Por supuesto, hay que examinar los campos en los que se aplicaron las instituciones de cruzada. Pero el historiador no está obligado, ya que dispone de dos términos o expresiones —cruzada, guerra santa—, a ver las cosas solamente a través de las lentes de Hostiensis: ¡no hay más que derecho canónico en la vida del cruzado!

Cuarta parte

Cruzada y guerra santa: ¿una ampliación del campo de la cruzada?

Capítulo 1

Reconquista española y guerra misionera en el Báltico

Ya he comentado la situación de la península Ibérica en el momento en que el papa Urbano II hacía el llamamiento de Clermont. A finales del siglo XI, las tropas almorávides habían colocado a los cristianos de España a la defensiva. No había que desviar a castellanos, leoneses, portugueses, catalanes y aragoneses del combate contra los moros. Urbano II, y después Pascual II, les prohibieron ir a Tierra Santa, pero, para compensarlos, concedieron a los españoles recompensas espirituales similares a las que habían otorgado a los cruzados de Jerusalén. En 1123, el canon 10 del primer concilio de Letrán ordenaba «a quienes se sabe que, para tomar la ruta, bien para Jerusalén, bien para España, habían impuesto una cruz sobre su vestido y la habían quitado» que la volviesen a tomar y «acabasen su ruta» antes de un año, so pena de sanciones.[1] Si seguimos a Richard A. Fletcher, sólo entonces los rasgos de la cruzada comenzarían a modelar la Reconquista.[2]

LA SEGUNDA CRUZADA, ¿UNA EMPRESA GLOBAL?

Con la segunda cruzada aparecieron elementos nuevos. La toma de Edesa por Zengi hizo reaccionar al papa. La bula *Quantum praedecessores*, en su segunda versión del año 1146, llamaba a los cristianos a movilizarse para «liberar las Iglesias de Oriente» y recuperar Edesa.[3] El papa quería confiar al rey de Francia, Luis VII, que había hecho voto de cruzada en diciembre de 1145, el mando de la expedición.

Pero el rey tenía una preocupación diferente: recogerse en el Santo Sepulcro para hacer penitencia y expiar sus pecados; durante una guerra contra el conde de Champaña, había hecho quemar la iglesia de Vitry con la población de la localidad, que se había refugiado dentro. La trayectoria del rey era la de un peregrino.[4] La predicación de la cruzada fue confiada a Bernardo de Clairvaux. En la primavera de 1146, el abad cisterciense predicó en Vézelay, en presencia de Luis VII, y luego pasó a Alemania, donde la predicación iba viento en popa, pero adquiría un giro peligroso: un cisterciense, el monje Raoul, sublevaba a las multitudes contra los judíos en las regiones renanas. Bernardo consiguió impedir una repetición de las violencias de la primera cruzada. A finales de 1146, el soberano germánico Conrado III tomó la cruz y arrastró con él a una multitud de señores y caballeros.

¿Sobrepasó Bernardo las directrices del papa, que quería una cruzada puramente francesa? De hecho, el movimiento de toma de la cruz había empezado en Alemania antes de su intervención.[5] Por el contrario, la concepción de la cruzada de Bernardo planteaba problemas.

San Bernardo pensaba la cruzada en términos espirituales: concernía a todos los cristianos, fuesen del rango que fuesen, porque ante todo era un medio para la salvación. Era la «cruzada de la salvación de las almas», según la bella fórmula de Joshua Prawer.[6] Sin duda, Eugenio III era más realista. El condado de Edesa había caído y la bula *Quantum praedecessores* buscaba la movilización de los fieles para ayudar a que los Estados latinos resistieran a Zengi y para intentar la recuperación de Edesa. ¿Tuvo desde el principio una visión más amplia? Algunos historiadores así lo piensan: la cruzada en Tierra Santa entraría en un plan ofensivo generalizado contra los infieles y los paganos, allí donde estuvieran. La segunda cruzada sería «un esfuerzo concertado de la cristiandad contra los infieles en todos los frentes».[7] Es decir, Tierra Santa, España y el Báltico. Iniciativas locales *colaterales* podían dar cuerpo a esa interpretación.

En Alemania central y oriental, lo que se llamó el empuje hacia el este había comenzado antes de la primera cruzada. Revistió desde el principio un carácter de colonización agrícola, como ocurría en todo Occidente, y se acompañó de una voluntad de conversión al cristianismo de las poblaciones paganas del este del Elba. Mientras Conrado III se comprometía solemnemente a partir a Tierra Santa (final de 1146), los señores de Sajonia pedían ser dispensados del voto para poder dedicarse a hacer campaña contra los wendos, un pueblo pagano que se dedicaba a hacer incursiones en el país sajón. La dieta imperial reunida en Fráncfort, en marzo de 1147, les dio la razón; san Bernardo lo aprobó y el papa Eugenio III, que estaba entonces en Troyes, ratificó la decisión con la bula *Divina dispensatione*: «A todos los que no quieran tomar la cruz por Jerusalén y prefieran marchar contra los eslavos [...] les concedemos la remisión de los pecados que nuestro predecesor de feliz memoria Urbano instituyó para el viaje a Jerusalén».[8]

Por otra parte, en Alemania, en las regiones renanas y en Holanda, se habría hecho una predicación específica de una «cruzada» para la reconquista de Lisboa. Se ha hablado de una «tradición de la cruzada» propia de esas regiones, pero, desgraciadamente, no sabemos ni cómo ni a partir de cuándo se habría formado.[9]

En la península Ibérica, precisamente, las iniciativas las tomaban los soberanos. En la primavera de 1146, el rey de Castilla, Alfonso VII, empeñado en la conquista de Almería, obtuvo el apoyo de Eugenio III; pero la carta pontificia no tenía los caracteres de una bula de cruzada.[10] Los cruzados renanos, flamencos e ingleses, de camino a Tierra Santa, hicieron escala en Galicia; solicitados por Alfonso Enríquez, rey de Portugal, participaron en la conquista de Lisboa en 1147; algunos se quedaron allí. Además, otros cruzados ingleses estuvieron presentes en Tortosa, en el bajo Ebro, conquistada en 1148.

Vuelvo a la pregunta que había planteado: ¿la segunda cruzada resulta de un esfuerzo concertado contra todos los infieles y paganos que amenazaban a la cristiandad romana? ¿Lo quería así san Bernardo cuando hacía de la cruzada un esfuerzo espiritual para la búsqueda de la salvación? Pero más que el iniciador, fue solicitado para ello. ¿El papa Eugenio III, entonces? Pero recordemos que, salvo por el llamamiento a ayudar a Tierra Santa de marzo de 1146, no intervino más que *a posteriori*, para confirmar las alternativas tomadas por otros. Veamos por ejemplo el caso de la conquista de Lisboa.

Se la menciona en crónicas alemanas, entre otras, y en los tres relatos del traslado de las reliquias de san Vicente, todos compuestos en la segunda mitad del siglo XII. Dos de ellos cuentan con detalle la conquista de Lisboa. El primero indica que los cruzados flamencos, renanos e ingleses llegaron a Jerusalén por vía marítima (mientras que el rey de Francia y el rey de Romanos habían escogido la vía terrestre); se detuvieron en la península Ibérica para ayudar al rey de Portugal, ya que, dice el relato, «les parecía que no podían continuar su viaje contra los sarracenos de Siria si dejaban atrás a los sarracenos en España». Era una reacción comparable a la de algunos cruzados de la primera cruzada respecto a los judíos del Rin. El segundo relato hace del rey de Portugal el iniciador del llamamiento a los cruzados del norte para conquistar la ciudad; fue él quien concedió iglesias y cementerios a quienes quisieran establecerse como colonos, y quien en un discurso declaró que quienes fueren muertos en combate eran «mártires de Cristo».[11] El papa estuvo ausente del proceso.

Yo no creo que la segunda cruzada hubiera sido concebida por el papa como una empresa global de lucha contra todos los adversarios del «nombre de Cristo», sino que se convirtió en esa empresa global con el discurrir de los hechos. El amplio manto de la cruzada de Jerusalén cubría operaciones dispares que parece ocioso intentar definir (guerra santa, empresa de colonización, guerra misionera). Cruzada o no cruzada, los príncipes sajones organizaron su expedición al país wendo, el rey de Portugal emprendió el sitio de Lisboa y el rey de Aragón conquistó Tortosa. La predicación de san Bernardo en Alemania o el paso de los cruzados del norte por el Atlántico proporcionaron la ocasión de hacer más prestigiosas y más remuneradoras (en el sentido de recompensas espirituales) las empresas de los príncipes.

CAMINOS PARALELOS A LOS DE LA CRUZADA

Pero ¿se trataban de cruzadas?

La reconquista ibérica y la cruzada misionera en Prusia y Livonia habían nacido antes de 1095 y sus objetivos ya estaban fijados. Y no cambiaron.

Las guerras de la Reconquista resultaron de la iniciativa de los príncipes, cuando no de iniciativas locales. El papa dio su apoyo, las estimuló, intervino si era necesario y concedió indulgencias semejantes a las de los que iban a Jerusalén, así que algunas de las instituciones de las cruzadas se aplicaron a una empresa preexistente. En 1197, Celestino III admitió que los cruzados aquitanos, que habían hecho voto de partir a Tierra Santa y que tardaban en emprender el Santo viaje, pudieran transferir su voto para las guerras de la reconquista en España. El papa establecía así una equivalencia: un voto es un voto y compromete de la misma manera a quien lo efectúa, sea cual sea el objetivo. Pero no se trataba más que del voto. ¿Un solo elemento de las instituciones de cruzada, en este caso el voto, la indulgencia, basta para calificar una guerra de cruzada? Evidentemente, no.

En los dos años que precedieron a la batalla de Las Navas de Tolosa (junio de 1212), Inocencio III envió diversas cartas a los obispos y soberanos españoles, así como a los obispos franceses: aprobación, ánimos, invitación a unirse (el rey de León, en conflicto con el rey de Castilla, no acudió) o invitación a ayudar a los españoles. En casi todas sus cartas, el papa concedía indulgencias, pero ninguna tenía verdaderamente el carácter de una bula de cruzada, promulgadora y codificadora.[12]

Las guerras de la Reconquista no fueron cruzadas: les faltaban elementos esenciales, como la iniciativa pontificia, la peregrinación o la penitencia. Fueron guerras santas o, mejor dicho, llegaron a serlo por influencia de la cruzada (remito una vez más a Richard A. Fletcher). Pero hay que ir más lejos: la Reconquista no se incluía en el marco, incluso ampliado, de la cruzada.[13] Incluso sería lo contrario, ya que la Reconquista tenía su propia ideología, que no era la de la cruzada. Adeline Rucquoi la caracteriza como una realidad y un mito, y le da una función unificadora. La Reconquista fundaba, así, «a la vez un concepto del poder y una práctica de él, una jerarquización de la sociedad en función de criterios militares, la organización de un espacio que nunca estaba cerrado, y una visión específica de las relaciones entre el cristiano y su Creador, que colocaba a la Iglesia en una situación de sumisión ante el poder civil».[14] Estamos lejos de Jerusalén. Pero, al usar las instituciones de cruzada, el papado colocaba la Reconquista entre los posibles objetivos de los fieles deseosos de consagrar, si no su vida, al menos una parte de ella a la obra de Dios. Y los príncipes y clérigos ibéricos hicieron por acercar sus reinos a la cristiandad occidental y hacer de la Reconquista un objetivo adecuado para unirla, como Tierra Santa. La guerra de Granada, de 1482-1492, ilustra perfectamente esa opción.[15]

La situación en Alemania oriental era muy diferente de la reconquista española, pero su acercamiento a la cruzada fue parecido. El objetivo de los príncipes sajones en 1147 era poner fin a las incursiones de los wendos, proseguir la colonización y garantizar la seguridad de los misioneros (y, si era necesario, convertir por la fuerza a los paganos). Se trataba de una guerra misionera y no de una cruzada.[16] En las décadas siguientes se llevó más lejos por el este, contra otros pueblos: prusianos, livonios o lituanos. En el siglo XIII se hizo cargo de ella la orden religioso-militar de los teutónicos, que se estableció en Prusia. Llevaron a cabo expediciones anuales, más o menos importantes, apoyadas a veces por una *cruzada* predicada en las regiones vecinas: el Sacro Imperio, Polonia o Escandinavia. A una de ellas, cuyo jefe era el rey de Bohemia Ottokar II, se debe la fundación de la ciudad de Königsberg, en la Prusia oriental.[17]

En primer lugar hay que disociar la guerra misionera permanente de la cruzada, predicada puntualmente para reforzar a la primera y proteger a las frágiles comunidades cristianas así formadas, antes de plantearse la cuestión de saber si esas *cruzadas* no serían más que guerras santas. Es verdad que Inocencio IV concedió en 1245 «la indulgencia y los privilegios otorgados a todos los que van a Jerusalén, a los que, en Alemania y respondiendo a los llamamientos de los caballeros teutónicos, tomen el signo de la cruz, incluso sin predicación previa».[18] ¿No se trataba, con la cubierta institucional de la cruzada (toma de la cruz, salvaguarda, indulgencias) de una simple comodidad? No era posible responder a todas las peticiones de predicación que la multiplicidad de operaciones emprendidas por los teutónicos había engendrado. ¡Si la Iglesia católica hubiera podido dar abasto con las predicaciones, la decisión pontifical habría sido inútil!

No obstante, convengamos en que, en algunas ocasiones (la batalla de Las Navas de Tolosa), el papado hacía un esfuerzo especial que coloreaba la empresa principesca, una guerra santa, con los colores más vivos de la cruzada. Por otra parte, eso vale especialmente para los combatientes no ibéricos, como los dirigidos por el arzobispo de Narbona.

Capítulo 2

Desviación de la cruzada

Con ello entiendo las cruzadas desviadas de su objetivo inicial de socorro a Tierra Santa.

Las cruzadas dirigidas contra Egipto (la quinta y la séptima cruzada) no están en tela de juicio, ya que su objetivo seguía siendo Tierra Santa, que estaba en manos de los sultanes de Egipto: al atacarlos, los cruzados buscaban golpear en el corazón del poder musulmán; pensaban que, con el sultán vencido, Tierra Santa caería como un fruto maduro. La cuarta cruzada, que el recién elegido Inocencio III lanzó en 1199 debía dirigirse hacia Egipto. Las cosas fueron de otra manera y de ella resultó la toma de Constantinopla. Eso fue una desviación.

Los cruzados reunidos a partir del llamamiento de Inocencio III enviaron seis de sus representantes a negociar con Venecia las condiciones de su paso a Oriente. Venecia se comprometió a armar los navíos necesarios para el transporte de cuatro mil quinientos caballeros, nueve mil escuderos y veinte mil soldados de a pie, más los caballos, mediante una suma de ochenta y cinco mil marcos de plata. Todo debía estar preparado para el otoño de 1202, fecha de la partida.[19] Pero muchos de los cruzados no esperaron y partieron por sus propios medios. Los cruzados se reunieron en menor número de lo previsto en Venecia y no pudieron pagar la suma convenida. El dux Enrico Dandolo sugirió entonces a los cruzados que ayudaran a Venecia a someter Zara (Zadar) en Croacia, que era una provincia del reino de Hungría. Una ciudad cristiana, católica. Una parte de los cruzados protestaron y dejaron la expedición; los legados pontificios, que

querían la unidad del ejército, dudaron. El papa prohibió tajante-
mente que se atacara a otros cristianos, súbditos, además, de un rey
que había tomado la cruz. No sirvió de nada: la ciudad fue tomada
y saqueada el 24 de noviembre de 1202. De manera intencionada o
no, los cruzados habían participado, en nombre de Cristo, en un combate contra cristianos que no eran ni cismáticos ni heréticos. A pesar
de todo, cuando fue informado el papa, les dio la absolución ¡por
causa de fuerza mayor! Pero excomulgó a los venecianos. ¡Primera
desviación!

Cuando venecianos y cruzados pasaban el invierno en Zara, con-
tactó con ellos Alexis, hijo del emperador bizantino Isaac II el Ángel
(nombre de la dinastía), que acababa de ser destronado por un pariente, Alexis III. El joven Alexis había huido y se encontraba refugiado en Alemania, en la corte de Felipe de Suabia, entonces jefe de
la dinastía de los Staufen. Las ofertas del príncipe bizantino eran
atractivas: si los venecianos y los cruzados le ayudaban a restablecer a
Isaac en el trono, prometía el dinero y la ayuda de Bizancio para la reconquista de Tierra Santa. Se comprometía además a trabajar por la
unión de las Iglesias. A la vez, el papa estaba prometiendo a Alexis III
que los cruzados respetarían el territorio bizantino. Pero la maqui-
naria se había puesto en marcha: en julio de 1203, los venecianos y los
cruzados invadieron Constantinopla y restablecieron a Isaac II en el
trono, conjuntamente con su hijo, convertido en Alexis IV. Fue imposible mantener las imprudentes promesas del joven Alexis. La población de Constantinopla, hostil a los latinos y a sus hombres de paja, se
indignó, y los incidentes se multiplicaron.

Finalmente, una revuelta expulsó a Isaac II y a Alexis IV (que
fue asesinado). El nuevo emperador, Alexis V Murzuflo, se desen-
tendió de los compromisos de sus predecesores. Atrapados, venecianos y cruzados decidieron apoderarse de la «reina de las ciudades»,
lo que sucedió el 13 de abril de 1204. La ciudad fue saqueada (suerte que corrían entonces —en todos los sitios— las ciudades que eran
tomadas al asalto). El botín fue enorme: el reparto de las reliquias
fue una operación al menos tan complicada como el reparto del Imperio entre los vencedores. Los cruzados nombraron un emperador
latino, Balduino, conde de Flandes, y los venecianos, un patriarca:
Boniface de Montferrat recibió Tesalónica; el Peloponeso fue con-

quistado por dos nobles borgoñones, Guillaume de Champlitte y Geoffroy de Villehardouin (sobrino del cronista) y formó el principado franco de Morea y Acaya. Pero los francos no consiguieron apoderarse de las tierras bizantinas de Asia Menor. Allí se reconstituyó el Imperio griego bajo el nombre de Imperio de Nicea con la dinastía de los Lascaris. En 1261, los griegos recuperaron Constantinopla, poniendo fin al Imperio latino, pero no a la presencia latina en Grecia.

La desviación de la cruzada plantea un doble problema.

En el primero, el de las causas, no me detendré apenas: los historiadores ya no creen en la premeditación y, sin eximir a Venecia de sus responsabilidades, no la acusan de complot. En cuanto a la «teoría del azar», debida a Geoffroy de Villehardouin, el historiador de la cruzada, y recuperada por una parte de la historiografía actual, deja insatisfecho. La animosidad entre latinos y griegos y la creciente influencia comercial de los venecianos en Bizancio había creado un contexto de desconfianza y hostilidad recíproca. ¡El azar resultaba menos azaroso! De cualquier forma, eso no justifica nada.

El segundo problema es más importante para mis intenciones: ¿Tenían derecho? ¿Una cruzada podía atacar a cristianos, buenos católicos (los habitantes de Zara) o incluso cismáticos (los griegos)? La respuesta, hoy, es que no.

Por otra parte, en las diferentes etapas del drama, grupos de cruzados dijeron que no y dejaron el ejército para ir directamente a Tierra Santa (Geoffroy de Villehardouin, que después conquistó Morea, o Simon de Monfort, el futuro jefe de la cruzada contra los albigenses). El legado Pietro de Capua, preocupado por mantener la unidad del ejército, no dio a conocer la decisión papal de excomulgar a los venecianos en Zara y acabó por dejar su puesto y marchar él también a Tierra Santa, para no tener que tomar decisiones embarazosas. Un trovador provenzal, Raimbaut de Vaqueiras, que había seguido a su *patrón* Boniface de Montferrat a Grecia, dio la exacta medida del estado de ánimo de una gran parte de los cruzados en un poema compuesto dos años después del saqueo de Constantinopla, el *Consejo dado al emperador*. Se trataba del segundo emperador latino de Constantinopla, Enrique:

Lui [el emperador] et nous sommes des pêcheurs
Pour avoir brûlé églises et palais,
Où je vois pêcher clercs et laïcs;
Et si le Sépulcre il ne secourt
Nous serons devant Dieu plus pêcheurs,
Car en péché tournera le pardon
Si la conquête ne va pas plus avant
[…]
toute sa force et sa vigueur
Il doit la montrer aux Turcs d'au-delà d'Édesse...*[20]

La cruzada no estaba terminada mientras no se alcanzase su objetivo, Jerusalén.

El papa Inocencio III, mal informado por sus legados y ante los hechos consumados, se equivocó; primero condenó y después, en noviembre de 1204, aceptó las explicaciones del nuevo emperador latino, Balduino I, y se entusiasmó:[21] haciendo de la necesidad virtud, pudo pensar que el cisma que desde 1054 separaba a Roma y Constantinopla se había resuelto.[22] ¿Estaba verdaderamente convencido? Podemos dudarlo si leemos la siguiente frase: «¿Cómo la Iglesia griega, tan afligida y tan perseguida, podría volver a la unión […] cuando no ve en los latinos más que ejemplo de perdición y obra de las tinieblas, de tal suerte que, con toda la razón, los detesta más que a los perros?».[23]

Así es que la cuarta cruzada fue una auténtica cruzada que se desvió. Queda por decir que condujo a la creación de nuevos Estados latinos que había que socorrer y defender.

En 1224, fue una ayuda a favor del reino de Tesalónica lo que el papa pidió a los fieles de Italia del norte. En 1238, Gregorio IX lanzó una cruzada para socorrer al Imperio latino y a Tierra Santa. Baudouin de Courtenay, que heredaba el Imperio (Balduino II) partió para Constantinopla, y Thibaud IV de Champaña para Tierra Santa.

---

* (Él y nosotros somos pecadores/ por haber quemado iglesias y palacios/ donde vi pecar a clérigos y laicos;/ Y si no se socorre al Sepulcro/ seremos aún más pecadores ante Dios,/ porque el perdón se tornará pecado/ si la conquista no sigue adelante […] toda su fuerza y su vigor/ ha de mostrarla a los turcos de allende Edesa...)

Los preparativos terminaron en 1239. El papa pidió a Thibaud, cuyo ejército era mucho más importante, que se desviara hacia Grecia para apoyar al moribundo imperio de Balduino; Thibaud se negó.[24] Hay que volver a repetirlo: la cruzada era un llamamiento y una respuesta. La cruzada de los barones, como se llamaba a la expedición de Thibaud IV, no respondió a las expectativas y a los objetivos del papa, que eran en prioridad combatir en Grecia.[25] Naturalmente, se otorgaron indulgencias de cruzada (como en Jerusalén). Sin embargo, Constantinopla nunca consiguió rivalizar con Jerusalén en el corazón de los fieles.

El Imperio latino desapareció en 1261; pero los derechos al imperio no desaparecieron. Charles de Valois, hermano de Felipe el Hermoso, que los había conseguido a través de su mujer, Catherine de Courtenay, estaba dispuesto a reconquistar su imperio, y el papa Clemente V hizo de él su campeón para reemplazar a un emperador —Andrónico II— cismático e incapaz de asumir la función de defensor de la Iglesia y de la fe, como correspondía al emperador cristiano. Carlos de Valois era «el excelente guerrero de la fe, el audaz combatiente de la Iglesia [...] afecto a Dios y a la sede apostólica».[26] Pero la cosa no prosperó.

Capítulo 3

Cruzadas contra los herejes

Con todo conocimiento de causa, Inocencio III decidió una predicación que llamaba a la defensa de la fe cristiana contra los albigenses,
cuya herejía «infestaba» el mediodía de Francia. Esa herejía, conocida con el nombre de *catarismo*, quizá no fuera más que uno más de
los movimientos evangélicos, basados en la pobreza, que florecían en
Occidente desde el año 1000 y que la Iglesia, para mejor demonizar-
lo y descalificarlo, habría revestido con los atavíos del maniqueísmo.
El fracaso de la predicación y el asesinato de su legado Pierre de Castelnau, el 15 de enero de 1208, por un servidor del conde Raymond IV
de Toulouse, llevaron al papa a emprender la guerra contra los herejes y sus cómplices.

La Iglesia ya había recurrido a la fuerza contra ellos: el canon 27
del tercer concilio de Letrán, en 1179, ya mencionaba a los forajidos
aragoneses, brabanzones, navarros, etc., cómplices de los herejes, que
«ejercían tan gran crueldad contra los cristianos» y «devastaban todo
a la manera de los paganos». Unos y otros eran anatematizados, y el
concilio exhortaba a los fieles a que se movilizaran contra ellos y re-
currieran a las armas.[27] La Iglesia reconocía dos años de penitencia a
quienes se comprometían y los colocaba bajo su protección, «como
a los que iban al sepulcro del Señor». Si entendemos bien ese texto,
se trataba de utilizar una violencia sacralizada contra una violencia
malvada. Estamos en la temática de los movimientos de paz, la de
«guerra a la guerra».[28]

En 1208, Inocencio III fue más allá, ya que utilizó las instituciones de cruzada contra los herejes y sus cómplices, el conde de Tou-

louse y una parte de la nobleza meridional. La Iglesia tomó directamente cartas en el asunto. Normalmente, en caso de fracaso de la acción por la palabra, la Iglesia podía recurrir a la acción violenta, pero entonces, según una conocida fórmula, se remitía al «brazo secular», es decir, a los poderes laicos. La defección de los príncipes, en este caso el conde de Toulouse, que pasaba por cómplice, y el rey de Francia, Felipe Augusto, que se mostraba indiferente, llevó al papado a tomar una iniciativa excepcional: se dirigió directamente a los fieles, por encima de los poderes seculares, para librar una guerra de exterminación de los herejes y de erradicación de la herejía. Guerra conducida por el «ejército cristiano», bajo el control de un legado; los príncipes, si participaban, no eran más que ejecutantes. Incluso Inocencio III elaboró una teoría de la «exposición de presas», según la cual la Iglesia se apropiaba del derecho a dar a quien quisiera los bienes confiscados a los herejes, sin referencia a los señores de la tierra. No obstante, sobre ese punto tuvo que dar marcha atrás. Se tendría así, según Hippolyte Pissard, «la pura cruzada, cuya teoría se realizó plenamente entre 1208 y 1215».[29]

¿Pura cruzada, de verdad? ¿No sería más bien una pura guerra santa?

Es verdad que hubo llamamiento del papa, predicación por los legados, toma de la cruz (cosida sobre el pecho, y no sobre el hombro) e indulgencias, pero ni peregrinación ni penitencia; la duración del compromiso quedó muy reducida, ya que a veces se limitaba a los cuarenta días de la ayuda feudal y, por último, tanto en los cánones del concilio de Letrán III como en los del concilio de Letrán IV, en 1215, se trataba la herejía en un canon específico, distinto del que trataba de la cruzada en Tierra Santa.[30]

Lo que puso en práctica Inocencio III en 1208 fue una guerra santa: demonización y exterminio de los herejes. Sabemos que la empresa comenzó con el saqueo y la matanza de Béziers y, si bien la fórmula: «Matadlos a todos; Dios reconocerá a los suyos», sin duda nunca fue pronunciada, expresa bien la violencia que prevalecía.[31] «Esa guerra ignoraba el derecho de la guerra», escribe Hippolyte Pissard, que, desgraciadamente y a pesar de sus intenciones, no consigue nunca formular una distinción clara entre cruzada y guerra santa.[32]

Una primera fase de éxitos llevó a la conquista del Midi; después llegaron estancamientos y fracasos y fue necesaria una nueva campaña. Dirigida por el rey de Francia Luis VIII (que murió en el camino de vuelta, en 1226), concluyó con el tratado de París de 1229, que garantizó el dominio capetiano sobre el Languedoc. La *cruzada* no tuvo más que un resultado político. La sumisión de los herejes se obtuvo por otros medios distintos a la violencia bélica: la palabra del predicador y la represión de los tribunales inquisitoriales, que actuaban en estrecha colaboración con el brazo secular; la herejía se debilitó lentamente y acabó por desaparecer.

Por supuesto, hubo una desviación consciente por parte del papa de la cruzada y de sus ideales, pero hablar de una «falsa cruzada», como hace Paul Rousset, no me parece adecuado.[33] La expresión expresa de manera demasiado exclusiva el punto de vista del historiador que, con toda la razón, como hace el mismo Paul Rousset, ve en todo este asunto una guerra santa, y no el de los hombres contemporáneos: los que se comprometieron estaban persuadidos de que, aunque no valiera lo mismo que ir a Jerusalén, podían obtener algunas ventajas idénticas, con menor dispendio. Otros fueron más críticos y notaron que, con la cobertura de cruzada, el papado hacía pasar otra cosa, que no forzosamente rechazaban pero que no aceptaban verla colocada bajo la misma bandera que la cruzada a Jerusalén. Inocencio III notaba la diferencia y llevó lo más lejos posible la asimilación de la guerra santa contra los herejes con la cruzada de Tierra Santa. El canon 3 del concilio de Letrán IV era explícito: «Los católicos que, habiendo tomado la cruz, se hayan armado para expulsar a los herejes, gozarán de la indulgencia y serán protegidos por el santo privilegio que se concede a quienes van en socorro de Tierra Santa».[34] Pero asimilar no quiere decir confundir, e Inocencio III tuvo buen cuidado de confirmar por su cuenta la jerarquía de los méritos que la opinión, por instinto, había establecido: primero, Jerusalén.

Porque el éxito del reclutamiento de la quinta cruzada, en las mismas regiones que habían proporcionado los contingentes de Simon de Monfort, demostraba que la *opinión*, realmente difícil de sondear, no era fácil de engañar; lo que no impidió que el papado continuara usando las instituciones de cruzada contra los herejes, especialmente en Italia en el siglo XIII. Aunque el caso más flagrante, muy posterior, fue el de las guerras hussitas, *cruzadas* lanzadas contra los herejes del reino de Bohemia en la década de 1420, cuyo paradójico desarrollo examinaré en la última parte.

No se puede negar, sin intentar saber quién estaba equivocado y quién tenía razón, que la herejía amenazaba la unidad de la Iglesia de Roma. Que reaccionara está en el orden de las cosas. Que al utilizar las instituciones de cruzada en ese terreno no escogió la mejor arma, es cierto. ¿Qué decir entonces de las *cruzadas* lanzadas por el papado contra sus enemigos políticos?

Capítulo 4

Las «cruzadas políticas»

Es el caso más claro —y el más criticado en su tiempo— de utilización de las instituciones de cruzada para fines totalmente extraños a su espíritu. El pretexto era en este caso la defensa de la Iglesia y de su jefe, el papa, amenazado en su persona, en sus bienes (los Estados pontificios) y en su autoridad, lo que se debía, esencialmente, a los problemas italianos en los siglos XIII y XIV.[35] En los dos primeros tercios del siglo XIII, la dinastía de los Staufen detentaba a la vez el título imperial (lo que implicaba la autoridad sobre Italia del norte) y el título real de Sicilia (Sicilia e Italia del sur, junto con Nápoles): los Estados pontificios estaban atenazados en el centro de Italia. Además, el reino de Sicilia era vasallo del papa, que quería imponer sus derechos como señor.

Los conflictos del siglo IX entre el papa y el emperador, nacidos de la aplicación de la reforma gregoriana, o entre el papa y los normandos, que se habían hecho los dueños de la Italia del sur, se pueden considerar antecedentes de los que enfrentaron a los papas del siglo XIII con los Staufen y sus aliados italianos, los gibelinos (por oposición a los güelfos, partidarios del papa). Pero hacerlos antecedentes de la cruzada con la excusa de que los papas León IX y Gregorio VII concedieron recompensas espirituales me parece abusivo.[36]

En el siglo XII, el papado no se atrevió a servirse de las armas de la cruzada contra el emperador Federico I Barbarroja, el primer emperador de la dinastía de los Staufen. Sí lo hizo en el siglo XIII. En 1199, Inocencio III predicó contra los jefes de las guarniciones alemanas que sembraban el desorden en Sicilia tras la muerte de Enrique IV.

Contra Federico II, que invadió en dos ocasiones los Estados pontificios, Gregorio IX e Inocencio IV se sirvieron de la misma arma para
movilizar a sus partidarios. En ese momento fue cuando los canonistas legitimaron el uso ampliado del derecho de cruzada. En 1264-
1265, el papado atacó a Manfredo, hijo bastardo de Federico II y rey
de Sicilia (1254-1266). La bula *Pia matris ecclesia* de Urbano IV, recuperada por Clemente IV, ordenaba a los obispos que predicaran la
cruz contra «Manfredo y los sarracenos» (es cierto que Manfredo utilizaba los servicios de una «guardia sarracena»).[37] Como «cruzado»,
Carlos de Anjou, hermano de san Luis, venció a Manfredo y se apoderó de Sicilia.

Como consecuencia de la revuelta de las Vísperas Sicilianas, contra Carlos I y su entorno francés, en 1282, el rey de Aragón, Pedro III,
se apoderó de la isla. Como estaba casado con Constanza, hija de
Manfredo y última heredera de la «raza de víboras» (los Staufen, según el papado), se hizo coronar rey. La Italia del sur permaneció en
manos de Carlos I y después de su hijo Carlos II. El papa Martín IV
excomulgó a Pedro III y lanzó un llamamiento a la «cruzada» contra
él el 5 de abril de 1284.

El papa, dirigiéndose a uno de sus legados, afirmaba, en sustancia, que lo que quería era defender la causa del Señor combatiendo a
quienes provocaban conflictos en el pueblo cristiano y desatendían
así las otras causas del Señor, como la de Tierra Santa. Es verdad que
esa causa le era cara, pero en esos momentos, la Iglesia había sido gra-
vemente ofendida y estaba agobiada en Sicilia debido a la rebelión de
los sicilianos contra la Iglesia y el rey, rebelión apoyada por el «ex»
rey de Aragón. El papa invocó al Señor para que sometiera al rebelde
con una guerra victoriosa y decidió amparar con una ayuda espiritual
a quienes se oponían, o estuviesen dispuestos a hacerlo, a la persecución del nuevo ídolo, el nuevo Baal. Les concedió, llegaran de donde
llegaran, el mismo perdón de los pecados, que hubieran confesado
con el corazón contrito, que el que se concedía habitualmente a quienes hacían el viaje a Jerusalén.

Es un buen ejemplo de vacío teórico para justificar una vulgar
operación temporal. El papa no tomaba la iniciativa del uso de la
fuerza; apoyaba con una ayuda espiritual al príncipe y a quienes ya
estuvieran combatiendo al rebelde. Evidentemente, eso no tenía nada

que ver ni con la peregrinación ni con la penitencia. ¿Y no hay algo de hipocresía cuando se afirma que no hay que confundir la operación contra el rebelde aragonés con la que sirve a «los objetivos piadosos del Señor, en especial los de Tierra Santa, donde el Sepulcro da fe que son más queridos que cualquier otro»?[38]

Antes y después hubo otras *cruzadas políticas* en Italia: contra Ezzelino da Romano en Treviso en 1255, contra Venecia en 1309 (que se enfrentó al papado en la crisis de sucesión de Ferrara), o contra el emperador Luis de Baviera, instalado en Roma, en 1328.[39]

Capítulo 5

¿Cruzada o guerra santa?

El examen de los decretos conciliares, de las bulas de los pontífices y de los diferentes llamamientos a la *cruzada* en los diferentes campos en los que se utilizaron las instituciones de cruzada, invitan al historiador, más allá de cuestiones de vocabulario, a preguntarse por las intenciones y los objetivos de la Iglesia y sobre los medios puestos en práctica para alcanzarlos.

Los siete concilios ecuménicos de los siglos XII-XIII (los cuatro concilios de Letrán, los dos concilios de Lyon y el concilio de Viena), cuando emitían decretos (o cánones, o constituciones) específicos respecto a lo que nosotros llamamos la cruzada, no lo hacían más que a propósito de Tierra Santa;[40] la cuestión de la herejía, la de la paz y la tregua de Dios o los asuntos de los griegos se trataban en otros decretos (en Letrán III, Letrán IV, Lyon II), lo que significaba que en la mente de los papas y de los padres conciliares, tanto antes como después del concilio de Letrán IV, la cruzada estaba vinculada con Jerusalén.

¿El examen de las bulas invalida esta primera constatación? Desde tiempos de Urbano II, los papas intervinieron en todos los terrenos que concernían a la fe y a la Iglesia, que se enfrentaba a adversarios de todo tipo, y multiplicaron las cartas. Las cartas pontificias concernientes a España, a la defensa de la fe contra los herejes o a la defensa de los intereses políticos del papado contra sus adversarios italianos se referían a Jerusalén y a las indulgencias que se concedían a quienes se comprometieran, como si hicieran el viaje para socorrer la Tierra Santa, pero sólo las bulas que se aplicaban a Tierra Santa tenían un valor de promulgación y codificación: eran las únicas «bulas de cruzadas». Había una jerarquía de objetivos y una escala de méritos. En la cima se encontraba Jerusalén.

Inocencio III no se privó de apoyar las guerras de la reconquista o de organizar la represión armada de la herejía, pero el objetivo de Jerusalén seguía siendo el primero. En 1213, revocaba las indulgencias concedidas a los que combatían a los herejes en Provenza, «debido a que las cosas han mejorado y ya no es necesario el uso de la fuerza»;[41] en la encíclica *Quia major* del 17 de abril de 1213, renovaba la revocación y la extendía a los combates que se libraban en España «porque la ayuda a Tierra Santa tendría más dificultades».[42] Por último, el 9 de septiembre del mismo año, el papa, consultado por el deán del capítulo catedralicio de Spira, le respondía que: «A quienes han tomado el signo de la cruz y han decidido ir a combatir a los herejes de Provenza, pero no han llevado a cabo su intención, pedimos que sean persuadidos a emprender la obra del viaje a Jerusalén, porque lleva consigo más méritos».[43]

La cruzada se definía e institucionalizaba mediante la referencia a Tierra Santa.

Es el objetivo, Jerusalén, Tierra Santa, lo que tiene que ser tomado en cuenta como criterio primordial para la definición de la cruzada. El derecho de cruzada fue elaborado a partir de la experiencia jerosolimitana y generó instituciones de cruzada que el papado utilizó en función de sus intereses, los de la Iglesia y los de la fe;[44] las trasplantó a las guerras santas.

Muchos historiadores de la cruzada, en época reciente, han sobrestimado el papel de la indulgencia en la definición de la cruzada. Para Norman Housley es el criterio determinante de una cruzada, ya que, dice en sustancia, en la definición de la cruzada, el estatuto del cruzado era lo primero, y la indulgencia plenaria estaba en el corazón de ese estatuto.[45] En resumidas cuentas, la cruzada era la indulgencia. ¿Se puede definir el todo por uno de sus componentes, la cruzada por uno o incluso varios de ellos, despreciando otros? Creo que no. ¿No sería mejor distinguir la idea de cruzada, tal como fue formulada y entendida en el concilio de Clermont, de la institución —o las instituciones— surgida de la práctica?

Al referirse al decreto del concilio de Letrán III sobre los herejes y sus cómplices, los forajidos, Housley ve con razón en esa operación una variación de los movimientos de paz; habla de una «incorporación de un elemento de la idea de cruzada [la indulgencia] en la lucha por la paz».[46] ¿El papado no *incorporó* de la misma manera a las guerras santas elementos de las instituciones de cruzada, entre los que, en primera fila, figuraba la indulgencia? Estoy de acuerdo en que es un elemento importante de la cruzada, pero hay otros; y hay que recordar que tiene su origen en la indulgencia de la peregrinación, peregrinación que es, con la guerra santa, uno de los dos principales elementos de la idea de cruzada. Ahora bien, la peregrinación, con su valor penitencial, es la gran ausente de las supuestas cruzadas de España, de Languedoc, de Grecia o de Italia, las cruzadas cismarinas, a las que se querría poner en el mismo plano que la cruzada de ultramar (*crux cismarina* y *crux ultramare*).

Me parece que no se puede calificar uniformemente de cruzada a operaciones que son guerras santas, con el pretexto de que los canonistas dieron al papado el derecho de hacerlo. No diré que hay verdaderas y falsas cruzadas, pero la idea se rebeló contra la *Realpolitik*. Adoptando el punto de vista crítico formulado desde los siglos XII y XIII, diré que la idea de cruzada está asociada a Jerusalén y que, al aplicarla a otros lugares, el papado la desvió y, se quiera o no, empobreció su contenido.[47]

Quinta parte

Experiencias de cruzada

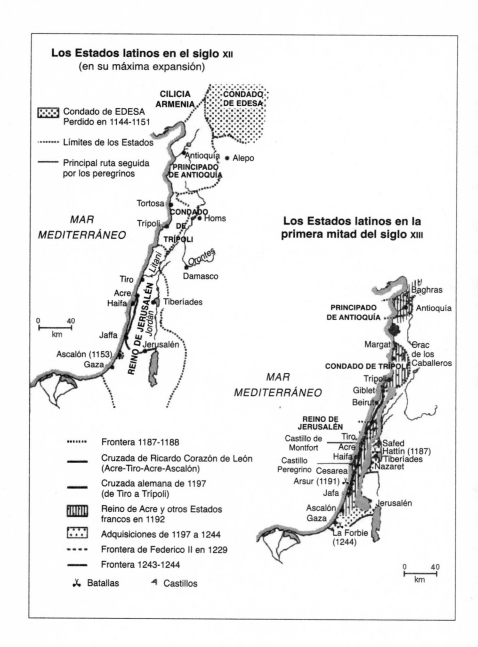

Los Estados latinos en el siglo XII
(en su máxima expansión)

▓▓▓ Condado de EDESA
Perdido en 1144-1151

······· Límites de los Estados

——— Principal ruta seguida
por los peregrinos

CILICIA
ARMENIA

CONDADO
DE EDESA

Antioquía • Alepo
PRINCIPADO
DE ANTIOQUÍA

Tortosa

MAR
MEDITERRÁNEO

CONDADO
DE
TRÍPOLI

Trípoli • Homs

Litani

Orontes

Tiro   Damasco
Acre
Haifa   Tiberíades

0   40
km

Jaffa

Jerusalén

Ascalón (1153)
Gaza

REINO DE JERUSALÉN
Jordán

**Los Estados latinos en la
primera mitad del siglo XIII**

Baghras

PRINCIPADO
DE ANTIOQUÍA   Antioquía

Margat   Crac
de los
Caballeros

CONDADO DE TRÍPOLI

Trípoli

MAR
MEDITERRÁNEO

Giblet
Beirut

REINO DE
JERUSALÉN

Castillo de   Tiro
Montfort   Acre   Safed
Hattín (1187)
Castillo   Haifa   Tiberíades
Peregrino Cesarea   Nazaret
Arsur (1191)

Jafa

Ascalón   Jerusalén
Gaza

La Forbie
(1244)

0   40
km

······· Frontera 1187-1188

——— Cruzada de Ricardo Corazón de León
(Acre-Tiro-Acre-Ascalón)

——— Cruzada alemana de 1197
(de Tiro a Trípoli)

▓▓▓ Reino de Acre y otros Estados
francos en 1192

⸭⸭⸭ Adquisiciones de 1197 a 1244

- - - - Frontera de Federico II en 1229

——— Frontera 1243-1244

⚔ Batallas   ◄ Castillos

Capítulo 1

¿Estados *cruzados*?

El objetivo de una cruzada no era, *a priori*, fundar Estados; pero allí donde cruzada y guerra santa consiguieron una conquista, se creó un Estado, a veces de vida efímera.

LAS FUNDACIONES DE LA PRIMERA CRUZADA

Como he dicho anteriormente, la primera cruzada llevó a la formación de cuatro Estados francos o latinos en Siria y en Palestina. De norte a sur eran: el condado de Edesa, el principado de Antioquía, el condado de Trípoli y el reino de Jerusalén. Jerusalén, ciudad santa y cuna de Cristo, planteaba un problema: el papa no había dicho nada sobre el futuro político de los territorios conquistados y había muerto antes de saber la conclusión de la cruzada, así como su legado Adhémar de Monteil. No había representante del papa cuando el duque de la Baja Lorena, Godefroy de Bouillon, fue elegido por sus pares.

Éste renunció al título real y tomó el de defensor (*advocatus*) del Santo Sepulcro; sin duda, por humildad, pero también para tener tiempo de consultar al papa. Cuando murió, al año siguiente, el legado del nuevo papa, Pascual II, era el arzobispo de Pisa Daimbert. Propuso la solución de un Estado teocrático dependiente de la sede de san Pedro. La idea fue rechazada por los barones, y Balduino I asumió el título real. Murió sin heredero en 1118 y lo sucedió su primo Baudouin du Bourcq (Balduino II). Una dinastía hereditaria, en la que las hijas no estaban excluidas, reinó en Jerusalén. Una solución idéntica se impuso en los otros tres Estados.

Gracias a la ayuda de las flotas de cruzados genoveses, pisanos y venecianos, aunque también flamencos, ingleses e incluso noruegos, las ciudades y puertos de Acre (1104), Trípoli (1109), Sidón (1110), Tiro (1124) y, por último, Ascalón (1153) cayeron en manos de los francos. El territorio interior del otro lado del Jordán también fue conquistado. Pero en 1146, el condado de Edesa desapareció. Los tres Estados restantes adquirieron su máxima extensión hacia 1160.

Hasta entonces, los francos habían tenido enfrente a Estados musulmanes divididos y rivales. La unificación de Siria, llevada a cabo por Nur al-Din, hijo de Zengi, en 1154 (toma de Damasco), y después la conquista del Egipto fatimí por Saladino, general (y rival) de Nur al-Din, tras unas aventuradas intervenciones del rey de Jerusalén, Amaury, sellaron la unión sirio-egipcia. La unificación política estuvo acompañada de una unificación religiosa que benefició al islam suní. Saladino, amo de Egipto, tardó casi diez años en reconquistar Siria, para expulsar de allí a los hijos de Nur al-Din, a quienes su padre había legado los emiratos. Eso ocurría en 1183.

Los francos ya no tenían margen de maniobra y lo que tenía que pasar, pasó: la terrible batalla de Hattín en 1187 aniquiló de un golpe la totalidad de sus recursos militares. Saladino se apoderó de las ciudades y las plazas de los francos y devolvió Jerusalén al Islam. Al norte, Antioquía y Trípoli resistieron mejor. En el reino, los francos encontraron refugio en Tiro.

El impulso de la tercera cruzada permitió reconstituir, con una extensión territorial restringida, un reino de Jerusalén... sin Jerusalén, cuya capital era Acre, arrebatada a Saladino en 1191. Las relaciones generalmente pacíficas que se establecieron con los herederos de Saladino, los ayubíes, permitieron a los Estados francos recobrar prácticamente el control de toda la costa sirio-palestina. Y la cruzada de Federico II devolvió Jerusalén al redil latino entre 1229 y 1244. Con el fracaso de san Luis y la toma del poder por los mamelucos en Egipto y Siria en 1250 comenzó una larga agonía. El avance mongol en Mesopotamia (toma de Bagdad y supresión del califato abasí en 1258) y treguas más o menos negociadas con el poder mameluco retrasaron el final. Pero Antioquía cayó en 1268, y la siguieron las principales fortalezas; en 1289, Trípoli, y el asalto final fue a Acre, en mayo de 1291. Después de esa fecha, ya no hubo más Estados latinos en Siria-Palestina.

Todas las cruzadas de los siglos XII y XIII tuvieron como objetivo la defensa de los Estados latinos para proteger mejor Jerusalén o, después de 1187, para recuperarla.

Nacidos de la cruzada, los Estados latinos de Oriente fueron, por definición, Estados cruzados. Pero ¿qué hay que entender con eso: Estados nacidos de la cruzada o Estados organizados o constituidos para llevar a cabo la cruzada, o la guerra santa?

OTRAS CRUZADAS, OTROS ESTADOS

En el Mediterráneo oriental, surgieron otros Estados de la cruzada: el reino de Chipre, por ejemplo, nacido un poco por casualidad a partir de la conquista del rey de Inglaterra, Ricardo Corazón de León, mientras iba hacia Siria. Bajo la dinastía de los Lusignan, Chipre se convirtió en un reino latino, que acogió a los refugiados francos cuando, en 1291, cayó Acre. Como estaba próximo a las costas sirias y egipcias, fue la base de retaguardia de las cruzadas del siglo XIII y el pivote de todas las cruzadas del siglo XIV.

El reino armenio de Cilicia, también llamado la pequeña Armenia, establecido al norte del principado de Antioquía, fue un reino cristiano, pero no surgido de la cruzada. No obstante, hasta su destrucción en 1373 por los mamelucos, estuvo profundamente implicado en los problemas de la cruzada en Oriente.

La cuarta cruzada, desviada hacia Constantinopla en 1204, provocó el desmembramiento del Imperio bizantino en provecho de los cruzados y los venecianos; éstos últimos se contentaron con mantener sólidamente algunas escalas a lo largo de sus rutas de navegación, aunque hicieron de Creta una verdadera colonia de explotación. Los cruzados se repartieron los despojos: Imperio latino de Constantinopla, reino de Tesalónica, ducado de Atenas y principado franco de Morea o de Acaya (el Peloponeso). Solamente éste tuvo una existencia prolongada. Esos fueron los Estados cruzados, pero la denominación no sirve para la talasocracia veneciana, aunque debiera su origen a la cruzada. Lo mismo se puede decir para las adquisiciones genovesas del siglo XIV (Quíos, por ejemplo). En ambos casos, entraban en juego motivaciones distintas a las de la cruzada.

La iniciativa de la conquista de la isla de Rodas, por entonces griega, por parte de la orden religioso-militar de los hospitalarios de San Juan de Jerusalén se debió al gran maestre de la orden, Foulques de Villaret. Comenzó en 1306 y acabó en 1310 gracias a una cruzada (en este caso, un *paso* particular), pero fue obra de una orden religiosomilitar completamente unida a la cruzada. Rodas se convirtió en lo que los historiadores alemanes llaman un *Ordenstaat* (un Estado de orden), es decir, un Estado teocrático cuyo jefe era el gran maestre de una orden sometida a la autoridad pontificia. Ese Estado participó plenamente, hasta su caída en 1522, en la historia de las cruzadas y en las operaciones contra los turcos en el mar Egeo. Era un Estado cruzado.

En España, la Reconquista fue obra de los pequeños reinos cristianos pirenaicos y cantábricos que se fueron expandiendo a expensas del Islam. Aparte de Navarra, que permaneció confinada en los Pirineos, se formaron tres conjuntos: los Estados de la corona de Aragón (condado de Barcelona, reino de Aragón y reino de Valencia), Castilla y León (definitivamente unidos a partir de 1230) y Portugal. Después de 1250 sólo subsistió, como Estado musulmán, el reino de Granada, confinado en las montañas de Sierra Nevada. ¿Se pueden considerar los Estados de la península Ibérica «Estados cruzados»? La expresión fue utilizada por Robert I. Burns aplicada al reino de Valencia[1] y sin duda es el único caso en el que es aceptable. El resto de Estados ibéricos, con su formato territorial, casi establecido definitivamente hacia 1250, fueron el resultado de una expansión. A pesar de que mantuvieron, durante dos o tres siglos, comunidades musulmanas en su seno, eran Estados derivados de la Reconquista, muy marcados por su ideología, que era absolutamente independiente de la ideología de cruzada; además, dichos Estados estaban completamente integrados en el Occidente cristiano.

Desde 1230, la orden religioso-militar de los teutónicos se instaló en Prusia, a la que había conseguido, no sin problemas, conquistar y pacificar. Organizó un *Ordenstaat* independiente, aunque vinculado con Roma. Prusia no formaba parte del Sacro Imperio romano germánico. En la medida en que la ideología de cruzada estaba en la base de la fundación de la orden teutónica, el término de Estado cruzado se puede aplicar a Prusia. Pero la expresión es del todo impropia para designar a los estados escandinavos que, siguiendo el ejemplo del reino danés, contribuyeron a las llamadas *cruzadas nórdicas*.[2] Según eso, cualquier reino de Occidente que hubiera enviado cruzados a izquierda o a derecha, sería un Estado cruzado, lo que es absurdo.

Sin negar el papel ejercido por la cruzada (utilizo aquí el término en su acepción más amplia) en la historia de tal o cual Estado, me inclino a no hablar de *Estado cruzado* más que refiriéndome a los Estados nacidos de las cruzadas de Oriente. Por otra parte, tampoco me gusta mucho el concepto y prefiero una expresión formada a partir de la empleada por Elena Lourie para los reinos españoles comprometidos con la Reconquista: «Estados (o sociedades) organizados para la guerra»,[3] expresión que se puede aplicar a todas las regiones marcadas por el fenómeno de frontera, sin preocuparnos ni de cruzada ni de guerra santa.

Capítulo 2

La cruzada, una empresa bélica

Es verdad que la cruzada fue otra cosa diferente de una guerra santa; pero también fue una guerra santa, y una guerra santa es, ante todo, una guerra.

¿Se puede medir la aportación de la cruzada y de los cruzados a lo que se ha convenido en llamar *el arte de la guerra* en todos los terrenos en los que se aplicaron la cruzada y las instituciones de cruzada? Lo que se ventilaba en los combates no era siempre lo que parecía: la batalla de Muret, en 1213, enfrentó a los *cruzados* de Simon de Monfort con el conde de Toulouse y su aliado, el rey de Aragón, Pedro II (que encontró allí la muerte); lo que se jugaba en la batalla apenas tenía que ver con los herejes albigenses, motivo de la intervención de los cruzados. Asimismo, en el Báltico, en los siglos XIV y XV, con la cobertura de guerra misionera y de cruzada, se libró una lucha por la hegemonía entre teutónicos y polacos, pronto aliados con los lituanos; los dos primeros eran católicos, los últimos se convirtieron a principios del siglo XV. Así que Oriente (con la Grecia latina incluida) viene a ser el puesto de observación más pertinente para juzgar las relaciones de la cruzada con la guerra.

LA DEFENSA DE LOS ESTADOS LATINOS

El examen del mapa revela, en el espacio y en el tiempo, algunos datos permanentes.

En principio, el espacio. Los Estados latinos eran un territorio alargado, desde Asia Menor, al norte, hasta el Sinaí, al sur; de oeste a este se sucedían una estrecha llanura costera, una cadena montañosa (Líbano), una depresión interior (valles de la Bekaa y del Jordán) y una meseta inclinada hacia el desierto. Los latinos estaban sólidamente asentados en la costa, pero nunca consiguieron apoderarse de las grandes ciudades del borde del desierto (Alepo, Hama, Homs, Damasco). Fue una debilidad estructural que, con el tiempo, hubieran podido compensar con un poblamiento franco continuo y consecuente. Pero, como veremos, éste fue insuficiente.

Los francos tenían que compensar su debilidad numérica con un dinamismo militar combinado con una eficaz gestión diplomática. Supieron hacerlo durante buena parte del siglo XII explotando las divisiones del mundo musulmán. Para ellos, la unión de Egipto y Siria resultaba mortal. Pudieron impedirla durante un tiempo; después, tuvieron que jugar con sus carencias.

Para Nur al-Din y Saladino el objetivo de expulsar a los francos de Oriente estaba supeditado a la reunificación política y religiosa de los dominios islámicos de Oriente Próximo. La yihad tenía que servir primero para vencer al enemigo interior chií y para restablecer la unidad religiosa de la comunidad musulmana. Pero, de la misma manera que Nur al-Din había colocado a sus herederos en los diferentes centros de poder de Siria, Saladino instaló en El Cairo, en Damasco, en Homs o en Alepo, a su hermano, sus hijos y sus sobrinos. Su dinastía, la dinastía ayubí, estaba tan dividida como lo había estado antes la de Nur al-Din, lo que dejó a los francos, a pesar de la catástrofe de 1187, cincuenta años de respiro y algunas oportunidades.

La cuestión de las alianzas siempre fue primordial: si se querían aprovechar las debilidades del adversario, había que tratar con él: hasta san Luis se decidió a hacerlo. Damasco o El Cairo era el dilema para los francos. Las posiciones nunca estuvieron muy claras. De 1130 a 1154, fecha de su conquista por Nur al-Din, Damasco fue más a menudo aliada que adversaria de los francos. Bajo los ayubíes, también los latinos buscaron más la alianza con Damasco que con El Cairo.

Es verdad que la búsqueda de un acuerdo con el sultán egipcio fue la principal idea de la política oriental del emperador Federico II, pero sería aventurado suponer el enfrentamiento entre un partido pro Damasco (los barones y los templarios) y un partido pro El Cairo (el emperador y sus aliados locales, los hospitalarios). La realidad, entre los años 1239 y 1244, que fue cuando se planteó la cuestión de manera crucial, fue mucho más matizada y se dio entre unos y otros mucha más flexibilidad que rigidez.[4] La toma de poder por los mamelucos en El Cairo (1250) y su posterior dominación, contundente y brutal, sobre Siria, arrebató a los francos la posibilidad de maniobrar.

No obstante, la irrupción de los mongoles en la escena de Oriente Próximo abrió una alternativa, que los latinos tardaron en explotar. Volveré sobre ello.

La actividad militar en Tierra Santa afecta, por una parte, a las fuerzas propias de los Estados latinos y, por otra, a las fuerzas, y los medios en general, llegadas de Occidente.

El reclutamiento de los ejércitos de los Estados latinos de Oriente y de Grecia se basaba en el sistema feudal y de vasallaje importado de Occidente. Todo poseedor de un feudo debía ir en armas y a caballo para cumplir su servicio militar, de ahí el nombre de *caballero* dado a aquellos feudatarios. Los grandes señoríos estaban compuestos de varios feudos: el de Cesarea, por ejemplo, comprendía cien y su señor debía proporcionar el servicio de cien caballeros equipados al ejército real.[5] En el momento de su máxima extensión, el reino podía reunir a casi setecientos caballeros (con sus ayudantes, escuderos y palafreneros, un caballero representaba un equipo de cuatro o cinco combatientes). En Morea, la jerarquía de los feudos (feudos de homenaje adicto y feudos de simple homenaje) se aunaba con una jerarquía de los señores: príncipes, barones que podían disponer de varios feudos (hasta veinticuatro) y caballeros. El servicio militar era duro: el caballero de Morea debía al príncipe cuatro meses anuales de servicio de fortaleza y otros cuatro de servicio de hueste (campañas y combates); pasaba los cuatro restantes en su feudo, que no podía dejar sin autorización del príncipe.

Al lado de los caballeros, que constituían la fuerza de choque de ese tiempo, la caballería pesada, participaban en las batallas sargentos de armas montados, pero peor armados. Los francos supieron adaptar sus armas a un adversario que se apoyaba en la caballería ligera de arqueros montados y que los acosaban con flechas antes de atraerlos a la trampa de la huida simulada. Formaron una caballería ligera de turcoples (del griego *turkopouloi*, que designaba a todo combatiente cristiano de origen turco). Llegaron a ser hasta la mitad de los caballeros en los ejércitos latinos, lo que impide hablar de fuerza complementaria.[6] Eran reclutados entre los francos, pero sobre todo entre los cristianos orientales o los prisioneros musulmanes convertidos.[7] Por último, los ejércitos de los Estados latinos utilizaron siempre importantes contingentes de soldados de a pie, arqueros y alabarderos, casi siempre a sueldo. La solidaridad que unía en el combate a caballeros e infantes, especialmente en los combates en campaña, fue generalmente mejor comprendida en Oriente que en Occidente. Para terminar, existía la aportación fundamental de las fuerzas de las órdenes militares, sobre las que volveré.

Sólo en dos ocasiones, en Hattín y en La Forbie —dos derrotas— se pudo contar con todas las fuerzas armadas de los Estados latinos. En Hattín, en 1187, ascendían a dieciocho o veinte mil hombres. En La Forbie, en 1244, con la aportación de los caballeros de Chipre, la cifra fue ligeramente menor: dieciséis mil hombres como mínimo; el número de caballeros ascendía a dos mil, de los que el 60 % procedía de las órdenes militares.[8]

Esas fuerzas eran insuficientes para emprender grandes operaciones de conquista; era necesaria una aportación exterior, que fue proporcionada por las cruzadas.

La aportación de las grandes cruzadas fue a menudo impresionante. Se trataba de ejércitos reales, como los de la tercera cruzada o la de san Luis; o ejércitos más heterogéneos pero también numerosos, como los reunidos en la cuarta y la quinta cruzadas. San Luis disponía de alrededor de veinticinco mil hombres, de los cuales tres mil eran caballeros. Entre esas grandes expediciones tuvieron lugar empresas más reducidas: la cruzada de Thibaut de Champaña en 1239 y la de Richard de Cornualles al año siguiente, aportaron ayudas nada despreciables.

Las expediciones no respondieron siempre a las necesidades reales, en un momento concreto, de los Estados latinos. Sobre todo en el siglo XIII, cruzados llenos de buena voluntad, pero poco al tanto de los asuntos de Oriente, llegaban muchas veces en mal momento —durante una tregua, por ejemplo—, lo que acarreaba incomprensiones y fricciones entre cruzados de Occidente y latinos de ultramar, a quienes, por haber nacido en Tierra Santa, se los llamaba *pupilos*. Robert de Crésèque, por ejemplo, que llegó a Oriente en 1269, no necesitaba ni consejos ni consideraciones tácticas: «Había llegado desde el mar para morir por Dios en la Tierra [Santa]». Obtuvo lo que quería, seguro de haber ganado el paraíso.[9] Ayudas más reducidas, pero más continuas de Occidente se adaptaban mejor. San Luis comprendió el problema y, al abandonar Tierra Santa, dejó allí un regimiento permanente de cien caballeros enteramente a cargo del Tesoro real francés. Más tarde lo imitó Eduardo I.[10]

Los Estados latinos acabaron por ser totalmente dependientes de las ayudas y las flotas de Occidente, que aceptaba cada vez peor un esfuerzo costoso y vano, sobre todo después de que los francos de Oriente fueran obligados a mantener una estrategia puramente defensiva.

Los francos conservaron, hasta más o menos 1180, una ventaja estratégica sobre los musulmanes, compensando su inferioridad numérica y su *monotonía* táctica (¡fuera de la carga de la caballería pesada, nada de nada!) con la rapidez y la constancia de su movilización. Se apoyaban en una red de castillos de múltiples funciones: refugio para los hombres en caso de inseguridad y punto de apoyo para las incursiones o las operaciones en campo abierto. En 1177, el pequeño pero muy móvil ejército de Balduino IV, engrosado con la guarnición templaria de Gaza, sorprendió al ejército de Saladino, al que derrotó en Montgisard.[11] Los francos iban sobreviviendo, ya que los musulmanes, cuando vencían, eran incapaces de explotar su éxito a causa de su endeblez estratégica.

Los francos no derogaron la regla que dice que un castillo se construye en un sitio ya utilizado, y colocaron sus piedras sobre las dejadas por los bizantinos y los musulmanes. Plagaron el país de casas-fuertes, construidas en los pueblos de colonización (La Grande Mahomerie, por ejemplo), de torres, con murallas o sin ellas, de castillos, que recuperaban el modelo romano y bizantino del *castrum* cuadrado con torres en los ángulos, a veces con una doble muralla, como en Belvoir y, por último, de castillos-espuela, como el de Saone en Siria del norte. Hasta 1180, los castillos participaban en una defensa activa, y su capacidad de resistencia estaba asociada a las intervenciones del ejército de campaña móvil. También los castillos jalonaban las zonas de paso y de frontera disputadas entre francos y musulmanes; eran puntos de apoyo de futuras conquistas y señalaban la voluntad ofensiva de los francos.[12]

Desde hace mucho tiempo ha existido una controversia en la historiografía en cuanto al papel de los castillos. A Paul Deschamps, que insistía sobre su función militar y sobre la organización de líneas de defensa en los Estados latinos, Raymond C. Smail oponía su papel esencialmente político y económico: eran instrumentos de dominación, centros de poblamiento de los recursos de un territorio.[13] El castillo de Daron, descrito por Guillaume de Tiro, respondía a ese tipo: «El rey Amaury lo había hecho construir poco tiempo antes sobre una pequeña eminencia sirviéndose de viejos edificios de los que quedaban algunos vestigios [...].[14] Era un castillo de pequeño tamaño, sobre un espacio de apenas un tiro de piedra, de forma cuadrada y cuatro torres en los ángulos, una más grande y fortificada que las otras, pero sin foso ni segunda muralla por delante». En la vecindad se habían instalado campesinos, y «edificaron una aldea y una iglesia no lejos de la fortaleza y se convirtieron en los habitantes del lugar [...]. El rey les había concedido franquicias para extender sus confines y poder recibir más fácil y completamente rentas anuales sobre los pueblos vecinos, que los nuestros llaman casales, y lo acostumbrado a los viajeros.»[15]

Después de 1180, las cosas cambiaron. Las construcciones, de lo que Ronnie Ellenblum ha calificado de tercera generación de castillos francos, tuvieron desde entonces la finalidad de proteger un territorio y ya no la de marcar el avance o las intenciones ofensivas de los francos.[16] En los cincuenta años que siguieron a la derrota de Hattín, con los ayubíes, que no los hostigaban, los francos restablecieron en parte sus defensas. Se apoyaron en el mar, del que, gracias a las flotas de las repúblicas italianas marítimas, tenían un control casi total; reforzaron las fortificaciones de los puertos (Tortosa, Sidón), construyeron nuevos castillos o restauraron los que ya existían en la costa (Castillo

Peregrino) o en el interior (el Crac de los Caballeros, Safed o Montfort, el castillo de la orden teutónica).

Las fortalezas del siglo XIII eran fortalezas compactas, símbolos de una defensa pasiva. Literalmente, se *empedraban*. Para mantener esos castillos hacían falta guarniciones muy importantes: el autor del relato de la construcción del castillo de Safed dice que albergaba «mil setecientas personas y más de dos mil doscientas en tiempos de guerra. Cotidianamente están empleados en el castillo cincuenta caballeros y treinta sargentos con sus caballos y sus armas, cincuenta turcoples también sus caballos y sus armas, trescientos ballesteros, novecientos veinte trabajadores manuales y cuatrocientos esclavos».[17] ¿Castillos inexpugnables?

Después de 1250, los mamelucos dispusieron de un ejército profesional numeroso y dotado de un considerable material de asedio. El sultán Baybars (1261-1277), aprovechando la desmovilización y la división de los francos, hizo que cayeran una tras otra las fortalezas del interior. Con ello, sus sucesores pudieron tomar las ciudades y fortalezas costeras, que, aisladas unas de otras, privadas de su ante-defensa del *hinterland*, no pudieron mantenerse, ya que el apoyo marítimo con el que podían contar era aleatorio. Trípoli en 1289 y Acre, Sidón y Tortosa en 1291 se rindieron o fueron tomadas. Por último, el Castillo Peregrino fue evacuado en 1291, porque ya no tenía sentido: «Así, el sistema defensivo se volvió contra sus autores».[18]

En la segunda mitad del siglo XIII, prácticamente todas las grandes fortalezas estaban en manos de las órdenes militares, lo que es índice de la importancia que habían adquirido en Tierra Santa.

LA APORTACIÓN DE LAS ÓRDENES RELIGIOSO-MILITARES

Las órdenes religioso-militares nacieron de la cruzada en Tierra Santa. Se puede decir que no fueron hijas ingratas, ya que aportaron mucho tanto a una como a otra. La orden del Temple fue, desde su origen en 1120, exclusivamente militar; las otras siempre asociaron a esa actividad una misión hospitalaria: fue el caso de la más antigua, la orden de los Hospitalarios de San Juan de Jerusalén, fundada antes que la del Temple, pero que se convirtió en militar después de que la Iglesia reconociera la experiencia de la segunda; también fue el caso de la orden de Santa María de los Teutónicos, creada en el momento de la tercera cruzada. La orden de san Lázaro cuidaba a los leprosos; su carácter militar ha sido controvertido, pero en los campos de batalla aparecen caballeros de San Lázaro al lado de las otras órdenes sólo a mediados del siglo XIII, y nada indica que fueran leprosos. Mencionemos también la pequeña orden inglesa de Santo Tomás de Acre.[19]

Los fundadores del Temple se asignaron como misión defender a los peregrinos que iban a los Santos lugares, si era necesario, por la fuerza. Sin que abandonaran nunca ese compromiso, los templarios estuvieron desde el principio, o casi, asociados a los combates librados por los ejércitos latinos para defender sus Estados. Su papel propiamente militar no iba a cesar de crecer. Ocurrió lo mismo con los hospitalarios y después con los teutónicos.

Todas las órdenes tenían una composición y una organización semejantes, a pesar de algunas diferencias que no es necesario mencionar aquí. Los hermanos de las órdenes se repartían en tres categorías: un pequeño grupo de hermanos capellanes, que eran los únicos miembros de las órdenes ordenados como sacerdotes; hermanos caballeros y hermanos sargentos, unos eran sargentos de armas y combatían a caballo, y los otros eran hermanos de oficio, gestores y explotadores del patrimonio inmobiliario de la orden o artesanos especializados, especialmente en las fortalezas. En Oriente, en el frente, los caballeros eran numerosos; en Occidente, en la retaguardia, dominaban los hermanos de oficios. Al lado de los caballeros, auxiliares diversos, no miembros de la orden, recibían un sueldo de ésta: escuderos que asistían a los caballeros, turcoples que formaban una caballería ligera, arqueros, ballesteros y soldados de a pie. En resumen, se repetía el esquema del ejército de los Estados latinos que he descrito más arriba. Por sus efectivos y su disciplina, las órdenes militares fueron la punta de lanza de los ejércitos latinos; los cronistas de la quinta cruzada decían de ellos que eran los primeros en llegar al campo de batalla y los últimos en dejarlo.

A lo largo del siglo XII, reyes, príncipes y señores, que ya no disponían de medios para mantener sus castillos, los cedieron a las órdenes militares: Baghras, Margat, el Crac de los Caballeros, Tortosa, Sidón, Beaufort, Montfort y Arsur les pertenecían. Sin embargo, la ayuda de los cruzados de Occidente permitió a los templarios edificar el Castillo Peregrino en 1217 y reconstruir Safed en 1240. Pero disponían de medios financieros y humanos suficientes para defender esos enormes castillos. Su fuerza residía en la capacidad de tener movilizados permanentemente los recursos y medios que obtenían de sus casas de Occidente para llevar a cabo su acción en Tierra Santa. Habían formado en Europa una densa red de casas agrupadas en encomiendas y en provincias y disponían de un considerable capital, especialmente inmobiliario.

Debido a su implantación en Oriente y en Occidente, las órdenes militares fueron vectores privilegiados en las relaciones entre el frente y la retaguardia.

En primer lugar, mediante intercambios de información, por cartas y mensajeros. Las noticias de Tierra Santa eran después difundidas por el papado o por clérigos, como el historiador benedictino inglés Matthieu Paris.[20] Ocho cartas hicieron conocer a Occidente la derrota de La Forbie; cinco de ellas procedían de representantes de las órdenes militares.

También hubo intercambio de hombres. Las encomiendas de Occidente recibían a los postulantes al entrar en la orden y enviaban a los que eran aptos a combatir a Tierra Santa. Los hermanos enfermos, heridos o ancianos, volvían a Occidente a terminar sus días en alguna de sus casas. Las pérdidas humanas eran elevadas y las órdenes militares garantizaban un relevo permanente. Un templario dijo, en su interrogatorio durante el proceso de la orden, que el Temple había perdido al menos veinte mil hombres «por la fe de Dios en ultramar», lo que parece verosímil. Después del desastre de La Forbie, los hospitalarios ingleses movilizaron a sus novicios; todavía en 1300, los templarios fueron capaces de enviar unos centenares de combatientes a Chipre a la espera de operaciones combinadas con los mongoles.[21]

Las órdenes también proporcionaron medios materiales para responder a sus necesidades en Tierra Santa: hierro, madera, armas, caballos, víveres y dinero. Garantizaban el transporte de los recursos desde sus dominios occidentales (un tercio de los ingresos estaba en principio dedicado a Tierra Santa) con algunos barcos que poseían, pero, sobre todo, con los que alquilaban a las repúblicas italianas marítimas. La transferencia de dinero de Occidente a Oriente era una necesidad y las órdenes utilizaron para ello las técnicas financieras conocidas en su tiempo. La habilidad adquirida en ese ámbito fue puesta al servicio de la Iglesia, los reyes y los particulares, especialmente los cruzados: ellos prestaban, gestionaban los depósitos de los particulares y transportaban el dinero, pero no invertían en negocios o en comerciar. Siempre se ha considerado que el Temple estuvo avanzado en ese ámbito y se le han atribuido capacidades financieras que no tenía. Todo viene porque muy pronto (desde Luis VIII) un templario fue el encargado de gestionar el Tesoro real (es decir, lo esencial de los recursos financieros de la monarquía). Como no tenían ese cargo público, los hospitalarios eran menos visibles, pero actuaban igual que los templarios. Después de la desaparición del Temple, el papado les solicitó muchas veces que transportaran sus fondos de Occidente a Oriente.[22]

Para resumir, las órdenes religioso-militares tuvieron en la logística de la cruzada un lugar importante. Mostraron en la guerra cualidades que no siempre estaban extendidas entre los ejércitos feudales de aquella época: rapidez de movilización, compromiso, cohesión, disciplina y valor. Dieron a los Estados cruzados un ejército permanente.

Se debe a los templarios una última aportación que, totalmente enraizada en su experiencia de la cruzada, la supera con mucho: un verdadero manual de arte militar.[23] La regla de la orden está completada por los estatutos (o *retrais*), en los que una parte (los estatutos jerárquicos) ofrece un completo resumen de las formas, los métodos y las condiciones de la guerra en Tierra Santa.[24] El conjunto tiene un alcance general y su interés más manifiesto viene de que es el primer texto medieval que trata del arte de la guerra desde el *Epitoma de re militari*, de Vegecio,[25] muy popular en la Edad Media. Algunos tratados de cruzada, compuestos con la perspectiva de reconquistar Jerusalén después de 1291, contienen consideraciones teóricas y prácticas sobre la guerra, que prolongan los estatutos templarios: los tratados de Fidenzo de Padua, Marino Sanudo o Emmanuel Piloti, sobre todo.[26]

La creciente importancia de las órdenes militares en la defensa de los Estados latinos se acompañó, lógicamente, de una influencia cada vez mayor en su política. Las consecuencias fueron a veces negativas para la cruzada y para los Estados mismos.

Pasemos por alto los conflictos de intereses entre las órdenes; supieron canalizarlos poniendo en funcionamiento procedimientos de solución de los conflictos.

A veces, los templarios y los hospitalarios defendieron políticas de alianza opuestas (con los Estados musulmanes) tomaron partido en las querellas sucesorias. La orden teutónica se condujo como un agente de los emperadores germánicos de la dinastía de los Staufen; el maestre del Temple Guillaume de Beaujeu era absolutamente adicto a los príncipes angevinos de Sicilia. Algunas de sus iniciativas resultaron desastrosas: Gilbert d'Assailly comprometió a la orden del Hospital al lado del rey Amaury en las imprudentes campañas de Egipto; Gérard de Ridefort, gran maestre del Temple, cegado por su odio hacia el conde de Trípoli, Raymond III, tuvo una influencia nefasta sobre el rey Guy de Lusignan y fue, en gran parte, responsable de la catástrofe de Hattín. Pero la mayoría de las veces, ejercieron una influencia moderadora.

En el curso del siglo XIII, en un Oriente latino del que había desaparecido toda autoridad central, cada uno —grandes barones, repúblicas italianas y órdenes militares— jugaba su juego y llevaba una política autónoma para defender sus bienes y sus intereses. El Temple llevó a cabo verdaderas guerras privadas contra el rey de Armenia o el conde de Trípoli. Las órdenes trataban directamente con el adversario musulmán, por ejemplo para firmar las treguas. En 1250, todavía san Luis pudo humillar a los templarios, culpables de haber acordado tratados con un emir sirio sin habérselo consultado. Pero después, ya no hubo nadie que impusiera una directriz.

Queda decir que la «opinión» (aunque es difícil descifrarla en la Edad Media) retuvo sus rivalidades, sus querellas y sus avenencias, y las hizo responsables de los fracasos y de la caída final del reino de Jerusalén. La crítica, que estuvo lejos de ser general, era sin duda injusta, ya que las órdenes siempre supieron actuar juntas en los momentos decisivos o dramáticos que conoció Tierra Santa. Esa corriente crítica es la que llevó, en el último tercio del siglo XIII, a la fusión de las órdenes en una sola entidad.

Otros lugares, otras guerras

En España, la Reconquista avanzaba de manera intermitente, pero a largo plazo, continuaba, y la frontera, esa especie de tierra de nadie movediza, se iba desplazando hacia el sur. Hubo un parón en la segunda mitad del siglo XII, a causa de la invasión de los almohades. En ambos lados, los castillos perfilaron la frontera en la zona entre el Tajo y el Guadiana. Así, la fortaleza musulmana de Kalaat Rawa fue conquistada por los castellanos en 1147 y confiada a los templarios; como éstos no estaban seguros de sus medios, renunciaron en provecho de una nueva orden religioso-militar, puramente castellana, la orden de Calatrava. En 1195, la fortaleza volvió a caer en manos de los musulmanes. En 1212, la victoria cristiana en la batalla de Las Navas de Tolosa la devolvió a los caballeros de Calatrava, quienes la abandonaron pronto para establecer su convento-fortaleza más al sur, en Calatrava la Nueva.

De manera general, la Reconquista la llevaron a cabo los ejércitos de los reinos de la península Ibérica. A veces hubo aportaciones exteriores, como de 1147-1148 en Almería y Tortosa, o en 1212 en Las Navas de Tolosa, pero la dirección de las operaciones militares incumbía únicamente a los soberanos. Por otra parte, en 1212 hubo tensiones entre el rey de Castilla, preocupado por proteger a la población musulmana, y los *cruzados* llegados de Francia, que no comprendían esa mansedumbre respecto a los enemigos de la cruz.

La aportación de las órdenes religioso-militares en la península Ibérica tomó un giro muy especial. Las órdenes de Tierra Santa, templarios y hospitalarios, no quisieron implicarse totalmente en la Reconquista, ya que sus prioridades estaban en ultramar. De todas formas, estuvieron muy presentes en Aragón. En el resto de la península, por el contrario, tuvieron la competencia de las órdenes autóctonas: Calatrava, Alcántara y Santiago, en Castilla y León, y la orden portuguesa de Avis, todas creadas entre 1150 y 1180, en la época más intensa de la *reconquista* almohade en la región del Guadiana y el Tajo. Se formó así, a partir de las concesiones reales, un «territorio de las órdenes», que abarcaba la franja de Badajoz a Murcia, y que incluía la meseta meridional, la actual Extremadura y la Mancha. En los Estados de la corona de Aragón, al Temple y al Hospital se les confió el cuidado de defender y poblar las regiones reconquistadas del Ebro y de Valencia. En esos lugares, las órdenes erigieron imponentes fortalezas comparables a las de Tierra Santa: Monzón, Miravet, Uclés, Alconchel, etc.

Las órdenes militares no gozaron en la península de la autonomía de la que sus pares disponían en Tierra Santa. En los combates, sus contingentes siempre estuvieron integrados en los ejércitos reales y políticamente, en los siglos XII y XIII, estuvieron sometidas al rey.

En los territorios ribereños del Báltico, la acción militar acompañó y permitió una vasta empresa de colonización agrícola, comercial (con la Hansa), étnica (germanización) y religiosa (cristianización).

La orden teutónica se implantó en Prusia a partir de la década de 1230. La conquista fue difícil y larga, pero, a fin de cuentas, la orden consiguió su objetivo y fundó un Estado. No le fue tan bien en Livonia (los actuales Estados bálticos), donde se enfrentó con ciudades poderosas, como Riga, y, sobre todo, con el clero local, dirigido por el arzobispo de esa ciudad. Pero, tanto en Prusia como en Livonia, el papado le confió la responsabilidad de la acción misionera, es decir, de la conversión de los paganos. Los teutónicos se comportaron como misioneros uniformados y no dudaron en usar la fuerza. Llevaron a cabo una guerra misionera (ya se había aplicado la noción a las guerras de Carlomagno contra los sajones).

Las prácticas de los teutónicos, calcadas en parte de las empleadas en los Estados latinos de Oriente, fueron eficaces, al menos en Prusia. El país fue cubierto de castillos, puntos de apoyo y centros de poder, puestos de vigilancia e instrumentos de control de la población prusiana, y también refugios para los colonos de los pueblos de sus alrededores. Un ejército móvil, formado por los combatientes de la orden y sus auxiliares, podía intervenir rápidamente en caso de disturbios. Los mismos procedimientos, adaptados, se utilizaron contra los lituanos, en especial en Samogitia, la punta avanzada del ducado lituano, que alcanzaba el Báltico y separaba Prusia de Livonia.

Una línea continua de castillos, casi todos modestos, jalonaba las fronteras del Duna (orilla de Prusia) y del Niemen (orilla de Livonia). Tenían que vigilar, interceptar y retener al adversario esperando la llegada de los destacamentos teutónicos. Sólo para grandes operaciones dirigidas en profundidad en el territorio enemigo la orden pidió alguna vez la ayuda de una cruzada. Los cruzados, salvo excepciones, se colocaban bajo el mando de los teutónicos. En el siglo XIV, como veremos, las «cruzadas de Prusia» se trivializaron y se convirtieron en ocasiones para que la nobleza occidental se exhibiese.

En otras tierras en las que se utilizaron las instituciones de cruzada (Languedoc, Italia y, más tarde, Bohemia), la guerra no presentó ninguna forma de originalidad. Las órdenes religiosas no se implicaron y, por otra parte, tampoco fueron nunca solicitadas para ello por el papado. Las monarquías, por el contrario, sí las presionaron: se vio, por ejemplo, en 1285, cuando los templarios y los hospitalarios fueron movilizados por el rey de Aragón contra la *cruzada* decidida contra él por el papa y dirigida por el rey de Francia, Felipe III el Atrevido.

Capítulo 3

Cruzada y poblamiento

En todos los lugares en los que se ejercieron la cruzada y la guerra santa, hubo dominación y desposesión. Allí donde hubo enfrentamiento con no cristianos, en Oriente, la península Ibérica y el Báltico, hubo conquista. Para hacerla duradera, hubo que acompañarla del poblamiento y del aprovechamiento de la tierra.

Foucher de Chartres, uno de los historiadores de la primera cruzada, que eligió quedarse en Palestina, es citado a menudo: «Nosotros, que éramos occidentales, nos hemos convertido en orientales. El que era romano o franco, en esta tierra es galileo o palestino [...]. Uno posee casas [...], otro ha tomado por esposa no a una compatriota, sino a una siria, una armenia o, incluso, una sarracena que haya recibido la gracia del bautismo».[27]

Este texto plantea el problema de la inmigración occidental y el de sus relaciones con la población autóctona. En este capítulo no examinaré más que la primera cuestión, dejando la segunda para la sexta parte.

CRUZADOS Y EMIGRANTES

Así como hay que distinguir —una vez que se arrebató Jerusalén al islam— al cruzado-peregrino del puro peregrino, hay que distinguir entre el cruzado-emigrante del puro emigrante, del colono. Al terminar cada cruzada, había cruzados que se quedaban allí; fuera de las cruzadas, entre las cruzadas, hombres y mujeres fueron a establecerse en Tierra Santa. En Oriente, se practicó el reagrupamiento familiar, «y nuestros allegados y parientes vienen día tras día a reunirse con nosotros», escribía también Foucher de Chartres. Los Estados latinos representaban entonces, como España, como Prusia, una nueva frontera. El movimiento participó del que se daba en la época en Europa en general: la conquista de tierras nuevas y la fundación de pueblos nuevos. La llamada de los espacios sin explotar jugó sin duda un mayor papel en Europa oriental, e incluso en España, que en Tierra Santa, donde no fue la causa del movimiento de la cruzada, aunque las motivaciones materiales estuviesen estrechamente mezcladas con las motivaciones espirituales entre los cruzados.

Es difícil apreciar la importancia de esa inmigración en el Oriente latino. Han sido identificados setecientos noventa y un cruzados de la primera cruzada: ciento cuatro se quedaron; pero quince de ellos acabaron por volver a Europa más tarde.[28] La preocupación primordial de la mayoría de los cruzados era la peregrinación, no la emigración. La población del reino de Jerusalén fue evaluada, hacia 1180, en trescientos setenta y cinco mil habitantes, de los que una tercera parte serían de origen latino. Acre habría tenido cuarenta mil habitantes, Tiro treinta mil y Jerusalén veinte mil; así que la inmigración estaba lejos de ser desdeñable, al menos en los dos primeros tercios del siglo XII. En el siglo XIII, las cosas fueron de otra forma: el territorio se hizo más pequeño y menos seguro; sólo los puertos como Acre y Tiro, cuya importancia aumentó, continuaban atrayendo, aparte de a una importante población flotante, a los inmigrantes.

POBLAMIENTO Y COLONIZACIÓN

El reino de Jerusalén, hasta la década de 1180, era relativamente extenso y, entre 1120 y 1170, conoció un período de tranquilidad, dos factores favorables para la instalación de nuevos colonos europeos. Ciudades y puertos atrajeron a los inmigrantes latinos, sobre todo italianos. Investigaciones recientes, sobre todo en el ámbito de la arqueología, han revelado una importante colonización rural.[29] Los numerosos castillos, fortalezas y enclaves fortificados, que las excavaciones realizadas en los últimos años han sacado a la luz, pueden ser el signo, como en Occidente, de un auge y una seguridad creciente, y no de un repliegue timorato debido a la inseguridad. Esos asentamientos eran centros de población y centros de control —militar, económico y social— de un territorio bien aprovechado, como lo demuestra la multiplicación de carreteras y caminos, mojones y molinos.

Según Ronnie Ellenblum, doscientos de los ochocientos treinta enclaves rurales que se han inventariado en el reino de Jerusalén habrían recibido poblamiento latino.[30] Las excavaciones han permitido reconstituir parcialmente pueblos como Castellum Regis o la Petite Mahomerie.[31] Eran pueblos nuevos, fortificados, según el modelo occidental, con rasgos muy mediterráneos, como las azoteas, por ejemplo. No hubo una planificación sistemática del país, como en la Prusia de los caballeros teutónicos, pero los sitios escogidos no fueron fruto del azar: la mayoría de los asentamientos francos se encontraban en Samaria o en Galilea occidental, regiones que, en el siglo XII, estaban pobladas por cristianos orientales. Expondré más adelante las enseñanzas que hay que extraer de este hecho para el análisis de las relaciones entre francos y poblaciones orientales.

Los propietarios francos de castillos y pueblos (los «casales»), es verdad que vivían en su mayoría en las ciudades, pero pasaban una parte del año en sus dominios. Casal Imbert debía su nombre a su propietario. Documentos conocidos desde hace mucho tiempo dan testimonio de la amplitud de la colonización franca en Palestina: en la lista de los colonos instalados en la Grande Mahomerie, por ejemplo, con fecha de 1156, se aprecian ciento cincuenta nombres francos; el origen geográfico de setenta y cuatro de ellos se puede precisar: cuarenta y cuatro eran de Occidente, principalmente del reino de Francia.[32]

Esa inmigración debió ser casi siempre espontánea. Pero hay lugar para pensar que la colonización fue integrada en los objetivos de cruzada; ése parece haber sido el caso de la primera cruzada de san Luis, por ejemplo, en la que Damieta, en el delta del Nilo, era el objetivo, pero también, sin duda, el punto de partida para una conquista de Egipto. Según el cronista inglés Matthieu Paris, que cita a Jean, monje de Pontigny presente en el lugar: «No había nada que preocupase más al rey, después de la toma de Damieta, que el hecho de no tener bastantes hombres como para guardar y poblar los países conquistados y por conquistar. Y el rey llevaba consigo arados, rastrillos, layas y otros aperos de labranza».[33] Más en general, la necesidad de poblamiento no debe vincularse con la ambigüedad inicial, y nunca solventada, de la cruzada: ¿no había que reclutar más que a combatientes? ¿Había que abrir los caminos de Jerusalén a todos, a esos *pobres* que, por definición, eran *inermes*, es decir, sin armas? A pesar de la voluntad, muchas veces reafirmada, de no cargar con ellos, estuvieron siempre presentes en todas las cruzadas. La lista de pasajeros del barco en ruta para ir a reunirse con san Luis en Damieta muestra claramente esa presencia.[34] Además del valor espiritual que se vinculaba con los *pobres*, su presencia, en aras de una futura instalación en el territorio, ¿no se consideraba necesaria para el éxito material de una cruzada?

CRUZADA Y FRENTE PIONERO

Fuera de Tierra Santa, el problema del poblamiento se planteó de una manera bastante diferente. Pasamos por Chipre, donde la población estaba compuesta por occidentales o por francos de Oriente (sobre todo después de la caída de Acre en 1291). Los Estados latinos de Grecia, Morea ante todo, atrajeron inmigrantes latinos, a veces llegados de Tierra Santa.

La cuestión del poblamiento estaba en el corazón (y no era un corolario, como en Tierra Santa) tanto de la reconquista en España como de la colonización de los espacios bálticos. En Prusia, los teutónicos tuvieron que luchar de firme para controlar el país. Los llamamientos a apoyar su combate se acompañaron de campañas sistemáticas de colonización y de poblamiento. Cuando un territorio estaba sometido, es decir, cuando su población había aceptado el cristianismo, se construía un castillo, generador a su vez de un hábitat fortificado, pueblo o ciudad, en el que iban a establecerse colonos alemanes: Külm, Memel, Marienwerder, Königsberg, Marienburg (a partir de 1276), futura capital del Estado teutónico; centenares de pueblos se fundaron entonces.

En España, la reconquista y la ocupación del terreno estuvieron marcadas por la construcción de castillos, condición indispensable para el establecimiento de un poblamiento duradero. Éste comenzó con una carta de poblamiento en el que se fijaban las condiciones, pero la escasez de población limitaba las corrientes migratorias; no se podía desnudar a un santo (el norte de la península) para vestir a otro (la frontera). Así es que, lógicamente, resolvió mantener en sus lugares, o hacer volver a los musulmanes, quienes, al igual que los judíos, pudieron organizarse como comunidad (aljama) y continuar practicando su religión.

En Languedoc, la guerra contra los albigenses se acompañó también de un vasto movimiento de expropiación de la nobleza local, acusada de pactar con la herejía, en provecho de los cruzados —los famosos *cruzados del norte*, a los que la historiografía occitana nunca digirió, aunque la sociedad meridional los fue integrando—. ¿No se encontraba, un siglo apenas después de la cruzada contra los albigenses, algún resabio de herejía entre los descendientes de los cruzados de entonces?

Capítulo 4

Cruzada y comercio.
¿Un colonialismo medieval?

En 1098-1099, sin el apoyo de las flotas genovesa y pisana, los cruzados no hubieran podido culminar la última etapa de su viaje, de Antioquía a Jerusalén. La conquista de las grandes ciudades costeras no fue posible más que con los barcos genoveses (Acre en 1104) o venecianos (Tiro en 1124). Genoveses, pisanos y venecianos eran cruzados; habían pronunciado el voto y tomado la cruz, como los otros combatientes cristianos. Pero las ciudades marítimas, en el alba de su esplendor comercial en el Mediterráneo, no olvidaron sus intereses y obtuvieron privilegios comerciales y barrios en las ciudades, como contrapartida a su participación en las conquistas.

Las flotas italianas se habían asegurado el control del Mediterráneo y, prácticamente, habían reducido a la impotencia a las flotas musulmanas. Se hicieron indispensables tanto para la defensa de los Estados latinos, como para su contacto con Occidente, ya que ni los Estados latinos ni las órdenes militares poseían verdaderas flotas de guerra. Pero los intereses de Pisa, Génova o Venecia, y más tarde de Marsella o Barcelona, eran ante todo comerciales. La cuestión que se plantea entonces es: ¿el movimiento de las cruzadas favoreció o no el auge del comercio? ¿Contribuyó a modificar las rutas y los productos?

Las constantes del comercio en el Mediterráneo oriental

El Mediterráneo oriental se repartía entonces en tres sectores comerciales: Constantinopla y el mundo bizantino; Alejandría y Egipto; la costa sirio-palestina y su *hinterland* mesopotámico. Los occidentales se procuraban allí las producciones locales —algodón, alumbre egipcio, etc.— y los productos de Extremo Oriente —especias, perfumes y colorantes o tejidos preciosos (sederías, hilatura de oro)—. A cambio, aportaban tejidos de lana, telas, madera, hierro o armas. En la época de la primera cruzada, y en las décadas siguientes, los intercambios se hacían en Constantinopla y en Alejandría. Constantinopla, *la reina de las ciudades*, estaba al final de la ruta de la seda, que atravesaba Asia central, Irán y Asia Menor. Alejandría recibía los productos de Extremo Oriente, que habían transitado por el océano Índico y el mar Rojo y, después, tras un paso por tierra, por el Nilo. Grandes vías de caravanas unían el golfo Pérsico con Bagdad, Asia Menor y el mar Negro, otras unían Arabia con Asia Menor, pasando por Damasco y Alepo; la costa sirio-palestina era, si no ignorada, al menos colocada en un papel muy secundario.

Constantinopla, ciudad muy poblada (contó con un millón de habitantes en su apogeo), resultaba un enorme mercado de consumo. Venecia se benefició desde 1082 de considerables ventajas comerciales, renovadas después a pesar de las violentas reacciones de los griegos, por ejemplo en 1171.

En Alejandría, los mercaderes italianos, provenzales y catalanes instalaron sucursales y desarrollaron relaciones comerciales que sólo las operaciones militares de las cruzadas dirigidas contra Egipto interrumpían. Con notable constancia, todos los dirigentes de Egipto —fatimíes, ayubíes y mamelucos— favorecieron el comercio con los occidentales, del que obtenían sustanciosos ingresos fiscales y que, sobre todo, los proveía de los productos *estratégicos* que les faltaban: la madera, el hierro y las armas, cosas que Occidente producía y fabricaba.

UNA INFLEXIÓN PRODUCIDA POR LA CRUZADA

Se suele decir que la cruzada no modificó fundamentalmente las orientaciones del comercio de Oriente Próximo, pero, sin embargo, abrió nuevas vías.

La cruzada abrió el mar Negro a los italianos. La cuarta cruzada, al conseguir Constantinopla para los occidentales, permitió a

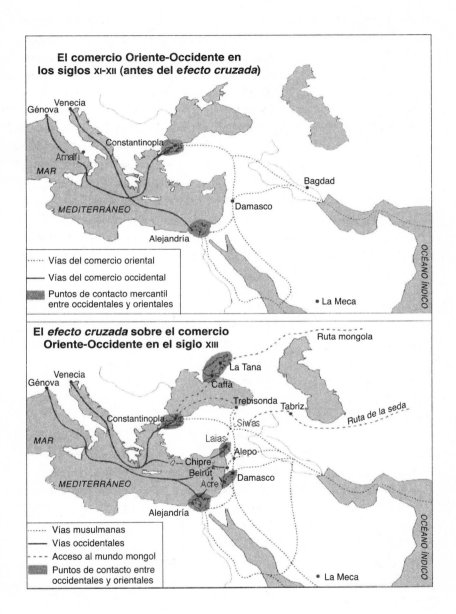

El comercio Oriente-Occidente en los siglos XI-XII (antes del e*fecto cruzada*)

Génova
Venecia
Constantinopla
Amalfi
MAR
MEDITERRÁNEO
Alejandría
Bagdad
Damasco
OCÉANO ÍNDICO

····· Vías del comercio oriental
—— Vías del comercio occidental
▨ Puntos de contacto mercantil entre occidentales y orientales

• La Meca

El *efecto cruzada* sobre el comercio Oriente-Occidente en el siglo XIII

Ruta mongola
Génova
Venecia
La Tana
Caffa
Trebisonda Tabriz
Ruta de la seda
Constantinopla
Siwas
Laias
MAR
Alepo
Chipre
Beirut
Damasco
MEDITERRÁNEO
Acre
Alejandría
OCÉANO ÍNDICO

····· Vías musulmanas
—— Vías occidentales
- - - Acceso al mundo mongol
▨ Puntos de contacto entre occidentales y orientales

• La Meca

los venecianos que controlaran el Bósforo y abrieran el mar Negro a sus barcos y, aún más, que establecieran relaciones con el sur de Rusia y Asia central. Génova, excluida del juego, obtuvo su revancha en 1261, ya que la recuperación de Constantinopla por los griegos, a los que la ciudad ligur apoyaba, no cuestionó su acceso al mar Negro.[35]

La cruzada favoreció el desarrollo comercial de los puertos de la costa sirio-palestina. Los puertos italianos no utilizaron más que poco a poco las ventajas obtenidas por el hecho de su participación en la toma de las ciudades. Trípoli, Beirut, Tiro y, sobre todo, Acre no se convirtieron en grandes enclaves comerciales más que a partir de la segunda mitad del siglo XII. Entonces fue cuando se establecieron lazos con las grandes ciudades musulmanas del interior, principalmente Alepo y Damasco, y cuando el tráfico de caravanas de Mesopotamia encontró una salida en el Mediterráneo oriental. En 1180, Ibn Yubayr, un musulmán de al-Ándalus, hizo una peregrinación a La Meca y a Medina. A la vuelta, pasó por Damasco y atravesó el reino latino antes de embarcar en Acre. Decía del principal puerto de los francos: «Es la capital de los francos en Siria, la escala de barcos tan grandes como montañas, el puerto que frecuentan todos los navíos, comparable por su importancia al de Constantinopla, la cita de los bajeles y las caravanas, el lugar de encuentro de los mercaderes musulmanes y cristianos llegados de todos los horizontes».[36]

Los mamelucos, tras conquistar Acre en 1291, la arruinaron para proteger el monopolio de Alejandría y el cerrojo egipcio: es un dato de la importancia comercial que la capital franca había adquirido.

En la segunda mitad del siglo XII, la *paz mongola* favoreció la apertura de nuevas vías. Dos kanatos mongoles concernían a los latinos: uno establecido en Persia y Mesopotamia (el Ilján), y el otro, en el sur de Rusia, las fuentes del Danubio y el Caspio (el Kiptchak u Horda de Oro);[37] el primero controlaba la antigua Ruta de la seda, el segundo la nueva Ruta mongola. La Ruta de la seda fue reactivada y encontró salidas cómodas en el puerto del Ayas o Lajazzo, en Cilicia (con una prolongación hasta Chipre), y en Trebisonda, en el mar Negro. La segunda, más al norte, la Ruta mongola propiamente dicha, llegaba a La Tana, al fondo del mar de Azov. El dominio italiano en el mar Negro dio valor a esa ruta.

La nueva situación tuvo dos consecuencias. Por una parte, una gran ruta norte-sur, que unía el mar Negro y Egipto, permitió a los genoveses, sólidamente instalados en Caffa, a la salida del mar de Azov, y en Pera, enfrente de Constantinopla, desarrollar un fructuoso comercio de esclavos caucasianos en dirección al mercado egipcio. Por otra parte, el cerrojo egipcio podía así ser rodeado, aunque las ventajas de Alejandría permanecieran incólumes, ya que los costes allí eran menos elevados que en otros lugares; los comerciantes italianos nunca la evitaron. A finales de la Edad Media incluso hubo una especie de reparto de los espacios orientales: el norte (mar Negro, mar Egeo) para los genoveses; el sur para los venecianos.

Las cruzadas, como expediciones militares, pudieron estorbar, e incluso interrumpir momentáneamente las relaciones comerciales, sobre todo con Egipto. La cruzada, mientras duró, no afectó fundamentalmente un comercio que se hubiera desarrollado de todas maneras. Pero no se puede decir (y ya no se dice) que no cambiara nada: permitió el desarrollo de Acre y de la ruta de las caravanas, después del Ayas y de Chipre y, por último, del mar Negro.[38]

CRUZADOS REALISTAS: FACTORÍAS Y COLONIAS PRIVILEGIADAS

Los privilegios comerciales y las concesiones de barrios obtenidos en los puertos dominados por los latinos también existieron en Constantinopla y el mar Negro (Caffa, La Tana) o en Egipto (Alejandría). Las repúblicas italianas instalaron dos tipos de establecimientos: las factorías y las colonias.

La factoría era un asentamiento que permanecía bajo la soberanía del país huésped y que estaba, sobre todo, poblado por comerciantes de paso. Así ocurría en Alejandría y en Constantinopla antes de 1204.

Las colonias se encontraban en Siria-Palestina (hasta 1291), o en los Estados latinos de Grecia, después de 1204, y en el mar Negro y el mar Egeo, a finales del siglo XIII. Se beneficiaban de la extraterritorialidad, tenían un poblamiento permanente y una administración controlada por la metrópoli. En Acre, Pisa, Venecia y Génova, los provenzales disponían cada uno de su barrio, donde vivía de manera permanente una población italiana. Cada una de las colonias constituía una comunidad (de la misma manera, por otra parte, que los barrios de las órdenes militares), ampliamente independiente de las autoridades de los Estados latinos.[39]

Factorías y colonias presentaban rasgos comunes: alrededor de una plaza se disponían unas cuantas casas, un palacio, una iglesia, una oficina de pesos y medidas, un almacén y una lonja. El almacén era generalmente denominado *funduq,* palabra italianizada en *fondaco*; el comerciante de paso podía depositar allí sus mercancías y encontrar alojamiento. La lonja era el centro de los asuntos comerciales, donde los notarios extendían contratos. El palacio albergaba los servicios administrativos. La república-metrópoli estaba representada por un *bayle* (Venecia), un cónsul o un *podestà* (Génova).

¿Hubo imperios coloniales, en el sentido contemporáneo del término? La cuestión ha sido discutida en lo concerniente a los Estados latinos de Siria-Palestina. Joshua Prawer se inclinaba por la afirmación, mientras que otros historiadores continúan negándolo; entre estos últimos, Benjamin Z. Kedar ha desarrollado la teoría del fragmento: es cierto que hubo transferencias de fragmentos de la sociedad occidental a Oriente, pero eso no es suficiente para que se califique la sociedad latina de sociedad colonial ni a los Estados latinos de imperio colonial.[40]

Por el contrario, Venecia creó, después de 1204, una verdadera talasocracia en el mar Egeo. La ciudad de los dux no ocupó, en los territorios que le otorgaba el reparto de 1204, más que las escalas indispensables para la seguridad de sus líneas de comunicación marítima: Corfú, Modon y Corón, en la punta occidental del Peloponeso (los «dos ojos de la república»), la isla de Eubea (Negroponto, en la época), las islas Cícladas y los accesos a Constantinopla y a Creta, de la que hizo una verdadera colonia. La conquista fue difícil y durante todo el siglo XII hubo numerosas revueltas animadas por una nobleza griega (los arcontes) especialmente tenaz. Venecia apeló a colonos procedentes de la metrópoli, a quienes concedió tierras y casas, intentó desarrollar cultivos *coloniales* para alimentar sus mercados (caña de azúcar, entre otros), pero sin mucho éxito. Reprodujo en la isla su propia estructura administrativa. Un duque la representaba directamente. Ahí sí tenemos una colonia *moderna*, una colonia de poblamiento y explotación.

El imperio genovés, formado más tardíamente (a finales del siglo XIII) se presentaba de manera diferente. La red comercial genovesa del mar Negro y el Egeo descansaba sobre las tres colonias de Caffa, en Crimea, de Pera, situada enfrente de Constantinopla, y de la isla de Quíos (definitivamente conquistada en 1346) en el norte del Egeo. En Quíos, Génova cedió a algunos de sus ciudadanos agrupados en una sociedad de derecho privado, la *Mahona*, la explotación de los recursos de la isla (que tenía el monopolio de la producción de almáciga) y de las minas de alumbre de Focea, en Asia Menor. También en ese caso la explotación era de tipo colonial.

Las rivalidades comerciales y políticas entre Pisa, Génova y Venecia se desplazaron a sus colonias de Oriente y tuvieron efectos negativos para los Estados latinos de Oriente y las cruzadas. La guerra de san Sabas, que desgarró Acre de 1256 a 1258, fue el ejemplo más claro. Nacida de una disputa entre Génova y Venecia, a propósito de un pequeño establecimiento religioso de Acre, degeneró, por el juego de las alianzas, en un enfrentamiento entre dos coaliciones. La coalición veneciana acabó por vencer y Génova fue expulsada de la ciudad para siempre. La ciudad ligur se tomó la revancha en el mar Egeo; en 1261, por el tratado de Ninfea, Génova se comprometió a ayudar al emperador griego de Nicea para recuperar Constantinopla, aunque los griegos no tuvieron necesidad de la ayuda genovesa para conseguirlo.

Tres guerras enfrentaron a venecianos y genoveses en el siglo XIV: la guerra de Curzola en 1295 (en la que fue hecho prisionero Marco Polo), la guerra del Bósforo en 1350 y la guerra de Chioggia de 1377 a 1382. Lo esencial de su desarrollo tuvo lugar en el Mediterráneo oriental. Así pues, no es extraño que nunca, o casi nunca, los dos rivales actuaran juntos en interés de la cruzada o de los Estados latinos. Y, sin embargo, su concurso era indispensable.

BOICOT Y BLOQUEO: ¿SE PUEDE COMERCIAR CON LOS INFIELES?

El problema fue planteado por los concilios de Letrán III (1179) y Letrán IV (1215): «Excomulgamos también y anatematizamos a los falsos e impíos cristianos que, comportándose como enemigos del mismo Cristo y del pueblo cristiano, aportan a los sarracenos armas, hierro y madera para construir galeras, y también a los que les venden galeras o naves».

Se trataba de productos estratégicos. Pero veamos la continuación: «Prohibimos además a todos los cristianos, bajo amenaza de anatema, que envíen o hagan llegar sus navíos, durante un período de cuatro años, a los sarracenos que habitan los países de Oriente».

Se trataba en este caso —y en 1215, era algo nuevo— de una prohibición total del comercio durante la duración de la cruzada proyectada, es decir, cuatro años.[41]

Las amenazas no hicieron mucha mella en los comerciantes. En 1290, los genoveses renovaban el acuerdo comercial que habían establecido con el sultán mameluco Qalawun; al mismo tiempo, éste preparaba el asalto final contra Acre y los genoveses movilizaban su flota para defender el último resto del reino de Jerusalén. Y una parte del comercio consistía en productos estratégicos y esclavos, indispensables para el funcionamiento de los ejércitos mamelucos. Comercio escandaloso, sí, pero también revelación de un arma económica en las conflictivas relaciones entre latinos y musulmanes. Cuando Acre cayó llegó el turno de los proyectos de reconquista; la cuestión comercial figuraba en un lugar preferente y la examinaré en la última parte de este libro.

Capítulo 5

La cautividad

Uno de los problemas con que se encontraron los cruzados más rápidamente fue el de la cautividad. Evidentemente, entendida en los dos sentidos: ¿cómo tratar a los prisioneros musulmanes? ¿Qué hacer cuando los nuestros son prisioneros del enemigo?

No-libres, esclavos, cautivos

El cautivo estaba por definición privado de libertad; pero no todos los no-libres eran cautivos: los esclavos, por ejemplo. Todos los prisioneros de guerra no se convertían en cautivos, algunos eran reducidos a la esclavitud y otros eran ejecutados. Cristianos y musulmanes se enfrentaron a esas cuestiones tanto en Oriente como en la península Ibérica en tiempos de las cruzadas (e incluso antes).

La ejecución de los prisioneros de guerra era frecuente y masiva en ambos bandos, pero más en el campo musulmán. No hablo aquí de las masacres de las poblaciones tomadas al asalto que jalonaron todas las guerras de cruzada, y otras, sino de ejecuciones de los prisioneros capturados en el campo de batalla o después. Los francos las hicieron al principio de su conquista y hasta aproximadamente el período comprendido entre 1110 y 1115 (a veces se confundían con la masacre de la población civil). Después se hicieron escasas. La ejecución de sus dos mil setecientos prisioneros por Ricardo Corazón de León fue excepcional: no añadió nada a su gloria y los cronistas se refieren a ella de puntillas.[42]

Por parte musulmana, la ejecución de los prisioneros fue más constante, pero más selectiva:[43] los jóvenes eran reducidos a la esclavitud, los poderosos y ricos, sometidos a rescate, y el resto, ejecutados. A menudo, los musulmanes no dejaban a sus prisioneros cristianos más que una alternativa: renegar o morir. A partir de 1160, los templarios y los hospitalarios hechos prisioneros eran sistemáticamente ejecutados. Más adelante, en el siglo XII y durante el siglo XIII, se ejecutaba a los turcoples y todos los combatientes de origen sirio, fueran cristianos o musulmanes conversos. Así, los sultanes mamelucos ordenaron masacrar a las guarniciones de las fortalezas tomadas, aunque antes hubieran prometido que se les perdonaría la vida (no era difícil invocar cualquier pretexto, aunque fuera fútil, para revocar la palabra dada). Los combatientes que se salvaban y quedaban en cautividad eran pocos: solamente ochocientos de dieciséis mil tras la batalla de La Forbie, en 1244. Los cautivos podían ser obligados a trabajos forzados:[44] Saladino utilizó prisioneros hechos en la batalla de Hattín para fabricar máquinas de guerra en Acre, de 1187-1188. En España ocurría lo mismo con los prisioneros demasiado pobres para que pudieran ser rescatados. Los cautivos eran a menudo maltratados, e incluso torturados y humillados. Se suele citar la suerte de más de quinientos prisioneros francos, vencidos en la sangrienta batalla del *Ager sanguinis* en 1119, a los que el vencedor Ilgazi hizo torturar, en cierta forma para divertirse. Los cristianos mataban menos, pero reducían a los prisioneros a la esclavitud: había cuatrocientos esclavos en la guarnición de Safed.[45] Los trabajos forzados han sido un rasgo característico de la condición de prisioneros de guerra en todas las épocas y en todos los sitios.

Dos razones explican la diferente actitud de los cristianos hacia sus prisioneros musulmanes. Por una parte, tenían la esperanza de obtener su conversión, que suponía la liberación (lo que no ocurría en los países islámicos). El cálculo se reveló justo: en el siglo XII, en Tierra Santa, la conversión de musulmanes al cristianismo fue frecuente; muchos menos en el siglo siguiente, evidentemente. En España, la rapidez de la Reconquista en el siglo XIII facilitó el proceso. Por otra parte, la reducción a la esclavitud de los prisioneros de guerra o de las víctimas de *razzias* permitía obtener una mano de obra barata en países —el Oriente latino, la España de la Reconquista— con un gran déficit de población. Paradójicamente, la segunda razón jugaba contra la primera: en el siglo XIII, barones, templarios y hospitalarios invocaron sus necesidades de mano de obra para rechazar la conversión y consiguiente liberación de sus esclavos.

SER CAUTIVO

Me referiré ahora a los problemas específicos planteados por la cautividad de los prisioneros de guerra.

En el momento de la primera cruzada y en los quince o veinte primeros años de existencia de los Estados latinos de Oriente, la actitud de los cruzados fue desigual, debido a que la cuestión ni se planteaba: el cruzado no tomaba en consideración la cautividad como una de las múltiples pruebas que lo aguardaban; no se la planteaba ni para él (la victoria o la muerte) ni para el infiel, al que había que exterminar. Las constituciones de los tres primeros concilios de Letrán no dicen ni una palabra al respecto. Sólo se cita la cautividad de la ciudad santa, mancillada por los infieles. Sin cuartel, sin prisioneros.

Las reglas practicadas en Occidente en la época eran aún más zafias, dado que la ética caballeresca aún no existía. Es verdad que el señor debía ocuparse de su vasallo prisionero, y lo mismo a la inversa, pero la mayoría de las veces el cautivo y sus allegados se las arreglaban por su cuenta para reunir el rescate. No se permitía, por ejemplo, pagar como rescate o aún menos entregar un castillo o una ciudad al infiel para obtener la liberación de un cautivo, aunque fuera un gran barón como Renaud de Châtillon, prisionero durante dieciséis años, o un rey, como Balduino II.[46]

Las tradiciones musulmanas y bizantinas eran diferentes: el intercambio y el rescate de prisioneros eran frecuentes; eran negociados por mediadores partiendo de la reciprocidad y de tarifas aceptadas por todos para los rescates. Los intercambios tenían lugar en sitios concretos, en las fronteras o en las costas. El autor musulmán al-Muqádassi hablaba de la rábida de Ramla, en Palestina, hacia el que «se dirigían las barcas y galeras de Rum (el Imperio bizantino), cargadas de prisioneros musulmanes, que eran rescatados a razón de cien dinares cada tres. En cada rábida hay gente que conoce la lengua de los

bizantinos y a quienes se envía en calidad de embajadores». La llegada del barco bizantino era anunciada a las aldeas del entorno, que
acudían hacia la rábida y daban lo que podían para el rescate de los
prisioneros.[47]

De todas formas, no idealicemos demasiado la situación: no todos
los prisioneros de Bizancio o del islam conocían ese final feliz, pero al
menos existía en tierras del islam una práctica institucionalizada del
rescate y del intercambio que los cruzados aprendieron a practicar. El
proceso de toma de conciencia y de responsabilidad fue inseparable
de la evolución de la mentalidad de los cruzados sobre el derecho de
la guerra.[48] Con bastante rapidez, los francos reconocieron el valor
militar de sus adversarios (lo que, por otra parte, era recíproco) y la
ética caballeresca fue imponiéndose a lo largo del siglo XII. La batalla
de Hattín marcó un punto de inflexión al respecto, ya que el tema de
la cautividad de Jerusalén volvió entonces al primer plano. Si Jerusalén estaba cautiva, Cristo estaba cautivo; el cruzado que partía con
la idea de seguir los pasos de Cristo lo imitaba hasta en la cautividad.
A finales del siglo XII, la liturgia de la cruzada se enriqueció con este
tema, y se insertó en los oficios una plegaria por la paz, por la liberación de la tierra de Jerusalén y por la liberación de los cautivos apre-
sados por los sarracenos.[49]

Tal toma de conciencia fue propiciada por los clérigos. En 1159,
Jocelyn II de Courtenay, moribundo, fue confesado en su prisión por
Ignacio, el metropolitano jacobita de Alepo, a quien el papa había pedido que cumpliera esa misión. En el siglo XIII, se confió la tarea a los
franciscanos en El Cairo y otros lugares, lo que, por supuesto, necesitaba el acuerdo de las autoridades musulmanas.[50] La ayuda era también moral. Thiermar, en Damasco, hubiera querido ver a los cautivos
detenidos en la «fosa del sultán» (la prisión); su guía se lo desacon-
sejó, pero Thiermar pudo mandarles cartas y recibir las suyas.[51] En
1238, el papa envió, por medio de los franciscanos, una carta de con-
fortación a los templarios prisioneros en Alepo tras la fracasada tentativa de recuperar el castillo de Darbsak. En todos los casos, se trataba
de ayudar al cautivo a que conservara la esperanza y no cometiera lo
irreparable: renegar de su fe.

Los cristianos también podían invocar el socorro de los santos
redentores: san Leonardo o Santiago. En Castilla, santo Domingo de

Silos (1100-1173) multiplicó las liberaciones milagrosas, recopiladas después de su muerte.[52] Por parte musulmana, el fiel invocaba a Mahoma, como hizo el cautivo citado por Usama, que vio en sueños cómo el profeta rompía sus cadenas.[53]

LA REDENCIÓN DE LOS CAUTIVOS[54]

Huir era aleatorio. Golpes de mano como el de Renaud de Châtillon en 1159, que quería liberar a seis mil cristianos prisioneros en Alepo y en Damasco, no tuvieron continuidad. La conquista de una ciudad o de un territorio permitía liberar a todos los prisioneros del bando propio. Las relaciones de fuerza dictaban su ley: ¡los cristianos iban ganando en España, pero perdiendo en Tierra Santa!

Pero la vía normal era la heredada de las prácticas musulmana y bizantina; el regateo en sus dos formas, rescate e intercambio. Aunque al principio fue una práctica privada e individual, se institucionalizó en el siglo XII. Los templarios y los hospitalarios, en especial, que habían dejado morir en prisión a algunos de los suyos, y no de los menores (Eudes de Saint-Armand, maestre de los templarios, por ejemplo), se esforzaron entonces por la liberación de sus cautivos. En 1260, como consecuencia de una incursión que fracasó, muchos templarios fueron hechos prisioneros, entre ellos, dos futuros maestres de la orden, Guillaume de Beaujeu y Thibaud Gaudin. La negociación terminó felizmente, en gran parte porque los captores, turcomanos, estaban necesitados de dinero. Se les entregó veinte mil besantes.

En cuanto al intercambio, intervino a menudo en el contexto de la negociación de treguas o del intercambio de embajadores. Gregorio IX, que había asumido la negociación para liberar a los templarios de Alepo en 1238, hizo que sus enviados propusieran a cambio la puesta en libertad de esclavos musulmanes. San Luis, en 1250, incluyó en el acuerdo firmado con los mamelucos la liberación de todos los prisioneros, comprendidos los que lo habían sido en La Forbie. Permaneció cuatro años en Tierra Santa, en parte para controlar la ejecución del compromiso.

A principios del siglo XIII se crearon instituciones específicas para la redención de los cautivos; la Iglesia basó, a partir de entonces, su acción en el hecho de que la redención es un acto piadoso, una obra de misericordia.

El islam estaba adelantado en ese punto. El Corán y el derecho preveían la redención (*fida*) aunque de manera restrictiva: el rescate o intercambio del cautivo debía aportar algo a la comunidad, si no, el cautivo liberado debía reembolsar los gastos ocasionados. Pero el acto de liberar a un cautivo era un acto meritorio. En el siglo XII, las fundaciones piadosas (*waqf*), administradas por cofradías, se multiplicaron. Nur al-Din les concedió dinero; un cadí, Abd al-Rahim al-Bassani, fundó, antes de 1200, un *jan* (caravasar) llamado *La casa de los dátiles*, que disponía de almacenes, habitaciones y tiendas para los mercaderes y peregrinos de paso; debían aportar limosnas enteramente dedicadas al rescate de los cautivos.

En España, desde el siglo XI, algunas medidas facilitaban la redención: se ayudaba a la familia del cautivo a obtener su liberación. El rey concedía a las ciudades reconquistadas *fueros* (cartas de franquicia) en los que estaba previsto el rescate de un cautivo cristiano o el intercambio de un cautivo musulmán por uno cristiano. Para acompañar a las familias, el rey Alfonso el Batallador creó en Aragón dos agentes, uno cristiano, el *exea* (del griego, «compañero»), y otro musulmán, el almotalaefe (del árabe), que, a petición de las familias, negociaban con el adversario. Los castellanos y los portugueses lo imitaron e instituyeron un alfaqueque (redentor).[55]

Pero la verdadera novedad tuvo lugar a principios del siglo XII con la creación —en Francia y en España, pero no en Tierra Santa— de órdenes religiosas especializadas, signo evidente de una asunción de responsabilidad por parte de los medios occidentales.

Jean de Matha, un provenzal que había estudiado en París, fundó en Cerfroid, en Picardía, una institución abocada a la redención de los cautivos; su iniciativa fue aprobada por Inocencio III y se crearon casas y hospitales en Francia (Marsella), en España y, después, en Tierra Santa (Acre, Cesarea), donde el hermano Nicolás, llegado de Cerfroid, estuvo activo durante siete años, en la época de la cruzada de san Luis.[56] La nueva orden se colocó bajo la advocación de la Trinidad, para afirmar el fundamento esencial del credo cristiano, del que se burlaba el islam. Sobre su hábito blanco, que simbolizaba al Padre, llevaban una cruz, cuyo brazo vertical rojo simbolizaba al Espíritu

Santo, y el brazo horizontal azul, al Hijo. Para Guido Cipollone, la cruz de los trinitarios sería una alternativa pacífica a la cruz militar del cruzado; era signo de «conquista desarmada del espíritu evangélico».[57] El artículo 9 de la orden decía: «No subirán a caballo, ni los tendrán, sino asnos».[58] Los fondos recogidos se repartían en tres tercios: redención, cuidados a los pobres y funcionamiento de la institución. Inocencio III no dudó en escribir al sultán almohade para presentarle los objetivos pacíficos de la institución (8 de marzo de 1199).[59]

La orden de la Merced para la liberación de cautivos fue fundada en 1219 o 1229 en Barcelona por Pedro Nolasco. Su radio de acción se limitó a Aragón y al sur de Francia, pero sus objetivos y medios eran idénticos a los de los trinitarios.[60]

Las órdenes religiosas ya existentes integraron, en mayor o menor grado a su acción caritativa, la función redentora: la pequeña orden de Santo Tomás de Acre en Tierra Santa, por ejemplo.[61] Ni el Temple ni el Hospital ni los teutónicos tuvieron política redentora. Se interesaban por sus cautivos y, a veces, contribuyeron, financiera o diplomáticamente, a la liberación de prisioneros notables, pero eso fue todo. Por el contrario, en la península Ibérica, la orden de Santiago destinó una parte de sus actividades y de sus recursos a la misión de redención: colecta de fondos (artículo 31 de la regla) y especialización de algunas de sus casas (Teruel, Toledo, Alarcón) en la acogida y los cuidados a los cautivos liberados;[62] ¡en cierta forma, en la ayuda psicológica!

La cruzada en Tierra Santa, la guerra santa en España y la yihad en tierras del islam, al exacerbar el conflicto religioso, endurecieron las confrontaciones, pero reforzaron también las tradiciones de intercambio y de rescate de los cautivos. Las prácticas de sus adversarios influyeron en los cruzados de Occidente, que no tenían esa tradición, pero terminaron por considerar al cautivo digno de interés y objeto de compasión o de negocio. Esa evolución es inseparable de la toma de conciencia de los aspectos crueles de la guerra y de la emergencia de un derecho de la guerra.

Capítulo 6

La cruzada y sus críticos

El tema de la crítica a la cruzada es recurrente en la historiografía. Un esquema domina los que resumiré aquí a grandes rasgos:[63] la cruzada, al mismo tiempo que perdía su alma, perdía sus adeptos. Las dificultades y los fracasos llevaron al desencanto y a la crítica, a la indiferencia o a la hostilidad. La «opinión» cambió mucho antes de finales del siglo XIII. ¿No es Georges Duby quien habla de «actitudes caducas» (en 1220) a propósito de Guillermo el Mariscal quien, moribundo, se hizo vestir con el manto del Temple?[64] Elisabeth Siberry ha reaccionado contra ese punto de vista, recalcando que, incluso en tiempos de Urbano II, la cruzada fue criticada, y que alabanzas y críticas coexistieron siempre. Rechaza la idea de un descrédito de la cruzada en el siglo XIII, en todas sus formas.[65] ¿Cómo medir la amplitud del desamor o de la adhesión? Ya he dicho que es difícil evaluar los estados de ánimo de la opinión en ese período. Al faltar estadísticas, hay que intentar analizarla a partir de las fuentes existentes. Pero los datos de los que dispone el historiador son casi siempre indirectos.

Los relatos narrativos proporcionan su lote de críticas. La mayoría de veces, las crónicas e historias reflejaban el punto de vista clerical de sus autores: Matthieu Paris y Roger de Wendower, ambos monjes benedictinos de la abadía de Saint-Alban, en Inglaterra, arreglaban sus cuentas con el papa, los hermanos de las órdenes militares o los hermanos mendicantes cuando criticaban algunos aspectos de la cruzada. La literatura épica y novelesca, así como la poesía de los trovadores, estaban vinculadas con el mundo caballeresco. Los trovadores que servían a un señor tenían a veces una experiencia práctica de la cruzada que nutría sus críticas. De todas formas, no hay que hacerles mucho caso cuando lloriquean por la lejanía de la casa, la longitud del viaje o los peligros del mar. No hacía falta la cruzada para tener añoranza; ¿y acaso los versos «a la amada lejana» no eran los más hermosos? Por otra parte, no sólo había entre los poetas miradas críticas: en su *Dispute du croisé et du décroisé*, Rutebeuf denunciaba el cinismo del no-cruzado, que se negaba a tomar la cruz diciendo: «Quedándose aquí, uno puede ganar el cielo sin mayores sufrimientos. Si quieres ir allá, a ultramar, es que has hecho homenaje a la locura.»[66]

El grueso de las cartas remitidas por los que participaron en las cruzadas revela, sin duda, de manera más objetiva su mentalidad y sus motivaciones.[67] Habría que establecer un *corpus* de las opiniones divergentes en los diferentes tipos de fuente para superar el estadio de las impresiones, y clasificar las cartas y el gran número de manuscritos de las obras narrativas y literarias para medir su impacto. Dante, notable personalidad de Florencia, y Rutebeuf, poeta de los ambientes nobles de Picardía, tuvieron un amplio público. Pero ¿qué decir del público conmovido por Ralph Niger, cuya obra sólo se conoce gracias a dos manuscritos?[68]

También hay que tener en cuenta los lugares y la proximidad o no al campo de la cruzada considerada. Que la *cruzada* organizada en 1383 por el obispo de Norwich, para expulsar al papa cismático Clemente VII (y que fracasó lamentablemente en Flandes cuando llegó el ejército de Carlos VI), fuera popular en Norwich y en una parte del reino de Inglaterra es posible; debía recordar a las operaciones, fructíferas durante mucho tiempo, que los ingleses habían llevado a cabo en el continente en la primera fase de la guerra de los Cien Años y que no tenían ninguna relación con la cruzada. Pero ¿a quién, fuera de Inglaterra, podía interesarle esa caricatura de cruzada?[69]

Hay que distinguir el fondo y la forma, la crítica de la idea y la crítica de la práctica (o de las prácticas) de la cruzada.

El cristianismo nació pacifista, a diferencia del judaísmo y del islam, que no rechazan la guerra. Al convertirse en la religión oficial del Imperio romano, a finales del siglo IV, tuvo que adaptarse a las realidades del mundo y, por tanto, a la guerra y a la violencia (la guerra justa). Adaptarse, pero a regañadientes. Sin embargo, no se encuentra una crítica radical a la cruzada, asociada a un pacifismo no menos radical, más que entre los herejes albigenses y valdenses (finales del siglo XII y siglo XIII)

También algunas críticas virulentas fueron emitidas por renombrados clérigos, como Pedro el Venerable, el abad de Cluny, contemporáneo de san Bernardo, Geroh de Reichersberg, que acompañó a Conrado III en la segunda cruzada, o Ralph Niger, un inglés que escribía en la época del desastre de Hattín. Las razones de las críticas eran diversas: el fracaso de Conrado III pudo influir en el juicio de Geroh; Pedro el Venerable ya estaba preocupado por el problema de la conversión de los infieles, que no era el objetivo de la cruzada. Desaprobaba la conversión obligatoria, ya que la cruzada se acompañó a diestra y siniestra de conversiones forzadas, como en el caso de los judíos del valle del Rin durante la primera cruzada. San Bernardo, el predicador de la segunda cruzada, no estaba exento del reproche por haber instado a la conversión forzosa de los paganos. Pero las críticas de estos clérigos no cuestionaban la recuperación de Jerusalén y la ayuda a los cristianos de Oriente. Sólo, en esa época, Ralph Niger era radical: *Deus non vult* (Dios no quiere) [cruzada], escribía; pero era después de Hattín y de la pérdida de Jerusalén.[70]

Por el contrario, las prácticas de la cruzada estuvieron en el origen de críticas a veces acerbas. Nuestros clérigos historiadores tenían una concepción providencialista de la historia: Dios inflingía la derrota a los cruzados para castigarlos por sus pecados; y enumeraban los pecados capitales: orgullo, avaricia, lujuria... Tanto Saladino en Hattín, en 1187, como Bayaceto en Nicópolis, en 1396, habrían sido los instrumentos de la venganza divina. Algunos trovadores consideraban que si Dios hubiera querido preservar Jerusalén para la cristiandad, bien pudiera haberlo hecho: ¡para qué, entonces, ir en contra de su voluntad haciendo una cruzada! Hubo cruzados que se rebelaron y blasfemaron, como el trovador Austorc d'Aurillac, que se preguntaba si no habría que hacerse musulmán, ya que Dios prefería los infieles antes que a su pueblo.[71]

Otros cuestionaban la organización de la cruzada y, en especial, su financiamiento. Tras la denuncia del rescate de los votos se adivinaba una crítica más amplia hacia la política financiera del papado. Matthieu Paris no se privaba de lanzar duras invectivas para denunciar la rapacidad del papa y la de sus recaudadores, que solían ser templarios, hospitalarios o hermanos de las órdenes mendicantes, todos ellos exentos de pago y vinculados a la cruzada. Consideraba a la Iglesia responsable de la ineficacia de las medidas de salvaguarda y protección del cruzado durante su ausencia.

Los laicos también se sentían afectados. El cruzado se endeudaba y se empobrecía; el no-cruzado acusaba a los prestamistas y cambistas: «¿Piensas que voy a tomar la cruz e irme a ultramar y pedir cuarenta sueldos por una tierra que me reporta cien?».[72] El fiel Joinville se negó a volver a ir en cruzada con san Luis en 1270, ya que, decía, durante la cruzada anterior «los esbirros del rey de Francia y del rey de Navarra [que también era conde de Champaña y señor feudal de Joinville] habían reducido a la nada a mis hombres y los habían empobrecido».[73]

La crítica más importante se refería a la mala utilización de los medios recolectados para la cruzada. De hecho, era prácticamente un rechazo al desvío de la cruzada hacia otros objetivos que no fueran Jerusalén, sentido por un gran número de fieles y hasta de cruzados: los que Thibaud de Champaña se disponía a llevar a Jerusalén en 1239 se negaron a ir en ayuda del emperador latino de Constantinopla Balduino II.[74] Guillaume le Clerc, en su *Besant de Dieu*, denunció la cruzada contra los albigenses.[75] La utilización de las instituciones de cruzada por Urbano IV y Clemente IV contra Manfredo en 1264-1265 fue violentamente rebatida por un templario de Tierra Santa, poeta a ratos perdidos; Ricaut Bonomel señalaba que, inmerso en su guerra contra Manfredo, al papa le importaba un ardite Tierra Santa:

> Et quiconque veut échanger l'expédition outre-mer
> Contre les guerres des Lombards,
> Notre légat lui en donnera le pouvoir
> Car les clercs vendent Dieu et les indulgences
> Pour de l'argent comptant.*[76]

También Dante acusaba a Bonifacio VIII por utilizar las armas de la cruzada contra sus enemigos de la familia de los Colonna, una

---

* (Y a quienquiera que cambie la expedición a ultramar/ por las guerras contra los lombardos/ nuestro legado se lo permitirá/ porque los curas venden a Dios y las indulgencias/ por dinero contante y sonante).

falsa cruzada, decía, ya que no estaba dirigida ni contra los sarracenos ni contra los judíos.[77] Oponía a la *crux cismarina*, a la que condenaba, la verdadera cruzada, que tenía como objetivo la Tierra Santa ocupada por los sarracenos debido a «la falta de pastores».[78]

Estos testimonios han sido subestimados por historiadores con el pretexto de que emanaban de ambientes hostiles al papado (los gibelinos de Italia) o afectados por la desviación de las cruzadas (los mismos o los herejes); ¡por las mismas razones se podrían rechazar las aprobaciones de los fieles al papa![79] El testimonio de Rutebeuf, que defendió todas las cruzadas, es tan válido como el de Dante. En sus poemas sobre la cruzada encontramos, al lado de canciones dedicadas a Tierra Santa, un «planto por Constantinopla (en el que critica a las órdenes mendicantes que se enriquecían y estafaban a los caballeros) y dos canciones dedicadas a la campaña contra Manfredo, la «Canción de Apulia» y el «Dicho de Apulia».[80]

Hay que tenerlo en cuenta.

CONCLUSIÓN

La práctica de la cruzada provocó entre Occidente y el Oriente latino incesantes movimientos de población. Cruzados, peregrinos, comerciantes, colonos, mercenarios, templarios, hospitalarios o teutónicos tomaron el camino de Oriente —Tierra Santa, Chipre, Grecia— para establecerse temporal o duraderamente. No obstante, ¿se puede decir que la cruzada fue una empresa colonial en el sentido moderno de la palabra?

Hay que tener en cuenta dos cosas. Los que partieron tras el llamamiento de Urbano II lo hacían por diversas motivaciones: la fe y la búsqueda de la salvación, por supuesto, pero también por el afán de lucro o la búsqueda de una mejor situación material y de una autonomía que no encontraban en las rígidas estructuras de parentesco del Occidente feudal (como era el caso de los hijos menores de las familias nobles o caballerescas). Esos cruzados fueron colonos por accidente. Pero el espacio conquistado, muy poco poblado, exigía una inmigración; era un frente para los pioneros. En el Oriente latino, la cruzada fue la causa de la creación de una sociedad de frontera. Pero la península Ibérica o Prusia ofrecieron casos mucho más claros de frontera y la situación no fue debida a la cruzada, sino que resultó, respectivamente, de la Reconquista y del empuje hacia el este.

De René Grousset a Ronnie Ellenblum, pasando por Joshua Prawer, la historiografía de las cruzadas ha presentado sobre esos problemas puntos de vista sucesivos muy diferentes. Para René Grousset, las cruzadas fueron las primeras grandes empresas coloniales europeas (¡o francesas!). Joshua Prawer pensaba que los Estados cruzados habían sido colonias de una metrópoli que era la cristiandad latina. Otros autores —Jean Richard, Benjamin Z. Kedar o Ronnie Ellenblum— han sostenido, por el contrario, que no hubo explotación de tipo colonial en dichos territorios, y han rechazado la idea de una metrópoli a escala de todo Occidente. Sólo las relaciones de las repúblicas italianas con sus asentamientos de Oriente (y ni siquiera todos) podrían ser consideradas relaciones coloniales. En esos debates, muy a menudo, lo que se ha tenido en cuenta han sido las relaciones con el otro, pero ese problema no se plantea en términos de colonizador y colonizado, en el sentido moderno de estos términos. Las diversas prácticas generadas por la cruzada lo hacen más complejo y más enriquecedor.

Sexta parte

Los cruzados y los demás

Capítulo 1

La cruzada, ¡qué cosa más horrible!

Según Jacques Le Goff, las cruzadas no habrían aportado a la civilización occidental más que el albaricoque.[1] Es una manera divertida de referirse a un momento totalmente negativo de la historia occidental, que trajo consigo el odio y el fanatismo. Para Voltaire, y también para Michelet, el fruto de la cruzada era menos dulce, ya que la hacían responsable de la introducción de la lepra en Occidente.[2] Incluso hoy, a la cruzada se la suele presentar como la manifestación de un imperialismo occidental legitimado por la Iglesia romana, que se habría ejercido a expensas del islam y de las cristiandades orientales, griegas u otras, y que habría roto para mucho tiempo la unidad de la cristiandad.[3] Hay dos momentos decisivos en la violencia de los *bárbaros*: las matanzas de Jerusalén en 1099 y el saqueo de Constantinopla en 1204, ambos generadores de fracturas irremediables aún vivas hoy en día. Añadamos a esos crímenes los pogromos que acompañaron los inicios de la primera cruzada en Occidente.

¿La cruzada consistió solamente en ese enfrentamiento? Los Estados latinos de Oriente y de Grecia, frutos de la violencia de los latinos, no pudieron ser, por eso mismo, lugares de intercambio y de comprensión del otro. Los contactos fructuosos entre Oriente y Occidente se dieron en otros lugares, como Sicilia y España. Allí es donde los latinos tradujeron el Corán. Además, gracias a la mediación de los árabes y los judíos de esos países, el inculto Occidente accedió a la cultura griega antigua. Las obras de Ibn Sina (Avicena) e Ibn Rushd (Averroes) dieron a conocer al auténtico Aristóteles.

Esos hechos son exactos. Sin embargo, la península Ibérica fue la tierra de la Reconquista y Sicilia la de la conquista normanda: no se hicieron sin violencia; y, sobre todo, el enfrentamiento no es más que una parte de la cruzada y de las cruzadas. Si queremos evitar anacronismos y colocar las cosas en el contexto de los siglos XII y XIII, y no en el del recién comenzado siglo XXI (y de la no violencia generalizada, ¡sobre lo que no ironizaremos, de tan fácil como es!), la realidad es mucho más compleja, rica y matizada.

En principio, hay que aceptar que la cruzada fue un hecho religioso nacido de los problemas de una sociedad occidental que estaba en los albores de un importante auge, y no una guerra imperialista pensada para conquistar el mundo; la tradición de Jerusalén era la de la peregrinación. Urbano II llamó a liberar Jerusalén, no a eliminar el islam. Su predecesor, Gregorio VII, se carteaba cortésmente con el emir de Bugía.[4] Más de un siglo después, en 1213, paralelamente a la bula *Quia major*, que lanzaba la quinta cruzada, Inocencio III escribía al sultán de El Cairo al-Ádil para que restituyese «esa tierra [Tierra Santa] para que su ocupación no sea ocasión de nuevo derramamiento de sangre humana [...]; cuando la hayas devuelto y hayamos liberado a los cautivos por ambas partes, olvidaremos todos los agravios que los combates hayan podido crear, de manera que la condición de aquellos de nuestros conciudadanos que vivan en tu país no sea peor que la de tus conciudadanos en el nuestro».[5]

También hay que constatar que, al instalarse» la cruzada, se anudaron relaciones entre los cruzados y los demás; no sólo hubo intercambios violentos (que además eran intercambios aceptados), sino intercambios pacíficos. Los Estados latinos no fueron el desierto cultural que continúa presentándonos una tradición historiográfica ya desfasada.[6]

Capítulo 2

Reacciones a la cruzada

La primera pregunta que hay que plantear es la de la reacción de los *otros* a la cruzada. ¿Percibieron su especificidad o no?

BIZANCIO Y LA CRUZADA

El emperador Alexis I había pedido ayuda a Occidente contra los selyúcidas. Seguramente esperaba que llegasen contingentes de soldados, pero vio cómo lo que aparecía era una cruzada: soldados, claro está, pero dirigidos por curas omnipresentes que manejaban tan bien la espada como el incensario; y una abigarrada multitud que sembraba el desconcierto y ocasionaba incidentes, robos y riñas. Su hija, Ana Comnena, supo expresar en su *Alexiada*, la sorpresa y el desprecio de los griegos ante esos bárbaros. La reacción bizantina se dio en dos ámbitos.

Militar y políticamente, el emperador quería utilizar esa fuerza, poco manejable pero numerosa, para recuperar los territorios de Asia Menor invadidos por los turcos y hacer que se reconociera la soberanía bizantina sobre Asia Menor y Siria del norte, con Antioquía. Los jefes cruzados tuvieron que aceptarlo y prestarle juramento, pero no devolvieron Antioquía. Bizancio no cejó: en sucesivas ocasiones, los emperadores Juan II y Manuel restablecieron, aunque por poco tiempo, su soberanía. Bizancio no reivindicaba Jerusalén: la ciudad santa no representaba gran cosa para los griegos. No hay duda de que les conmoviera la caída de la ciudad en 1187, pero no hasta el punto de movilizarse junto a los francos para reconquistarla, lo que tuvo que ver con los acontecimientos de 1204.[7]

En el plano religioso, los griegos rechazaban la idea de cruzada y de guerra santa. Es verdad que Bizancio se servía de la guerra, pero prefería la diplomacia; la guerra, incluso la defensiva, seguía siendo un mal. Además, la guerra era asunto del César, no de Dios. No podía ser decidida y dirigida más que por el emperador. Y ver a los clérigos manejando la espada y derramando sangre resultaba impensable; era como si el mismo Dios mandara los ejércitos. Los griegos también rechazaban la yihad de los musulmanes. Al practicar la guerra santa o la cruzada, los latinos imitaban lo peor de sus adversarios.

Pero esos príncipes estuvieron permanentemente agitados cuando, a finales del siglo X y principios del XI, incesantes guerras entre griegos y musulmanes animaron la *frontera* de Asia Menor. Fue el tiempo de los emperadores nativos de Asia Menor, procedentes de la nobleza militar, como Nicéforo Focas o Basilio II; que libraron contra los musulmanes una guerra no religiosa, pero sí ofensiva (¡Dios la permitía, ya que había debilitado el islam!). Considerando el aspecto movilizador de la yihad, hubieran deseado que sus soldados obtuvieran recompensas espirituales en sus combates, pero los patriarcas de Constantinopla se negaron.[8] La tradición de la guerra santa no arraigó en Bizancio.

Así pues, la alianza con los latinos no era posible más que en el terreno de la guerra tradicional; así ocurrió, por ejemplo, cuando el emperador Manuel Comneno se alió con el reino de Jerusalén, durante el reinado de Amaury, y después preparó una expedición militar contra Egipto con el rey Balduino IV,[9] que no llegó a tener lugar, con lo que se acentuaron los malentendidos y las recriminaciones recíprocas.

Cruzada y yihad

Se suele citar al historiador Ibn al-Azir: «La primera aparición de poder de los francos y su primera agresión contra el territorio del islam se produjo en el año 478 (1085-1086), cuando se apoderaron de la ciudad de Toledo [...]. Después, en 484 (1091), atacaron y conquistaron la isla de Sicilia [...] y dirigieron su mirada a las costas de África [...]. En 490 [1097], marcharon contra Siria».[10]

Gran perspicacia la de este autor, se pensará, que engloba en una sola visión toda la expansión «franca» en el Mediterráneo a finales del siglo XI. Es verdad que vivió de 1160 a 1223 y que, como todo historiador, ¡escribe después de lo que pasó antes! Pero encontramos un análisis parecido en el tratado de As Sulami, sobre el que volveré a hablar, escrito en 1105.[11]

Los musulmanes de Siria, al ver llegar a los franceses, pensaron primero que tenían que vérselas con las habituales incursiones de los griegos en la frontera. Las primeras menciones en los textos árabes hablan de rumis (ar rumi), es decir, de los griegos.[12] As Sulami fue el primero en hablar de francos (ifranch), nombre que se empleó después constantemente para designar a todos los latinos, y también fue el primer autor musulmán en comprender la especificidad de la cruzada. Al igual que en Occidente, no había palabra árabe para designarla, y no la hubo hasta el siglo XIX (al hurub as salibiyya). Ni siquiera hubo estudios árabes sobre la cruzada antes de ese siglo.[13] As Sulami percibió el carácter religioso de la invasión de los francos y señaló que Jerusalén era su objetivo más preciado. A falta de una palabra propia, utilizó otra (como hacían los occidentales en la misma época), la palabra yihad: «Llevan con celo la yihad contra los musulmanes». Más tarde, uno de los autores de Historia de los patriarcas de Alejandría citaba, en 1190, al conde Henri de Champaña, que había llegado «con los que habían emprendido la guerra santa.»[14]

As Sulami fue un precursor aislado; no tuvo apenas eco en su época, ni en su análisis de la situación ni cuando instó a los musulmanes a estar alerta. Su tratado era un llamamiento a la yihad contra los francos. Lo dictó y publicó en Damasco, en 1105 (murió al año siguiente). Era un tratado jurídico sobre a la yihad, cuya argumentación se apoyaba en la situación creada con la llegada de los francos.

Constataba en principio que, frente al celo de los francos, los musulmanes estaban divididos, debilitados, ablandados y acobardados. El primer objetivo que se imponía para ellos y para quienes los dirigían era el restablecimiento de la unidad de la comunidad; e inmediatamente debían recobrar la tradición de la yihad, abandonada desde hacía lustros. As Sulami distinguía entre la guerra ofensiva contra el infiel, que debía ser dirigida por los jefes y sus ejércitos todos los años, y la guerra defensiva, que, si no podía vencerse con los medios clásicos, debía ser llevada a cabo por todos los fieles: la yihad se convertía entonces en una obligación personal.[15] Para As Sulami, en esos momentos, el deber de la yihad consistía esencialmente en socorrer a las ciudades costeras de Siria y Palestina que todavía no estuvieran ocupadas por los francos. Según él, mediante la yihad, el fiel contribuía a exaltar la palabra de Dios y a que su religión triunfase sobre los infieles politeístas; ganaba las recompensas celestes prometidas por Dios y su Enviado, y se apoderaba de los bienes, mujeres y tierras de los infieles.

Había en esos objetivos significativas convergencias con el llamamiento de Clermont; añadamos otra: As Sulami fustigaba a quienes seguían viviendo, indiferentes, a pesar de la catástrofe, es decir, «la conquista infiel del país, la expatriación forzosa de unos y la humillación de otros, con todo lo que eso conlleva: matanzas, cautividad y suplicios que continúan día y noche». Eso recuerda la fórmula de los preámbulos de las cartas pontificias refiriéndose a las desdichas de los cristianos bajo el yugo turco. Por último, la advertencia hecha a los fieles —sin la yihad de las almas (la gran yihad), la yihad contra el enemigo (la pequeña yihad) no es nada— es bastante parecida a la advertencia de los teólogos cristianos: sin la contrición del corazón y la conversión del alma, no hay salvación posible.

De todas formas, esas convergencias (incluso reforzadas por la expresión *guerra santa*, utilizada por los clérigos cristianos, para traducir *yihad*) no deben llevar a una asimilación de éste con la cruzada, ni siquiera a una correlación. En cierta forma, coinciden fortuitamente. La yihad es un componente original del islam y tiene un sentido amplio, espiritual, que sobrepasa el problema de la guerra santa aunque, en la práctica, se suela identificar con ella; la guerra santa cristiana, componente de la cruzada, fue elaborada poco a poco, en función de circunstancias que no estaban limitadas a la guerra contra el islam ni habían comenzado con ella.

As Sulami no lo entendió en vida. En el Oriente Próximo musulmán dividido y debilitado, en el que los grandes retos se dirimían en Bagdad, sede del califato sunní, y no en Siria o en Palestina, la convivencia militar entre francos y musulmanes no estuvo ausente: en

1108, Jocelyn, señor de Turbessel, apenas liberado de las mazmorras turcas, se alió con su captor Yawali, atabeg de Mosul, contra Tancredo, regente de Antioquía, quien, a su vez, recibió la ayuda de Ridwán, emir de Alepo.[16] Una década antes, en España el Cid había establecido alianzas parecidas con el infiel.

Zengi, y sobre todo su hijo Nur al-Din, hicieron que renaciera la yihad, que utilizaron primero contra los cismáticos y después contra los infieles. Los cismáticos eran ante todo los chiíes, pero no sólo ellos. Nur al-Din, cuando hubo tomado Alepo, «consagró todos sus esfuerzos a luchar contra los rebeldes, y ordenó que se hiciera la yihad, se sometiera a la gente infiel y cismática y que se buscase la reconciliación de sus súbditos [...]; restableció la sunna en Alepo [...], abolió la fórmula herética que existía en la llamada a la oración de los alepenses».[17] La unidad religiosa de la comunidad musulmana era requisito previo a la expulsión de los francos. ¡Y ay de quien no obedeciera! El emir de Hisn Kaifa, invitado por Nur al-Din a que enviara sus tropas, escribía: «Si no voy en socorro de Nur al-Din, me quitará el poder, ya que ha escrito a los piadosos creyentes y a los que han renunciado a este mundo para que lo ayuden en sus oraciones; les ha pedido que llamen a los musulmanes a la guerra santa contra los infieles... Tengo miedo de que se unan para lanzarme un anatema».[18]

Saladino se sirvió de la yihad contra los fatimíes de Egipto, después contra los herederos de Nur al-Din en Siria del norte y, por último, contra los francos.

LOS JUDÍOS Y LA CRUZADA

Las comunidades judías de Occidente fueron las primeras víctimas de la cruzada. Al partir a liberar la tumba de Cristo de manos de los infieles, los cruzados no podían más que asimilar los judíos *deicidas* a los infieles. El antijudaísmo cristiano era muy anterior a la cruzada.[19] Los judíos de Occidente estaban protegidos, pero también explotados, por los príncipes laicos y por la Iglesia. La protección, imperfecta pero real, se pagaba: impuestos, expoliaciones, *regalos*. Por otra parte, el crédito judío era indispensable, pero contribuía a debilitarlos. Los relatos en los que se habla de la primera cruzada, tanto cristianos como judíos muestran que el antijudaismo se manifestó desde el principio, en Francia; pero las primeras matanzas perpetradas en Colonia fueron obra de los habitantes de la ciudad, los cruzados que allí estaban sólo intervinieron después. En Maguncia, fueron los cruzados del grupo dirigido por Emich de Leuningen, un caballero de la región, quienes atacaron el palacio del arzobispo, donde se habían refugiado los judíos de la ciudad. Los cronistas occidentales que hablan de aquellos hechos los condenan, aunque dan pruebas de un antijudaísmo muy marcado.

Las investigaciones realizadas en las crónicas judías de la época han llevado a revaluar tanto la amplitud de las matanzas como la de la reacción de los judíos: el martirio por el sacrificio no fue tan frecuente como se ha dicho; lo que sí hubo fueron muchas conversiones forzosas.[20]

La crónica judía anónima de Maguncia, prácticamente contemporánea de los acontecimientos, resalta dos hechos importantes: los cruzados venían de Francia y su objetivo era Jerusalén y la tumba de Cristo.[21] El cronista captó la novedad de la cruzada y el peligro que representaba para los judíos. Cuando, cincuenta años más tarde, se predicó la segunda cruzada, la inquietud fue enorme en las comunidades judías. Los relatos mencionan las tropelías de Raoul en Alemania y las asocian con lo que había ocurrido en la primera cruzada; san Bernardo fue elogiado por su intervención: «Dios oyó nuestra súplica […] y envió a un buen sacerdote honrado y respetado por todo el clero de Francia […] para acabar con ese personaje maldito».[22]

Todo movimiento de cruzada se acompañó en Occidente de manifestaciones de antijudaísmo, a veces violentas: en Inglaterra, durante la tercera cruzada; en Francia del oeste durante la cruzada de los barones de 1239: en Bretaña hubo violentos ataques, matanzas (dos mil quinientas víctimas) y exilio; por el contrario, la cruzada de los zagales estuvo más marcada por el anticlericalismo que por el antisemitismo.[23] Si bien la cruzada no creó el antisemitismo cristiano en Occidente, contribuyó a ponerlo de manifiesto y a exacerbarlo.

En Jerusalén y en Oriente, la actitud de los cruzados de la primera cruzada fue la misma que la que adoptaron frente a los musulmanes: violenta al principio y más tolerante después. También en ese caso la historiografía reciente tiende a corregir las antiguas simplifica-

ciones. Es verdad que hubo matanzas, pero sabemos por cartas conservadas en los fondos de la Geniźá de El Cairo que muchos judíos
pudieron huir de Jerusalén, y algunos fueron protegidos por los vencedores y pudieron pagar rescate. Las cartas encontradas en la Geniźá proceden de judíos refugiados en Ascalón, y que, desde allí, escribían a sus amigos de El Cairo para obtener ayuda.[24]

Así mismo, la prohibición impuesta a los judíos de residir en Jerusalén tuvo algunas excepciones: Benjamín de Tudela, peregrino judío
de Navarra, que viajó a Oriente entre 1165 y 1173, encontró una pequeña comunidad de doscientos judíos instalados al lado de la torre
de David, el palacio del rey; hizo un censo minucioso de todas las comunidades judías que subsistían en el reino latino, y reseñó el número de sus habitantes.[25] Así es que entonces no había persecuciones.

Cuando Jerusalén fue reconquistada por Saladino, muchos judíos
llegados del Languedoc y de las regiones meridionales de Francia se
instalaron allí. Pero el declive de la ciudad después de 1250 (no contaba más que con dos mil habitantes) hizo que desapareciera esa comunidad.[26]

Capítulo 3

¿Qué hacer con los infieles?
Cruzada y misión

¿Matar a los infieles?

Los cruzados fueron a liberar Jerusalén de la *contaminación* de los infieles y para socorrer a los cristianos de Oriente. Es probable que la mayoría de ellos, en la primera cruzada, ignorasen todo sobre los musulmanes y los cristianos orientales. Sin embargo, para algunos, la experiencia de peregrinaciones anteriores podría jugar a favor de un enfoque más matizado del ambiente medio-oriental. Desde ese punto de vista, la cruzada permitió a una fracción más amplia de la población entrar en contacto, a menudo prolongado, con los musulmanes.[27] La cruzada en Oriente y la Reconquista en España (y en Sicilia) crearon una situación inédita para los cristianos de Occidente: importantes grupos de musulmanes pasaron a estar bajo el gobierno de príncipes cristianos.

La situación inversa (cristianos que vivían bajo la dominación musulmana) existía ya desde la conquista árabe tanto en la península Ibérica como en Oriente. Los cristianos que vivían en territorios islámicos tenían el estatuto de *dimmí* (protegido): la autoridad musulmana les garantizaba el derecho a practicar su religión, conservaban sus costumbres y sus leyes y estaban sometidos a una fiscalidad especial.

En la inédita situación creada por la cruzada, se planteó la cuestión: ¿qué hacer con los infieles? Más concreta y directamente: ¿se los puede matar? Cuando se está en guerra con ellos, algunos, como san Bernardo, respondían afirmativamente, pero otros lo rechazaban. En la práctica, los cruzados empezaron por matarlos, en Jerusalén o en otras ciudades tomadas al asalto, por ejemplo. No obstante, pronto prevaleció una actitud más *matizada* y se aplicaron las reglas de las guerras de la época, que valían para todo el mundo y no sólo para los infieles: sólo las ciudades tomadas por asalto eran castigadas. El respeto a la palabra dada era otra de las reglas. En 1110, Tancredo, por entonces regente de Antioquía, aceptó la rendición de Atárib y prometió respetar la vida de sus habitantes; un incidente lo enfureció y se dispuso a matar a sus adversarios, pero se retractó, ya que, si lo hubiera hecho, no habría respetado su palabra.[28] Recordemos que, en Jerusalén, Tancredo también había dado su palabra y había sido traicionado por los otros jefes cruzados. Un siglo más tarde, en España, durante la campaña de Las Navas de Tolosa, los *cruzados* llegados de Francia para ayudar a los españoles se apoderaron, el 24 de junio de 1212, del castillo de Malagón y decapitaron a toda la guarnición. El rey de Castilla se indignó porque eso no estaba en los usos locales. Los franceses se indignaron porque se hubiera indignado y dejaron el ejército.[29] Algo más tarde, Alfonso X el Sabio escribió en las *Siete Partidas* que combatir a los infieles para extender la fe no implicaba que hubiera que exterminarlos.[30]

Pero una vez realizada la conquista, y con los infieles *subyugados*, la respuesta era clara: no se podía matar a los infieles. La cruzada y la Reconquista crearon esa situación. A las poblaciones musulmanas o judías, ya bajo el yugo cristiano, se les aplicó un estatuto algo diferente al que aplicaban los musulmanes: libertad de culto y respeto a las costumbres y a las normas de vida. En resumen, una condición de *dimmí* a la inversa. En los territorios que habían constituido al-Ándalus, donde la mano de obra musulmana era indispensable, dada la baja densidad de población, se acordaron cartas especiales. También en Oriente los francos respetaron los usos y la religión de las poblaciones musulmanas sometidas. Ocurrió lo mismo con los judíos.

Los francos encontraron, e hicieron suya, una situación a la que se puede calificar de *comunitarista*, marcada por la sumisión, la protección y la segregación, ésta físicamente señalada mediante el uso de insignias o vestidos especiales y por la prohibición de los matrimonios mixtos, lo que era válido tanto para los cristianos como para los musulmanes o judíos. Sería anacrónico y vano utilizar términos como tolerancia o intolerancia. La tolerancia en el sentido que se daba a la palabra en el Siglo de las Luces no existía en ningún sitio entonces, salvo, quizás, en el Imperio mongol de mediados del siglo XIII. Se toleraba, en el sentido primigenio de la palabra, porque no se podía hacer otra cosa (aunque siempre se tenía la posibilidad de prohibir). El principio que sostenía esa actitud era común a las tres religiones: «Nadie puede ser obligado por la fuerza a cambiar de religión». Es verdad que la realidad era diferente a veces, pero el principio permanecía.[31]

El principio no se aplicaba a los paganos, para quienes, en las tres religiones, la opción era simple: ¡la conversión o la muerte!

LA IMAGEN DEL OTRO

Es importante conocer la definición que cada uno daba del otro antes de medir la relación que tenía con él.

En el Báltico, las poblaciones wendas, prusianas o lituanas eran paganas. El principio de conversión forzosa podía aplicarse y se aplicó (los lituanos lo denunciaron ante el concilio de Constanza en 1415). Sin embargo, muchos clérigos rechazaron esa actitud y el derecho canónico dejó de lado el principio. El papado fue crítico muy a menudo con los métodos de la orden teutónica, encargada de la obra misionera.

En Tierra Santa, al igual que en España o en Sicilia, la situación era diferente. El judaísmo y el islam son religiones monoteístas. Los clérigos lo sabían, y el primero de ellos mejor que nadie; judíos y musulmanes eran infieles, no paganos. Gregorio VII escribía en 1076 a Násir, emir de Bugía, para agradecerle su actitud hacia los cristianos de su reino, y añadía: «ya que creemos y somos confesos, aunque sea por caminos diferentes, del Dios único y cada día lo alabamos y honramos como el creador de las edades y el gobernador del mundo»; y terminaba encomendado a Násir a Dios «Con el corazón y con la boca», para que «lo reciba en el seno del más santo de los patriarcas, Abraham».[32]

Texto extrañamente moderado por parte de un papa que fue muchas veces intransigente, en el que las referencias bíblicas están escogidas con sumo cuidado para no ofender al interlocutor musulmán.

Los clérigos sabían lo que era el islam, y cuando se hacía traducir el Corán en el siglo XII era para conocer mejor la otra religión y poder actuar con más eficacia mediante la palabra para conducir a la fe cristiana a los que estaban equivocados. ¡Porque estaban equivocados!

No obstante, las aproximaciones, las simplificaciones y los errores abundaban en otros textos que procedían también de clérigos y que intentaban *categorizar* los adversarios de la fe. La palabra *sarraceno* era la más extendida para designar a los musulmanes. Sarracenos, judíos y cristianos era la tríada de Guillaume de Malmesbury en 1136, que dejaba de lado a los paganos. Otros no eran tan exactos y, preocupados por enumerar los enemigos de la fe, hablaban de judíos, paganos y herejes en oposición a los cristianos ortodoxos. Para integrar en ese marco a los sarracenos había que hacer de ellos paganos, idólatras. Es lo que hicieron los cronistas de la cruzada (con la notable excepción de Guibert de Nogent) y los autores de canciones de gesta.[33] En pleno siglo XIII, el canonista Hostiensis seguía identificando el islam con la idolatría. No obstante, mientras tanto se desarrolló otra corriente, representada especialmente por el abad de Cluny Pedro el Venerable, que consideraba a Mahoma un heresiarca y a los musulmanes, herejes. Aunque no fuese más exacto, era más amable: un hereje se equivoca, pero sigue siendo un cristiano y, por tanto, susceptible de ser devuelto a la verdadera fe.[34]

Quedan claras las perversidades de una mala definición: si eran paganos, se los podía exterminar o convertirlos a la fuerza. ¡Eso es lo que debían pensar los cruzados de Las Navas de Tolosa!

Al pasar el tiempo y, gracias a la cruzada —¡sí!— se aprendió a conocer mejor no sólo la religión musulmana, sino también las poblaciones de Oriente Próximo, tanto en su diversidad religiosa y étnica como en su modo de vida.

Algunos visitantes de Tierra Santa, fuesen o no peregrinos, dejaron relatos de sus viajes; describieron los países visitados y los pueblos con los que se encontraban en los países latinos y en tierra del islam (Damasco, Bagdad o El Cairo eran accesibles). Peregrinos musulmanes o judíos hicieron lo mismo. Más ambicioso, un tal Jacques de Vitry, obispo de Acre de 1216 a 1223, introdujo en su *Historia orientalis* una especie de guía geográfica y antropológica de la región; el texto fue traducido al francés en el siglo XIII y conoció un notable éxito. Thietmar, un franciscano, visitó la región en 1217; el relato que escribió abunda en consideraciones sobre la población de Siria, sus costumbres y su religión. Estuvo en Damasco y justificaba su viaje por la curiosidad: «Tenía un ardiente deseo por ver en persona todo aquello de lo que había oído hablar en la oscuridad y el misterio de las Escrituras».[35] Nos lleva de la geografía bíblica a la geografía real. Sus descripciones son precisas, exactas y no exentas de simpatía, aunque eso no le impide algunas pullas respecto a algunas prácticas musulmanas: en la mezquita, «el que ha pecado, se lava y se reconcilia con Dios. Se lava el miembro con el que ha pecado, ¡y ésa es su confesión!».[36]

La tradición de los relatos de viajes perduró durante toda la Edad Media. Algunos eran informes de misiones de información, investigaciones ordenadas por el papado o por los príncipes laicos, como los viajes a Mongolia de André de Longjumeau, de Simon de Saint-Quentin o de Guillaume de Rubrouck, ordenados por el papa o por san Luis; o los viajes de espionaje encargados por el duque de Borgoña, Felipe el Bueno, en el siglo XV: «He hecho poner por escrito el viaje que he realizado para que si algún príncipe cristiano quisiera emprender la conquista de Jerusalén con un gran ejército [...] tenga conocimiento de las ciudades, pueblos y regiones», escribía Bertrandon de la Brouquière en 1431.[37]

El conocimiento del otro progresó indudablemente durante los siglos XII y XIII, pero persistió un curioso desdoblamiento del lenguaje. Así como el discurso cotidiano, a pesar de los errores o los tópicos, daba testimonio de una curiosidad y un esfuerzo para conocer mejor al otro —por supuesto, en el marco estricto del pensamiento cristiano—, el *discurso de cruzada*, que a menudo utilizaban las mismas personas, siguió fijado en las viejas fórmulas de demonización del *enemigo del nombre cristiano*. Fue ese discurso simplificador el que parece movilizador para la cruzada. Al analizar la iconografía de los manuscritos de Guillaume de Tiro, que se pueden fechar en el siglo XIII, Michel Ballard señala: «A la vez que se ampliaba el conocimiento de los mundos turco y mameluco, el propagandista enfrentaba, endureciendo los rasgos, dos totalidades irremediablemente antitéticas, el islam y la cristiandad, para actualizar la cruzada y abocarla a finales del siglo XIII a una segunda juventud».[38] Asimismo, el estudio de una treintena de novelas occidentales escritas entre el siglo XIII y el XV confirma que se pasa del Oriente utópico del siglo XII, en el que el otro es un doble idealizado del occidental, a un otro que se ha convertido en un enemigo anónimo, pero acompañado de personajes, acontecimientos y hechos históricos concretos, en el siglo XIII.[39]

Se ha dado otra explicación a esta dualidad del discurso. La Iglesia habría endurecido el tono debido al temor de la *contaminación* de un infiel cada vez más cercano, ya que vivía bajo la tutela de los cristianos tanto en España como en Oriente Próximo; al demonizar al otro, se lo obligaba a replegarse sobre sí mismo y se disuadía a los cristianos de comprenderlo.[40] En Oriente, los cristianos estaban a la defensiva y las conversiones al islam se multiplicaban. En España pasaba lo contrario y la triunfante Reconquista generó la segregación de los musulmanes y los judíos, la presión para su conversión y, finalmente, su expulsión. El mismo temor sacudía al islam: hacia 1180, Ibn Yubayr, un viajero musulmán llegado de España, se inquietaba al observar la coexistencia que reinaba por entonces en Acre y Tiro entre cristianos y musulmanes, por los peligros que comportaba para sus correligionarios, ¿no acabarían por ser atraídos por la religión del otro, la de los cristianos?[41]

Así es que la cruzada provocó movimientos contradictorios de apertura y cierre respecto al otro. El primero era un discurso de curiosidad y conocimiento que hacía posible la conversión del otro; el segundo era un discurso que hacía la conversión indispensable o, lo que es lo mismo, eventualmente forzosa. No obstante, el primer discurso fue lo bastante influyente como para hacer que los cristianos se dotasen de los medios para llegar a su objetivo por medio de la palabra, es decir, por la acción misionera.

CRUZADA Y MISIÓN

Entre las críticas que se han hecho a la cruzada, una de las más constantes ha sido la que versa sobre la cuestión de la conversión de infieles y paganos. La cruzada, que, no lo olvidemos, no había sido pensada para eso, ¿podía facilitar la conversión de los infieles? O, al contrario, ¿no era un obstáculo para ella? Y, por extensión, ¿podía llevar a la verdadera fe a los paganos o hacer volver a ella a los cismáticos y los herejes.

La cuestión se planteó en el siglo XII, sin aludir directamente a la cruzada. Guigues, prior de los cartujos, Pedro el Venerable, abad de Cluny, o el cisterciense Isaac de Stella aceptaban la liberación de Israel por la cruzada; pero se inquietaban por la sacralización de la violencia que propiciaba la legitimación de la orden templaria y el desarrollo de otras órdenes religioso-militares (en España, por ejemplo): ¿no se estaba favoreciendo los malos instintos de los fieles y construyendo un obstáculo para la conversión? Gautier Map, un clérigo inglés de finales del siglo XIII y autor de una sátira sobre los *cortesanos*, reprochaba a los templarios su gusto por la espada y su incomprensión de la idea de conversión.[42] Se podría objetar que un templario no era un misionero, pero la cuestión estaba planteada.

Ni en el llamamiento de Clermont, ni en los sermones de Urbano II en Francia, ni en las cartas escritas por los cruzados de la primera cruzada, había mención alguna a la conversión.[43] Como he dicho, el pragmatismo prevaleció y los Estados latinos de Oriente acabaron por ser Estados multiétnicos y multiconfesionales. En la península Ibérica también prevaleció el mismo pragmatismo. En ambos extremos del Mediterráneo, la conversión no se planteaba más que como un proceso pacífico y largo. Pero había una diferencia: la conversión era uno de los objetivos de la Reconquista, como lo era de las guerras misioneras del este de Europa, lo que no sucedía en Siria-Palestina. No hubo una acción violenta concertada para convertir a los musulmanes, ni por parte de los Estados latinos, ni por parte del papa. En cuanto a los cristianos heterodoxos, Roma prefirió negociar con sus Iglesias.

De todas formas, hubo conversiones del islam al cristianismo, y no sólo conversiones forzosas. Además, la presión social influía, ya que una relativa calma se impuso durante buena parte del siglo XII en el reino de Jerusalén. Lo establecido en el reino de Jerusalén era conceder la libertad a los esclavos que recibían el bautismo, lo que estimulaba el proceso. Pero muy pronto esa cláusula planteó problemas: fue muy mal acogida por la mayoría de señores laicos y por las órdenes religioso-militares, que utilizaban una abundante mano de obra de esclavos y no querían privarse de ella. Frenaron el movimiento de evangelización al prohibir que se predicase a sus esclavos y al negarse a que se les bautizase.

La resistencia al bautismo de los esclavos se fue acentuando durante el siglo XIII, conforme se agudizaba el problema de la mano de obra. El papado atendió, en parte, los argumentos de las órdenes militares. Gregorio IX, en 1238 y 1239, amenazó con la excomunión a los señores (y las órdenes militares estaban incluidas) que impidieran a sus esclavos la asistencia a los sermones que les estaban destinados.[44] Pero no hablaba de conversión.

La dimensión misionera de la cruzada

«Voy hacia vosotros no con armas, sino con palabras, no con odio, sino con amor.»[45] Este principio, establecido a mediados del siglo XII por Pedro el Venerable, lo llevó a hacer que se tradujera el Corán al latín, para conocer mejor el islam, para combatirlo mejor. Evidentemente, su objetivo no era un conocimiento desinteresado del *otro*, sino hacer más eficaz el discurso cristiano; además, al mismo tiempo, escribía al maestre del Temple para felicitarlo por el combate de los templarios. Pero ¿ese discurso cristiano podía difundirse mientras que era imposible predicar la fe cristiana en tierras del islam y estaba prohibido hacer proselitismo? ¡A la inversa era lo mismo! Y ahí estaba el problema.

Se planteó concretamente en la quinta cruzada. Jacques de Vitry, un predicador que había llegado a ser obispo de Acre, predicó en el reino de Jerusalén no sólo a sus fieles cristianos, sino también a los musulmanes. Lo pudo hacer porque vivían bajo la ley de los francos. Pero se dio, sobre todo, un acontecimiento absolutamente extraordinario, aunque pasase desapercibido para los cronistas contemporáneos a la quinta cruzada: la visita de san Francisco al sultán de El Cairo.[46] San Francisco llegó al campamento de los cruzados cerca de Damieta en 1219, decidido a convertir al sultán. Franqueó las líneas, tuvo la oportunidad de acceder al sultán, ¡y le propuso, de sopetón, que se hiciera cristiano! El entorno del sultán, indignado, pidió su muerte. Su intrépida inconsciencia y, probablemente, el divertido desconcierto del sultán, le permitieron salir del paso sin daño alguno y ser devuelto al campo cristiano. La verdad es que no tenía sentido actuar así, ¡salvo que se persiguiera el martirio! Desde entonces, se reprochó a los franciscanos más fervientes que estuvieran más preocupados por su martirio que por la conversión.

Hubo que esperar al descubrimiento del mundo mongol para que la acción misionera adquiriera ímpetu. El vasto Imperio mongol era multiconfesional: el chamanismo, el budismo, el islam y el cristianismo (sobre todo en forma de nestorianismo) se practicaban sin grandes problemas en él, ya que los kanes mongoles no querían problemas de orden público. Así que la predicación era posible. En la década de 1250, el Imperio se dividió en cuatro kanatos, de los cuales uno, el de Ilján, establecido en Persia y Mesopotamia y cuya capital era Tabriz, estaba en contacto con los francos. Los franciscanos y los dominicos enviaron allí predicadores y organizaron misiones permanentes.[47] Protegidos por las autoridades mongolas, los predicadores podían dirigirse tanto a los cristianos nestorianos como a los musulmanes, a quienes podían decir que Mahoma era un falso profeta sin arriesgarse a tener que salir corriendo. Los mongoles no hubieran permitido esa violencia.

Tal situación incitó al papa Inocencio IV (1243-1254), apenas cinco años después de que las avanzadillas mongolas hubieran sembrado el terror en Polonia y en Hungría, a elaborar y poner en práctica una política misionera. Como consideraba que, en tanto que jefe de una Iglesia universal, era responsable de todos los hombres, dio a la cruzada una dimensión misionera que no había tenido hasta entonces. Sus sucesores continuaron en el mismo sentido. Gregorio X, cuando convocó el segundo concilio ecuménico de Lyon en 1274, pidió a algunos clérigos su opinión sobre la organización de una cruzada. Es sintomático que los cuatro tratados escritos al respecto, de los que tres lo habían sido por frailes mendicantes, colocaran la acción misionera en primer plano. No se trataba de conversión forzosa, sino que la cruzada podía ser útil para dominar y abrir un país rebelde a la misión pacífica, que a su vez, debía llevar a la conversión. La conversión y la misión podían así convertirse en fines de la cruzada, lo que ampliaba el campo temático de ésta.

Por supuesto, los más ardientes defensores de la causa misionera se daban cuenta de que era imposible predicar en los países del islam.

Adam Marsh, un franciscano inglés muerto en 1258, hacía de la cruzada y de la misión las dos espadas, una material y otra espiritual, de una misma empresa.[48] Ramón Llull, a quien se llamó en su tiempo el *doctor de las misiones*, acabó por rendirse a la evidencia: aunque militó ardientemente por la acción misionera pacífica, los tratados que escribió sobre el tema se fueron convirtiendo con los años en tratados de recuperación de Tierra Santa, en otras palabras, de cruzada. No sólo no rechazaba el uso de la fuerza, sino que consideraba que había que servirse de ella en Constantinopla.[49]

El franciscano inglés Roger Bacon se mantuvo escéptico. Para él, la cruzada no podía llevar más que a conversiones forzosas o, incluso, dado que era violenta, a impedir esas mismas conversiones. Con más matices, John Peckam, arzobispo de Canterbury, pedía que, antes de cualquier cruzada, se enviara un «guerrero espiritual» a proponer la religión de Cristo. El *miles Christi* recuperaba el sentido, meramente espiritual, que había tenido antes de la reforma gregoriana. Pero ¿habría tenido la misma suerte que san Francisco ante los sultanes mamelucos?

Se estaba entonces convencido de que para llevar al infiel hacia Cristo, había que conocer su fe y hablar su lengua. El ímpetu misionero del siglo estuvo acompañado por el aprendizaje de las lenguas orientales, bien sobre el terreno, en las misiones fundadas por los franciscanos y los dominicos, o bien en las escuelas creadas en Occidente, como la de Ramón Llull en Mallorca. La dimensión misionera de la cruzada se incluyó en los cánones del concilio de Vienne de 1312; no sólo se trató del asunto del Temple, sino de la cruzada y de la misión. Inspirándose en Ramón Llull, el concilio decidió que se desarrollase la enseñanza de las lenguas orientales —hebreo, árabe y caldeo (la lengua de la población cristiana de la Baja Mesopotamia)— en las universidades de París, Bolonia, Salamanca y Oxford, para formar futuros misioneros.[50]

Capítulo 4

Cruzados y cristianos de Oriente

¿QUIÉNES ERAN LOS CRISTIANOS DE ORIENTE A LOS
QUE LA CRUZADA DEBÍA AYUDAR?[51]

Tenemos que remontarnos al período del siglo IV al VI de nuestra era,
período en el que se definió y perfiló el dogma cristiano de la Trinidad, para comprender la diversidad del cristianismo del Oriente Próximo medieval. El concilio de Nicea, en el año 325, definió el dogma
de la Trinidad: la divinidad es una en tres personas, el Padre, el Hijo y
el Espíritu Santo. También se preguntó sobre la persona del Hijo,
Cristo, y sobre la unión en su persona de la naturaleza divina y la naturaleza humana (a causa de la encarnación). Dos corrientes antago-
nistas se enfrentaron a la definición de Nicea de una doble naturaleza
en la persona de Cristo. Una afirmaba que había dos personas en Cristo y que su persona humana era la más importante: era el nestorianismo (del nombre de un patriarca de Constantinopla, Nestorio), condenado en el concilio de Éfeso, el año 431. La otra corriente defendía
la idea de una única naturaleza, la naturaleza, que había absorbido
la naturaleza humana de Cristo: era el monofisismo, condenado en el
concilio de Calcedonia de 451 (de ahí el nombre de calcedonianos
dado a los que mantenían la doctrina ortodoxa de Nicea).

En el seno de la ortodoxia también aparecieron fisuras entre la
Iglesia oriental griega y la Iglesia occidental latina y romana. Se cuestionaban la procesión del Espíritu Santo (el *Filioque*) y la pretensión
de Roma de controlar el conjunto de la cristiandad. Los griegos no la
aceptaban y se sucedieron las disputas, que degeneraron en cismas

(que afectan a la disciplina, pero no al dogma). El de 1054 no fue ni más ni menos importante que otros, pero perduró. Desde entonces, hablamos de ortodoxos y de católicos.

Los ortodoxos eran griegos o sirios (éstos también llamados melkitas); a ojos de los latinos, eran cismáticos. Los otros, monofisitas (armenios, jacobitas sirios y coptos egipcios) y nestorianos o caldeos (que se encontraban en Siria, Mesopotamia y el Imperio mongol) eran heréticos. Añadámosles los maronitas de Líbano, que descendían de un grupo formado a raíz de una de las muchas tentativas de reconciliación entre calcedonianos y monofisitas y que, en parte, se volvieron a unir con Roma en el siglo XIII.

Los ortodoxos griegos y melkitas, y también los jacobitas y armenios, eran numerosos en Siria del norte y en Edesa. En el reino de Jerusalén dominaban los ortodoxos, aunque también los jacobitas eran numerosos y estaban fuertemente implantados en el mismo Jerusalén. Por otra parte, en la ciudad santa estaban presentes todas las comunidades cristianas. Los coptos y los nestorianos, en general, estaban fuera del ámbito de los Estados latinos. Naturalmente, en Grecia, Chipre y Rodas reinaba la ortodoxia.

Una corriente aún vigente de la historiografía considera que los cristianos de Oriente fueron las víctimas, de la misma manera que los musulmanes, del imperialismo franco y romano.[52] Es inexacto: si no, no se comprendería por qué Balduino I llamó a los cristianos orientales para que repoblasen Jerusalén, exangüe tras las matanzas de 1099.[53] La historia de los Estados latinos está marcada por sus convergencias.

Los griegos y los latinos estaban separados por un cisma. La conquista franca en Siria y Grecia colocaba, *de facto*, a las Iglesias cismáticas bajo la autoridad de Roma. Como no podía haber dos titulares en una diócesis o en una parroquia, los clérigos latinos fueron reemplazando a los griegos. Tanto en Antioquía como en Jerusalén se instalaron patriarcas latinos. Lo mismo ocurrió en Grecia después de 1204. No obstante, subsistió en el exilio una jerarquía griega. La población griega bajo dominación franca permaneció fiel a sus popes y a sus obispos. Como no se los podía reemplazar a todos por sacerdotes latinos, se los mantuvo en su puesto bajo la autoridad de obispos latinos. Se procedió de igual modo en Siria, en Rodas y en Chipre.

A veces, se asociaba al obispo latino uno griego, como obispo coadjutor, lo que muestra que, a pesar de una hostilidad siempre presente, había posibilidad de arreglos. La política de alianza de Manuel Comneno con los francos en la década de 1160 permitió un acercamiento religioso en Siria, como fue la restauración de la iglesia de Belén patrocinada por el rey Amaury y el propio Manuel. Una inscripción bilingüe hacía conocer el nombre de un artista del mosaico y de un «pintor del emperador» que habían participado en los trabajos.[54]

En cuanto a las Iglesias heréticas, los monofisitas de Siria y Armenia, los cruzados, sin saber que hacer y remitiéndose a Roma, los dejaron en paz. Conservaron sus estructuras, su clero y sus iglesias. Por otra parte, los cruzados constataron que los monofisitas los acogían muy bien.

La conquista de Edesa estuvo muy facilitada por la actitud de los armenios, muy numerosos en la región. Después, las relaciones entre armenios y francos fueron juzgadas de manera muy diversa; Mathieu de Edesa hablaba de hostilidad entre ambos grupos, mientras que Michel el Sirio y otros autores se referían a relaciones amistosas. Las relaciones religiosas, especialmente con Roma fueron buenas, incluso antes de la cruzada, aunque es verdad que, a causa de algunos errores de los armenios, Gregorio VII llegó a pedir al *católicos* armenio (el jefe de la Iglesia) que le enviara su profesión de fe. Pero lo hizo sin hostilidad.[55] En el momento de la segunda cruzada, junto al papa Eugenio III había enviados de la Iglesia armenia.[56] La transformación de los principados armenios de Cilicia en reino, en 1198 (la corona fue otorgada por el emperador Enrique VI antes de su muerte), fue posible gracias a su acercamiento a Roma. No obstante, los principados —y luego el reino— tenían sus propios intereses y las relaciones con los Estados latinos fueron cambiantes. Las alianzas matrimoniales entre príncipes y princesas latinos y armenios fueron numerosas, y lo mismo ocurrió con los linajes nobles. Eso no impidió disputas como la que tuvo como motivo la sucesión de Antioquía en la transición del siglo XII al XIII. De todas formas, hasta su desaparición en 1373, el reino armenio de Cilicia siguió siendo un aliado, a veces incómodo, pero fiel, de los francos de Siria y después de los de Chipre.[57]

Asimismo, los francos tuvieron buenas relaciones con los jacobitas, que disponían de una importante comunidad en Jerusalén y cuyo santuario principal, Santa María Magdalena, era próspero. Se respetó a su jerarquía y, como también estaban muy bien implantados en los principados musulmanes sirios, los jacobitas fueron frecuentemente solicitados como intermediarios ante autoridades musulmanas (como hemos visto en las cuestiones concernientes a los cautivos).

En cuanto a los coptos de Egipto, no estaban bajo la autoridad franca. El patriotismo egipcio pudo más y permanecieron fieles al poder musulmán. Pero tuvieron contactos con los francos, de los que da fe el «vocabulario» árabe, cuya traducción francesa se escribió en alfabeto copto.[58] Y en cuanto a los nestorianos, fueron las misiones franciscanas y dominicas, instaladas especialmente en el kanato mongol de Iljín, las que estuvieron en contacto con ellos.

Del estudio efectuado por Ronnie Ellenblum sobre la colonización rural y el poblamiento se trasluce que los francos se instalaban preferentemente en las regiones pobladas por cristianos orientales, entre los que se sentían seguros.

CRUZADOS Y POTROS

La instalación de occidentales en Oriente y la creación de Estados latinos produjeron enseguida un nuevo problema: el de las relaciones entre los latinos de Oriente y los de Occidente, cruzados, peregrinos o comerciantes; entre los «potros» (*poulains*) y los «hijos de Hernaud» (los occidentales). Los potros eran los francos nacidos en Tierra Santa. Jacques de Vitry da dos explicaciones para la palabra: la primera es que a ojos de los sirios «parecían también nuevos y recientes, como si se tratase de potros recién nacidos», y la segunda, que en su mayor parte hubieran nacido de alguna mujer llegada de Apulia (*pullani*); Jacques de Vitry explica que los cruzados que se establecieron en Tierra Santa en los primeros años habían llegado sin mujer, y que habían tenido que ir a buscarla al lugar más cercano de Occidente, es decir, a Italia del sur.[59] Ignoramos el sentido de la segunda expresión.[60] El caso es que ambos términos fueron adquiriendo un significado injurioso a medida que se iban degradando las relaciones entre unos y otros.

Foucher de Chartres ya lo entrevió y Usama lo constató hacia 1150: los francos que crearon una familia en Oriente adoptaron las costumbres y el género de vida del medio en el que se habían establecido. La vida no sólo estaba hecha de enfrentamientos, sino que hubo largos períodos de paz, intercambios y relaciones comerciales. Pero cuando los cruzados llegaban a destripar al infiel, lo primero que hacían era tachar de debilidad, e incluso de traición, el absentismo y los compromisos de los potros, quienes pensaban, sobre todo, en sobrevivir y perdurar. Jacques de Vitry no halla palabras lo bastante duras para denunciar a «esos hijos indignos de sus padres», blandos, afeminados, que frecuentaban más los baños públicos que los campos de batalla, etc. Les reprocha que firmaran tratados con el infiel y que se jactaran de vivir en paz, los llama pendencieros y tramposos, los acusa de encerrar a sus mujeres impidiéndoles incluso asistir a misa y, por último, de no tener más que desprecio para quienes iban a socorrerlos con riesgo de sus propias vidas.[61] Nuestro buen obispo, que veía el mal y el pecado por donde quiera que mirara en su ciudad, exageraba. No hacía sino repetir los tópicos que los occidentales tenían respecto a los griegos. Con ello, se agrandaba el foso entre ambas comunidades para su común perjuicio: los peregrinos que visitaban los Santos lugares durante el siglo XIII no se interesaban en absoluto por la suerte del reino y de sus habitantes.

Capítulo 5

Coexistencia e intercambios

RELACIONES DE DOMINACIÓN Y DE SEGREGACIÓN

Siria-Palestina, que los francos habían ocupado, estaba poblada por cristianos y musulmanes. Hemos visto cuáles fueron las relaciones con los primeros; ¿cuáles fueron con los segundos?

Al principio de la conquista, además de las matanzas, hubo expulsiones o salidas voluntarias. Pero pronto prevaleció el *statu quo*. En especial, la población campesina permaneció en su tierra; las estructuras señoriales y feudales de los francos no trastornaron ni su situación ni su estatuto. Los campesinos musulmanes cambiaron de amo, eso fue todo. Los propietarios francos, aun si residían en sus dominios, no establecieron reservas y se contentaron con hacer valer sus derechos sobre sus arrendatarios campesinos y con imponerles fuertes impuestos.

Es verdad que era duro, pero si creemos a Ibn Yubayr, no era peor que lo anterior, sino lo contrario: «Seguimos por un camino que atraviesa una serie de pueblos y campos cuyos habitantes son todos musulmanes y viven con desahogo bajo la dominación de los francos —¡busquemos refugio cerca de Dios contra la tentación!—, ya que les dan la mitad de la cosecha cuando la recogen y un impuesto de un dinar y cinco qirat por cabeza. Los francos no les reclaman nada más. Los musulmanes entregan también una contribución moderada sobre la cosecha de la fruta. Las viviendas pertenecen a los musulmanes, que pueden disponer de sus riquezas».[62]

La comunidad campesina estaba representada ante el amo por un presidente bilingüe y conservaba su religión, su culto y sus costumbres.

Asimismo, los beduinos del sur del reino de Jerusalén, que eran nómadas, continuaron ejerciendo el comercio caravanero sin ocuparse de las fronteras.

Incluso parece que, en ciertos lugares, hubo sectores enteros de la sociedad musulmana que se mantuvieron intactos: en 1156, Balduino de Ibelin, señor de Mirabel, envió al exilio a una comunidad hanbalí (una de las cuatro escuelas de interpretación del derecho musulmán) y a su jefe, instalados cerca de Nablús, ya que temía la propaganda cerca de sus súbditos musulmanes. Fueron ciento cuarenta personas las que partieron.[63]

A diferencia de lo que pasó en Sicilia o en España con los musulmanes o los judíos, ningún musulmán se integró en la administración latina. Los presidentes de cada pueblo representaban a su comunidad y nada más. Los escribas y los intérpretes eran escogidos entre los cristianos orientales, lo que impedía cualquier manifestación de hostilidad de la población latina contra chivos expiatorios.[64] Musulmanes y latinos vivían juntos, pero no revueltos.

Los latinos lograron acuerdos con las comunidades musulmanas, y también con las cristianas, en las zonas fronterizas que tenían dificultades para controlar; se formaron entidades autónomas, a menudo dependientes de Damasco o de Alepo, que pagaban tributo a los francos y que, al formar una especie de Estados tampón, contribuían a la seguridad y la tranquilidad de la zona. Los ismaelíes del Yebel Ansariye (la llamada *secta de los asesinos*) ejercían ese papel en la frontera norte del condado de Trípoli.[65]

Añadamos que los enfrentamientos militares eran numerosos, pero casi siempre localizados. Ibn Yubayr señala con estupor que las operaciones militares apenas afectaban al comercio. Procedente de Damasco, pasó al país de los francos con una caravana de mercaderes musulmanes que iban a Acre. Mientras tanto, Saladino guerreaba en el sur del país para intentar apoderarse de la fortaleza de Kerak de Moab. Hizo muchos cautivos, con los que Ibn Yubayr se cruzó mientras los conducían a Damasco: «Hay cosas curiosas que decir de este mundo, ¡las caravanas musulmanas van al país franco y a los cautivos francos se los llevan a los países musulmanes!».[66]

RELACIONES PACÍFICAS

Evidentemente, no podemos basarnos totalmente en textos (Usama e Ibn Yubayr) en los que algunos asertos son contradichos por otras fuentes latinas o árabes. A este respecto, es lamentable que la obra del único historiador árabe que vivió bajo el régimen de los francos, Hamdam Ibn Abd Ar Rahim al-Azáribi, haya desaparecido.[67] Hay que tener en cuenta otras fuentes, generalmente bien informadas, que dan prueba de una total falta de interés por los latinos y los cristianos en general. El desconocimiento del otro no era exclusivo de los cristianos.

De todas maneras, tal como son, esos testimonios muestran que, en Tierra Santa, que demasiadas veces se presenta como en estado de guerra permanente, había largos períodos de tranquilidad y lugar para una vida de relación y de intercambios.

No entraré en los múltiples aspectos de la vida cotidiana, salvo para señalar las relaciones mantenidas por los que se combatían pero sabían apreciar el valor y el coraje del otro. La ética caballeresca era compartida por los nobles cristianos y los nobles musulmanes. Sin hablar siquiera del singular testimonio del emir de Shaizar, Usama, al que, sin duda, hemos solicitado demasiado, ¿cómo no asombrarse por esas «justas del monte Carmelo» descritas por el peregrino Thietmar? En período de tregua, en febrero, los hermanos de las órdenes religioso-militares se reunían para «hacer *haraz*», celebrar fiestas en las que entrenar a sus caballos. A ellas acudían caballeros beduinos y sarracenos para celebrar justas. «Los caballeros cristianos se muestran muy corteses con los caballeros beduinos, los honran y llegan a ofrecerles regalos.»[68] Señalemos también, sin exagerar su alcance, el desarrollo, en Occidente, del tema del noble infiel. Aunque estaba encarnado en Saladino, héroe de una novela escrita en el siglo XV, hay trazas del tema mucho antes.[69] El respeto mutuo o la admiración por las virtudes guerreras del otro eran una realidad, pero ¡porque la guerra era una realidad! Aunque no fuera constante, permitía otro tipo de relaciones.

Me atendré a dos temas principales: las relaciones religiosas y los intercambios culturales.

En el plano religioso, los latinos escogieron enseguida no molestar a nadie. Aunque es verdad que hubo mezquitas que fueron convertidas en iglesias, como la de la Cúpula de la Roca en Jerusalén, a la inversa también ocurrió en los siglos siguientes. Pero los latinos no parece que transformaran mucho los edificios, si nos atenemos al testimonio de un autor musulmán, al-Harawí, que narra su visita a Jerusalén en 1173. Advirtió que, en la mezquita de la Cúpula de la Roca, los francos habían dejado intactas las inscripciones coránicas y la lista de los califas. Tampoco el *mihrab* de la mezquita al-Aqsa fue modificado. Como observador curioso que era, al-Harawí se fijaba en los lugares cristianos y judíos que visitaba y describe su papel en la religión judía y en la cristiana. Como observador incrédulo y un tanto irónico que también era, escribe a propósito del fuego de Pentecostés en el Santo Sepulcro: «En cuanto a la llegada del fuego, he vivido demasiado tiempo en Jerusalén bajo los francos como para no saber cómo se practica».[70]

Los latinos dejaron oratorios a disposición de los musulmanes, lugares de culto y de oración, de los que algunos se encontraban en las mismas mezquitas convertidas en iglesias. Citemos una vez más a nuestro estupendo testigo Ibn Yubayr que cuenta que en Acre, conquistada por los francos, «Dios ha conservado puro un espacio de la gran mezquita [transformada en iglesia] en el que los extranjeros [musulmanes] se reúnen para celebrar la plegaria ritual». También visitó un oratorio «cuyo *mihrab* está intacto. Los francos han construido, al este, un altar para ellos. Así, los musulmanes y los infieles se reúnen en el oratorio y se vuelven cada uno en una dirección diferente para orar. El santuario está en manos de los cristianos, y es venerado y respetado. Que Dios conserve el lugar de oración de los musulmanes».[71]

Más interesante aún es la convergencia que se dio entre cristianos y musulmanes en ciertos enclaves religiosos, con ocasión de algunas fiestas o en la práctica de ciertos cultos. Por supuesto, esta convergencia entre cristianos y musulmanes fue, ante todo, una convergencia entre cristianos orientales y musulmanes, anterior a las cruzadas, pero hay que constatar que la llegada de los cristianos occidentales no acabó con ella. A veces incluso contribuyeron a propagar cultos comunes. Un caso verdaderamente espectacular es el de la veneración de la Virgen milagrosa de Saydnaya (que quiere decir Nuestra Señora), una iglesia griega situada a una veintena de kilómetros al noreste de Damasco, en pleno territorio musulmán.[72] Desde hacía mucho tiempo, fieles cristianos y musulmanes llegaban allí a venerar un icono de la Virgen del que rezumaba un aceite al que se atribuía la curación de los trastornos de la vista. Un templario, liberado de las prisiones de Damasco, pasó por Saydnaya antes de volver a territorio latino y recogió un poco de ese aceite; se lo dio a dos caballeros cruzados que lo llevaron a Occidente y lo donaron a la iglesia de Notre-Dame d'Altavaux (Haute-Vienne); estos hechos sucedieron entre 1179 y 1186, y relatos como el de Burchard de Estrasburgo o el Thietmar hacen referencia a ellos.

En el siglo XIII, según Matthieu Paris, los templarios continuaron yendo allí durante las treguas y recogían el precioso líquido, que pasaban a distribuir entre los peregrinos.[73] Así es que los templarios «difundieron la historia y el líquido milagroso de Saydnaya. Además, musulmanes y cristianos seguían reuniéndose en el santuario con ocasión de las fiestas de la Virgen. No hay que olvidar que para el islam, Jesús no es el hijo de Dios, pero sí un profeta, un enviado, el último antes de Mahoma; Jesús y su Madre eran queridos por los musulmanes y, en el ámbito popular, las prácticas comunes no eran raras.

Sería muy aventurado hablar de aculturación, pero había un proceso en ese sentido. Aunque sean contradictorias, las observaciones de Usama sobre el comportamiento de los francos instalados en Oriente, los potros, y las que hacía, también sobre los potros, Jacques de Vitry hacia 1220, apoyan esta interpretación.[74] Pero la partida se jugaba a cuatro bandas: musulmanes, cristianos orientales, potros y latinos.

INTERCAMBIOS CULTURALES

También hubo intercambios culturales, préstamos de unos a otros, y sobre todo, ya que tratamos de Oriente, de los latinos a los orientales. Dejaré de lado los préstamos técnicos —fortificaciones, molinos, cultivos (caña de azúcar, algodón)— que la historiografía ha puesto de relieve desde hace tiempo, para centrarme en los intercambios culturales, que, por el contrario, suelen ser olvidados.

El conocimiento de la lengua árabe no era raro entre los latinos que se habían arraigado en Oriente: son conocidos los casos de grandes señores como Renaud de Sidón o Baudouin de Ibelin, o de miembros de las órdenes religioso-militares, como el redactor de la *Crónica del templario de Tiro*, que no era templario pero que ejercía como secretario e intérprete del gran maestre Guillaume de Beaujeu. Tanto en las relaciones intercomunitarias como en las relaciones comerciales, los latinos tenían que espabilarse para conseguir comunicarse. El uso de la lengua oral no garantizaba intercambios culturales muy profundos, pero Guillaume de Tiro leía y hablaba el árabe, y elaboró una historia oriental escrita a partir de fuentes árabes que, desgraciadamente, no ha llegado hasta nosotros.[75] En Grecia, en el principado de Acaya, donde la presencia franca fue duradera, la *Crónica de Morea* fue traducida al griego en el siglo XIV, para uso de los descendientes de los cruzados latinos, que lo hablaban y escribían.

La idea de que el Oriente de las cruzadas no fue un lugar propicio para los intercambios intelectuales ha sido seriamente cuestionada por investigaciones recientes. España y Sicilia fueron el paraíso de los traductores y el conocimiento de los textos de la Antigüedad se adquirió en Palermo y en Toledo a través de sus versiones árabes. No disminuye la importancia de ambos países el hecho de que también hubo traductores en el Oriente latino. Primero Antioquía, después Trípoli (donde Bar Hebraeus, llamado Abul Farach, un jacobita, enseñó medicina) y, en menor medida, Jerusalén, fueron activos centros intelectuales.

Adélard de Bath fue uno de los primeros en implicarse en la búsqueda de la ciencia árabe: como estaba poco satisfecho de lo que había aprendido en su país natal y también quedó decepcionado de la enseñanza que, muy joven aún, había recibido en Tours, marchó a Italia del sur y de allí al principado de Antioquía para adquirir nuevos conocimientos y técnicas de aprendizaje. Su presencia en Antioquía y en la Pequeña Armenia está documentada en los años 1110-1116; a su vuelta publicó el fruto de sus investigaciones en las *Quaestiones naturales*. Encargó traducciones y llevó manuscritos árabes a Europa.[76] En la misma época trabajaba como traductor Stefano de Pisa. Las relaciones entre Pisa y Antioquía se reforzaron a partir de la primera cruzada; Pisa fue, durante los siglos XII y XIII, un centro de traducción del griego y del árabe al latín, y el eje Antioquía-Pisa funcionó durante ambos siglos. Stefano de Pisa tradujo hacia 1127 un libro de medicina árabe que databa de mediados del siglo X, *La Disposición Real*, de Ali Ibn Abbas, verdadera síntesis de los conocimientos de la Antigüedad; su traducción está localizada en 1140, en Hildesheim.[77] El gran matemático pisano Leonardo Fibonacci (1170-1240) también visitó la Siria de los francos. En sentido contrario, Teodoro de Antioquía, un jacobita, estudió latín en su ciudad y, posteriormente, derecho y matemáticas en Mosul y medicina en Bagdad. Hacia 1225, en la Pequeña Armenia, conoció a un mensajero del emperador Federico II, a quien acompañó a Sicilia. Desde entonces y hasta su muerte perteneció al grupo de expertos que rodeaba al emperador germánico. Con el nombre de *Theodorus philosophus*, tradujo la obra de Averroes al latín e hizo conocer en Occidente la versión completa del *Secreto de los secretos*, traducida por Felipe de Trípoli, a partir de un manuscrito árabe que había encontrado... en Antioquía.[78]

La importancia y originalidad de Antioquía en el ámbito del intercambio científico consistió en que los latinos podían encontrar allí un acceso directo a la cultura y las obras griegas; no olvidemos que Antioquía era bizantina antes de la conquista selyúcida. No ocurría lo mismo en España. Este aspecto queda claro con la carrera de Aimery de Limoges, que fue patriarca de Antioquía de 1139 a 1196. Estaba relacionado con los eruditos griegos de Constantinopla y con los pisanos (enviaba manuscritos griegos a Burgondion de Pisa, por entonces en Roma y en el entorno del papa), es posible que supiera griego, pero es seguro que conocía el hebreo e investigaba sobre la versión hebrea de la Biblia y que se relacionaba con uno de sus compatriotas, el arzobispo de Toledo, Ramón, a quien había conocido en los años 1124-1125.[79] Otro personaje, Rorgo Frerellus, probablemente originario de Picardía, que partió a ultramar en 1119, también estuvo presente en Galilea y Antioquía y estableció vínculos con los griegos y los jacobitas. La existencia de un ambiente cultural en Antioquía, relacionado con el mundo griego ortodoxo y con los jacobitas, está acreditada desde los comienzos de la cruzada. Su actividad fue mucho más intensa de lo que se pensaba[80] y fue prácticamente contemporánea del núcleo español.

Otro sector en el que los vínculos entre latinos y autóctonos del Mediterráneo oriental se revelaron fecundos fue en el de la medicina.

Se ha hablado y escrito mucho sobre la *simpleza*, e incluso la barbarie, de los médicos francos a partir de unas cuantas anécdotas proporcionadas por Usama: ¿o acaso no cortaban la pierna por un simple absceso? Pero en las prácticas médicas y hospitalarias ocurrió como en lo demás: en el Oriente latino, en el tiempo de las cruzadas, hubo contactos, intercambios e influencias; no era necesario ir a Salerno para iniciarse en los *secretos* de la medicina árabe. Los francos llegaron con sus conocimientos, sus prácticas y sus médicos y cirujanos, como testimonia Guillaume de Tiro cuando cuenta que Godefroy de Bouillon fue herido por un oso cerca de Antioquía. Se temía por su vida y se llamó a «médicos y cirujanos [...] y vinieron muchos, porque todos los grandes señores enviaron los suyos».[81]

Los francos evolucionaron cuando contactaron con la sabiduría y las prácticas orientales, griegas y árabes.[82] El ejemplo de los establecimientos hospitalarios es sugerente. Los hospitales de los francos eran al principio iguales en Oriente y en Occidente. El gran hospital de la orden del mismo nombre (y su edificio emblemático) era, al principio, un establecimiento de acogida, un albergue para los peregrinos y un hospicio; estaba administrado por religiosos y se llamaba a médicos externos cuando había que cuidar a un enfermo (algunos peregrinos caían enfermos). Por el contrario, los hospitales griegos y árabes eran verdaderos hospitales, en los que se ingresaba para ser cuidado por médicos, que también tenían una clientela privada. Después, se produjo una evolución: el hospital de la orden de San Juan, aunque continuaba acogiendo a centenares de peregrinos, se convirtió en un establecimiento de asistencia. Primero, para los miembros de la orden, y después, para el público en general, tenía empleados ocho médicos a jornada completa a cargo de la orden, a los que se contrataba entre la población local y no siempre eran cristianos.

Así es que los francos fueron influidos por las prácticas locales, especialmente en materia de dietética, análisis, etc. Pero tuvieron que hacer frente a otro problema: el de las heridas de guerra. Tras las batallas que los enfrentaban a los musulmanes, centenares de heridos tenían que ser curados sobre el terreno o en el hospital y había que contratar cirujanos especializados. «Las plantillas hospitalarias y médicas de los francos se pueden ver como instituciones híbridas, formadas tomando de las tradiciones hospitalarias de las tres culturas (griega, árabe y franca) los aspectos más útiles y mejor adaptados a las necesidades de los francos.»[83]

Estas experiencias pudieron propagarse en Occidente a través de los cruzados, que volvían a casa, o de las órdenes religiosas con vocación hospitalaria (los hospitalarios, los teutónicos e, incluso, el Temple), que tenían casas en Occidente.

Además, permitieron progresos. Se conocen sentencias de Jerusalén que incluyen algunos artículos que sancionan la negligencia médica, y, por otra parte, la práctica de la cirugía de guerra y las mutilaciones hizo avances notables. Salvo algunas menciones tempranas de Usama, no hay indicios que apunten hacia una inferioridad técnica de los profesionales francos. Porque esos profesionales existieron, y en cantidad nada desdeñable: hay constancia de más de una centena, al lado de judíos, musulmanes, cristianos orientales y potros.[84] Además, eran frecuentes los vaivenes entre los Estados latinos y sus vecinos musulmanes: Abú Sulaymán Dawud, originario de Jerusalén y que había pasado a Egipto, volvió a su ciudad natal para estar junto al rey Amaury, cuidó de su hijo Balduino IV, afectado por la lepra y, después de 1187, volvió a Egipto.

No hay que limitar los intercambios culturales a los manuscritos y a las traducciones. Con ese rasero se ha medido la aportación del Oriente latino y se la ha considerado muy mediocre. Pero se impone una doble revisión: por una parte, incluso en ese ámbito, el papel de un centro como Antioquía fue mucho más importante de lo se ha considerado; por otra parte, en los intercambios hay que tener en cuenta las prácticas. Piers Mitchell, hablando del saber médico, ha escrito que los Estados latinos de Oriente fueron un vivero de aprendizaje de conocimientos diferentes de los que se transmitieron a través de España o Sicilia: diferentes, pero no menos importantes.

También en el ámbito artístico la aportación del Oriente latino se ha revalorizado: diversas influencias y prácticas de Tierra Santa habrían marcado, más que las españolas, el arte occidental del siglo XII, como ha sido constatado en Moissac.

Conclusión: una frontera cultural

La investigación histórica también queda bloqueada muchas veces por los tópicos. El Oriente de las cruzadas no era propicio a los intercambios culturales y científicos, así que esa línea de investigación se desdeña. No hace mucho tiempo, el anuncio de una célebre librería parisina (que cerró después) decía: «No busco, encuentro.» El historiador, al contrario, debe ser cartesiano: «Busco, luego encuentro». El Oriente latino no fue ni un desierto cultural ni una tierra de intolerancia y fanatismo. Evidentemente, era más fácil ir a buscar a España o Sicilia, más cercanas, manuscritos e ideas, pero allí no se encontraba todo; el Oriente latino adquirió un lugar en todo el proceso. También así se aprendía del otro.

Pero aprender del otro no significa forzosamente conocerlo mejor o intentar hacerlo. Hubo clérigos que hicieron traducir el Corán para informarse mejor sobre la religión musulmana, pero fue para convencer mejor a sus fieles que iban por el mal camino y devolverlos (o al menos, intentarlo) al sendero de la verdad. Se podía discutir dentro de lo que cabía, pero cada uno seguía en su postura y arrostraba sus prejuicios. Como, por su parte, los musulmanes no mostraban ninguna curiosidad por la religión cristiana, el diálogo resultó escaso.

En el Oriente latino, los francos estuvieron en contacto con los musulmanes, infieles, y con los cristianos orientales, cismáticos o heréticos. Ronnie Ellenblum, que ha estudiado la colonización rural franca, y a quien ya he citado, propone el esquema de una doble *frontera*.[87] Cuestiona lo que llama el «modelo existente» de una sociedad de ultramar marcada, por supuesto, por los antagonismos entre los francos y los musulmanes, pero también por los establecidos entre los francos y los cristianos orientales. Ese modelo ha sido defendido por muchos historiadores de las cruzadas en los últimos veinte años y se formó como reacción a un «modelo anterior» de una sociedad integrada y tolerante, que representó especialmente René Grousset. A partir del ejemplo de la colonización rural franca, importante, pero que se limitó a las regiones pobladas por cristianos orientales, Ronnie Ellenblum rechaza la idea de una enemistad entre esas poblaciones y los francos. Hubo una sociedad mixta franco-siria dominada por los francos, pero —y en esto se aleja de Grousset— esa sociedad mixta era cristiana y excluía a los musulmanes. La sociedad del Oriente latino era una sociedad de frontera, aunque la frontera fuera cultural y no territorial. El islam no dominaba en todos los sitios y los cristianos sirios, de lengua y cultura, no estaban arabizados. Los francos *liberaron* a los cristianos orientales de la dominación turca y, al hacerlo, chocaron con la *frontera* turca, que, alimentada por una inagotable reserva de población, acabó por mermar la frágil sociedad franco-siria, de la que apenas nada quedó.

Séptima parte

Ideal y realidades
(1250-1500)

¿Fue el fin de los Estados latinos de Oriente el fin de la cruzada?

Detener el estudio de la cruzada en 1291, fecha de la caída de Acre, no tiene ningún sentido, ya que los dos siglos que siguieron no fueron los de su interminable declive. La fecha de 1250, tanto en este ámbito como en otros, es mucho más pertinente. La intervención de san Luis en Tierra Santa, a pesar del fracaso de Mansura, despejaba algunas pistas y permitía albergar ciertas esperanzas. Pero había que concretar unas y otras.

MAMELUCOS, MONGOLES Y FRANCOS

En 1250 —san Luis acababa de ser hecho prisionero—, un golpe de Estado fomentado por los jefes militares mamelucos derrocó al sultán ayubí de El Cairo. Los mamelucos eran esclavos, la mayoría de origen turco y capturados en Asia central y en las regiones del Cáucaso, que formaban el núcleo del ejército egipcio. Sus jefes establecieron un sólido poder en Egipto y después en Siria, tras diez años de lucha por expulsar a los emires ayubíes. El régimen se estabilizó con la ascensión al poder de Baybars (lo ejerció entre 1260 y 1277). Su objetivo primordial era el de acabar con los francos, pero la irrupción de los mongoles en Oriente Próximo hizo que retrasara sus planes y concedió una prórroga a los francos.

Las grandes conquistas realizadas por Gengis Kan en el primer cuarto del siglo XIII, y continuadas por sus sucesores, llevaron a los mongoles hasta Europa oriental (en 1240-1241) y Asia Menor (destrucción del sultanato selyúcida en 1243). En 1251, el Gran Kan Mongka (jefe supremo de todos los mongoles) lanzó sus ejércitos a la conquista de China y del Oriente musulmán; Hulagu mandaba los ejércitos mongoles que se apoderaron de Persia y de Mesopotamia. En 1258, destruyó Bagdad y puso fin al califato abasí, que había sido fundado en 750, pero lo vencieron los mamelucos en Palestina, en la batalla de Ayn Yalut (1260) y tuvo que abandonar Mesopotamia. Reorganizó entonces los territorios conquistados de Persia y del Cáucaso para formar uno de los cuatro kanatos en los que se dividió, desde entonces, el Imperio mongol: el Ilján, cuya capital era Tabriz.

Los francos del reino de Acre habían autorizado el paso de los ejércitos mamelucos por su territorio en el momento de Ayn Yalut; a la inversa, los francos de Trípoli y de Antioquía, así como los armenios de Cilicia, quienes, desde la sumisión de Asia Menor en 1243, habían debido reconocer la soberanía mongol y pagar tributo, participaron en la toma de Bagdad. Desde Occidente, a iniciativa del papado, se trenzaron los primeros contactos entre mongoles y latinos. Se mandaron a Mongolia embajadores reclutados entre los hermanos de las órdenes mendicantes; eran un poco espías, un poco misioneros y un poco diplomáticos. Guillaume de Rubrouck fue enviado por san Luis cuando estaba en Tierra Santa y partió de Acre. Muchos cristianos (eran nestorianos) vivían en el Imperio mongol y se codeaban en aquel vasto espacio con musulmanes, chamanistas o budistas. Los kanes, fueran cuales fueran sus opciones personales, eran muy indiferentes en materia religiosa y muy pronto pareció factible llevar a cabo una acción misionera. Asimismo, la idea de una alianza entre los francos y los mongoles contra el islam no entraba dentro de lo utópico, diez años después de los horrores de la invasión mongola de Europa oriental. La cuestión se trató en 1274, en el segundo concilio de Lyon, en el que estaba presente una delegación mongola (de cristianos nestorianos).

La concreción de tal alianza chocaba con tres obstáculos. Los mongoles no conseguían resolver el problema logístico planteado por el desierto y el clima en Mesopotamia y Siria-Palestina. En principio, no encontraban los pastos y el forraje indispensable para el mantenimiento de su inmensa caballería y, por ello, debían limitar la duración de las campañas que emprendían, casi siempre, en invierno. También chocaban con la desconfianza, e incluso la hostilidad, de los latinos del reino de Jerusalén. Por último, la distancia entre Occidente y el Ilján hacía difícil la organización de expediciones combinadas.

Las tentativas de acción común fueron todas ocasiones fallidas. Parece que el proyecto primitivo de san Luis en su segunda cruzada fue una operación coordinada con una ofensiva mongol; y, como tuvo que ser aplazada por la incapacidad de los mongoles de actuar en ese momento, las tropas que ya había movilizado el rey de Francia volvieron hacia Túnez.[1] En octubre de 1281, la ofensiva de los mongoles en Siria del norte acabó con su derrota frente a los mamelucos en la primera batalla de Homs (la «Camella» de los autores francos).

Después de Ayn Yalut, los mamelucos, que ya le habían tomado la medida al peligro mongol, pudieron volverse contra los francos. Su ofensiva no fue continua: cada empuje era seguido por treguas firmadas por un período de diez años. Comunas italianas, órdenes religioso-militares y barones de Tierra Santa formaban otras tantas comunidades que trataban separadamente con el sultán, que aprovechaba para mermar un poco más cada vez lo que quedaba de los territorios francos. Las campañas dirigidas por Baybars, entre 1265 y 1271, arrebataron a los latinos sus principales fortalezas interiores —Safed, Beaufort, Montfort, el Crac de los Caballeros— y muchas ciudades costeras —Jaffa, Cesarea, Haifa—. El principado de Antioquía desapareció en 1268. Siguió una fase más calmada hasta que el sultán mameluco Qalawun preparó el asalto final, que encomendó a su hijo al-Ashraf Jalil: Acre, después de un asedio heroico, fue tomada el 28 de mayo de 1291 y, en la huida, Tortosa, Sidón y Castillo Peregrino fueron evacuadas sin combate.

CHIPRE Y LAS ESPERANZAS DE LA ALIANZA MONGOLA

Desde antes de la caída de Acre, la población franca había empezado a evacuar Tierra Santa y a replegarse hacia Chipre. Se le unió los últimos combatientes de Acre. El flujo de los refugiados provocó tensiones en la isla. Tensiones políticas entre la monarquía, una fracción de los barones y las órdenes religioso-militares, que transfirieron a Chipre su cuartel general. También tensiones económicas y sociales, ya que la isla no tenía los recursos suficientes para alimentar y mantener a los recién llegados. Hubo que importar grano de Occidente; en este orden de cosas, las órdenes militares fueron eficaces y movilizaron los recursos de sus dominios occidentales.[2]

En 1291, Chipre y el reino armenio de Cilicia eran los únicos Estados cristianos que quedaban en el Mediterráneo oriental y mantenían la esperanza de una reconquista de Jerusalén. Y fue en Chipre donde se fraguó una esperanza seria. Las repetidas ofensivas del kan mongol Gazán entre 1299 y 1302, llevadas a cabo en colaboración con las fuerzas cristianas de Chipre, estuvieron a punto de conseguirlo.

Aunque se había convertido al islam, Gazán consideraba a los mamelucos de Egipto y Siria sus principales enemigos y estaba dispuesto a conceder a los francos, si lo ayudaban a vencerlos, Jerusalén y los Santos lugares. Hay que hacer notar que, durante esos años, no se estaba predicando ninguna cruzada en Occidente y que fueron solamente las fuerzas francas concentradas en Chipre y en la Pequeña Armenia las que cooperaron con los mongoles. En respuesta a una ofensiva mameluca en Cilicia, los mongoles invadieron Siria en el otoño de 1299 e infligieron a sus adversarios una derrota en la segunda batalla de Homs (diciembre de 1299). En los dos años siguientes, siempre en otoño, los mongoles volvieron a la carga, esta vez con la participación de los francos, que ocuparon el islote de Ruad, frente a Tortosa, para establecer una cabeza de puente en sus acciones combinadas con los mongoles. Pero, debido a los problemas logísticos comentados más arriba (y a algunas situaciones políticas delicadas para el kan en su Estado), los mongoles nunca pudieron enviar el grueso de sus tropas; sólo sus vanguardias pasaron a la ofensiva en 1300-1302. La aportación de los francos fue consecuente, pero no bastó; y todas las acciones fracasaron, con lo que acabaron las expectativas de la alianza mongol.[3] El sueño de una reconquista de Jerusalén (el rumor había corrido en Occidente en 1300) se desvanecía una vez más.

El reino armenio de Cilicia sucumbió tras los golpes asestados por los mamelucos en 1373; en cuanto al reino de Chipre, sobrevivió hasta que lo conquistaron los otomanos en 1570-1571.

Capítulo 2

¿Cómo recuperar Jerusalén?

Los tratados de recuperación de Tierra Santa

Los latinos habían perdido definitivamente Jerusalén en 1244. Sólo quedaba defender lo que subsistía de los Estados latinos. Después de 1291, cuando desapareció la presencia latina en Siria-Palestina, el problema se planteó de otra forma: ya no se trataba de defender, sino de reconquistar. Florecieron entonces muchos tratados sobre el tema de la recuperación de Tierra Santa —*De recuperatione Terrae sanctae*—. Una primera serie fue escrita en los años inmediatamente posteriores a 1291, impulsada por el papa Nicolás IV, como los tratados de Fidenzo de Padua, Galvano da Levante o Carlos II de Anjou, rey de Sicilia (de hecho, entonces solamente la Italia del sur).

En las dos décadas que siguieron, vieron la luz otros tratados, destinados al papa o a los príncipes laicos, redactados a petición de las autoridades o para presionarlas. Ramón Llull compuso siete de 1292 a 1311; otros procedieron de los jefes de las órdenes del Temple y del Hospital —Jacques de Molay y Foulques de Villaret—, del rey Enrique II de Chipre, de Marino Sanudo, un veneciano de las islas del Egeo, o de Guillaume Adam, un dominico misionero en Persia. Hubo más de una treintena entre 1274 y 1330.[4]

Podemos clasificar esos tratados en tres categorías: 1) tratados de clérigos, que proponen combinar cruzada y acción misionera: Ramón Llull, que tenía una experiencia práctica de la misión, es el mejor representante; 2) tratados de hombres de acción, como los de los maestres de las órdenes militares, o de comerciantes conocedores del Mediterráneo oriental (Marino Sanudo); y por último, 3) tratados de propagandistas del rey de Francia, estrategas cortesanos como Pierre Dubois, abogado del rey en Falaise, cuyo tratado contiene interesantes avances que desbordan con mucho el marco de la cruzada.

Para ser concreto en el examen del contenido de esos tratados, me remitiré a uno de ellos, el «Consejo del rey Carlos»,[5] de 1292. El rey de Sicilia proponía imponer un bloqueo a Egipto, principal potencia islámica, y acompañar el embargo con incursiones a lo largo de las costas egipcia y sirio-palestina. Para llevar a cabo ese «paso particular», el rey proponía la movilización de cincuenta galeras en el Mediterráneo oriental. Después debía lanzarse sobre Egipto un «paso general» (gran cruzada), con el apoyo de las órdenes religioso-militares unificadas (volveré sobre este problema); la cruzada estaría dirigida por un jefe prestigioso que se convertiría en el rey del reino de Jerusalén reconstituido.

El primer punto, el bloqueo y la explotación del control del mar para asfixiar a Egipto, provocaba la unanimidad entre los autores de proyectos. Guillaume Adam proponía completar el bloqueo añadiendo algunas galeras en el océano Índico, a orillas del mar Rojo. Extendía el embargo a los comerciantes que frecuentaban la ruta mongola controlada por el kanato del Kiptchak (la Horda de Oro), que estaba aliado con los mamelucos. El embargo afectaba así a los mercaderes cristianos (italianos, catalanes y provenzales) que mantenían relaciones comerciales con el enemigo.

Se había elaborado una legislación sobre el comercio con los infieles desde los concilios de Letrán III y Letrán IV. Después de la caída de Acre y hasta la década de 1340, la cuestión fue replanteada, sobre bases más concretas, por el papado, que prohibió todo comercio, y no sólo el de los productos estratégicos: armas, hierro, etc., con los musulmanes; se adoptaron severas medidas contra los *alexandrini* (los que comerciaban en Alejandría, aunque también en otros lugares): excomuniones, multas, etc. La firmeza de Juan XXII, especialmente después de 1323, obligó a Venecia, Génova y Barcelona a interrumpir su comercio con Egipto y a cerrar sus establecimientos en Alejandría. La política de rigor no duró más allá de 1346: el papado flexibilizó entonces su postura y concedió licencias de exportación (de pago) en el mundo islámico, cuyo producto debía servir para financiar la ayuda a Tierra Santa. La curia pontificia necesitaba productos de Oriente, pero las vías sustitutorias que permitían su importación —la Ruta de la seda a través del Ilján y, más al norte, la Ruta mongola del kanato del Kiptchak— eran impracticables en esas fechas. Y, además, ¿cómo plantearse un paso general sin las flotas venecianas y genovesas?

Venecia era indispensable para los cruzados y Alejandría era indispensable para Venecia.

Sobre la acción militar que emprender, el tratado del rey Carlos proponía el encadenamiento de un paso particular y un paso general. Los otros autores recuperaron generalmente el tema. La expresión de paso particular (*passagium particulare*) es mencionada por primera vez en una carta del papa Bonifacio VIII en 1297, pero el concepto existía antes.[6] Primero se había aplicado a las cruzadas de reclutamiento limitado que tenían lugar entre las grandes cruzadas, como por ejemplo la cruzada de Thibaud de Champaña en 1239. En los tratados de cruzada, el paso particular tomaba el sentido de una operación de alcance limitado (defensa de territorio, hostigamiento, incursión, cabeza de puente) que precedía y preparaba el paso general (*passagium generale*), es decir, una gran cruzada internacional ordenada por el papa.[7]

Los historiadores han opuesto el paso particular, enfoque nuevo y moderno de la cruzada, al paso general, enfoque tradicional y superado. En realidad, todo era cuestión de objetivos. Si se planteaba una reconquista de Tierra Santa, el uno no iba sin el otro, ya que un paso particular sin un paso general no servía para nada. Por el contrario, si el objetivo era más restringido, un paso particular podría ser suficiente: en 1308, la cruzada del papa Clemente V y los hospitalarios tuvo como único objetivo la conclusión de la conquista de Rodas, fue un paso particular.[8] El paso particular no era una alternativa al paso general, sino, o bien un proyecto autónomo desconectado de cualquier otra empresa o bien un preámbulo para un paso general. Otros proyectos de recuperación proponían economizar, ya que consideraban que la utilización de Chipre —o incluso, aunque era menos frecuente, de Armenia— como base de concentración de los cruzados en vistas a un paso general era suficiente. En cualquier caso, a la espera del grueso de las tropas, todos los proyectos preveían incursiones de hostigamiento y el bloqueo de Egipto.

Los proyectos de recuperación trataban, con mayor o menor detalle, de los medios que utilizar. Jacques de Molay, gran maestre del Temple y autor de un proyecto presentado al papa en 1306, proponía la utilización de grandes naves redondas, más apropiadas que las galeras para el transporte de importantes contingentes de combatientes. Foulques de Villaret, gran maestre del Hospital, y Carlos II de Anjou, describían los diferentes tipos de barcos adaptados a las diferentes clases de operación planteadas: naos, galeras y *linh* (pequeños barcos largos y rápidos).

Se evaluaba la financiación de la operación. Había que convencer a los Estados reticentes ante el coste de la cruzada. El proyecto más concreto y detallado sobre la materia es el que Marino Sanudo escribió en 1309. Prevé la financiación del bloqueo, del paso particular y del paso general y da, en ambos casos, los efectivos en hombres y el número de barcos necesarios para un período de tres años. Para el bloqueo de Egipto, por ejemplo, Chipre, Rodas, Quíos, Creta y las islas del Egeo debían proporcionar diez galeras, cada una de las cuales costaría diez mil florines anuales.

Evidentemente, la mayoría de los autores proponía la vía marítima como medio de acceso a Chipre, o a Armenia, y después a Egipto. Pero la vía terrestre seguía teniendo adeptos. Sin duda, Pierre Dubois no había puesto al día su documentación, porque insistía en argumentos por completo anacrónicos: el mal de mar, la falta de barcos, etc. Ramón Llull, autor, como he dicho, de siete tratados, cambió a menudo de parecer, pero su grandioso proyecto de 1305 (*Liber de fine*) preveía tres ejes de ataque: por el sur, a partir de España, sobre el reino de Granada, África del norte y Egipto; por el norte, a partir de Hungría, sobre Bizancio y Turquía; por el centro, en el Mediterráneo, hacia Chipre y Egipto.

En su último tratado, *Liber de acquisitione Terrae sanctae*, que data de 1309, hacía de la sumisión de Bizancio una operación previa; estaba entonces influido por la política francesa, que se esforzaba por dar vida a un proyecto de reconquista de Constantinopla a favor de Carlos de Valois.[9] Los proyectos «franceses» (Pierre Dubois, Guillaume de Nogaret) también incluían ese objetivo, que fue recuperado en 1321 por Guillaume Adam, en su *De modo sarracenis extirpandi*. Guillaume Adam era un buen conocedor de Oriente, ya que pertenecía a la misión dominica de Sultanyeh, en el Ilján, pero su hostilidad hacia los griegos lo llevaba a hacer de la caída del Imperio bizantino el paso previo indispensable para la cruzada de Oriente.

Nos encontramos con el problema griego, bien en la defensa de intereses particulares (Carlos de Valois), bien en la vieja tradición de hostilidad religiosa (Ramón Llull, Guillaume Adam) o bien en el caso de Marino Sanudo, aunque éste último integraba a los griegos.

PASO PREVIO: LA PAZ Y LA UNIÓN

La realización de los proyectos de recuperación suponía la paz en Occidente o, incluso (proyecto de Marino Sanudo), en el conjunto de la cristiandad; la cruzada debía manifestar la unión de los cristianos. Así pues, la primera tarea del papado era resolver los conflictos que enfrentaban a los príncipes.

La paz de Caltabellota puso fin, el 31 de agosto de 1302, al conflicto entre aragoneses y angevinos, nacido del levantamiento de las Vísperas Sicilianas, veinte años antes. Pero quedaban otros pendientes: guerra entre Castilla y Aragón, guerras que enfrentaban a ciudades gibelinas y ciudades güelfas en Italia, conflicto entre Francia e Inglaterra a propósito de Guyena e, indirectamente, de Flandes, que degeneró en 1337, cuando comenzó la guerra de los Cien Años. Restablecer la paz entre ambos reinos se convirtió entonces en la prioridad. El 18 de mayo de 1376, el papa Gregorio XI escribió al duque de Borgoña, Felipe el Atrevido, que mientras durase la guerra entre reinos cristianos no se podía organizar cruzada alguna (*Tractatus passagii*).[10] Tres años más tarde, cuando murió Gregorio XI, se abrió el gran cisma de Occidente: ¡había dos papas, dos obediencias!

La unión de los latinos era difícil de conseguir. ¿Qué pensar entonces de la unión con los griegos? Marino Sanudo, buen conocedor del mundo griego, comprendió que no se podía llevar a cabo la unión de las Iglesias mediante la fuerza. Propugnaba una «unión cristiana» que dejara de lado las divergencias religiosas para enfrentarse juntos a los sarracenos.[11] Como veremos, fue parcialmente atendido con las operaciones que se emprendieron contra los otomanos.

Los autores de tratados anteponían generalmente otra condición: la unión de las órdenes religiosas. Su papel se consideraba esencial.[12] Pero reconocer su aportación, eminente en el pasado e indispensable en el presente, no las eximía de un análisis crítico de su actividad y, en especial, de los efectos nefastos de su rivalidad. Es verdad que se había exagerado, pero tenían esa reputación, lo que amenazaba con debilitar el combate para ayudar a Tierra Santa. Se hizo la propuesta de unirlas en una misma institución.

La cuestión se debatió en el segundo congreso de Lyon, en 1274, y de nuevo tras la caída de Acre. Nicolás IV, de 1291-1292, pidió su opinión a los obispos reunidos por casi toda Europa en sínodos provinciales. Su respuesta fue abrumadora a favor de la fusión. Los autores de tratados de recuperación tomaron su relevo y la mayoría de ellos propusieron la unión del Temple y del Hospital. Cuando llegaron a Occidente en 1306-1307, los maestres de las dos órdenes, Jacques de Molay y Foulques de Villaret, sabían que el papa Clemente V quería discutir con ellos sobre la cruzada y la unión de las órdenes. Jacques de Molay, que había redactado una memoria al respecto, rechazó la fusión. Según su punto de vista, significaba la absorción del Temple por el Hospital, que tenía la ventaja de ser a la vez hospitalaria y militar.[13]

La cuestión no era solamente técnica, sino que tenía una vertiente política. Los clérigos seculares eran muy favorables al proyecto; no les gustaba nada las órdenes que, colocadas directamente bajo la tutela del papa, escapaban a su jurisdicción. Por el contrario, los poderes laicos eran más reticentes: el rey de Aragón rechazaba absolutamente la unión de dos órdenes que, en sus Estados, poseían muchas e importantes fortalezas. No era el mismo caso en Inglaterra, Italia o Francia, pero en estos países intervenían otros motivos, no siempre confesados. En Francia, el rey y sus consejeros querían una orden única colocada bajo la influencia real. Los autores de tratados de recuperación situados en la órbita francesa (Pierre Dubois, Guillaume de Nogaret) los aprobaban. Ramón Llull proponía que la cruzada fuera dirigida por un *rex bellatur* a la cabeza de la orden unificada, que se convertiría en el rey de Jerusalén. Ese rey se parecía mucho al rey de Francia o a uno de sus hijos. En resumen, para los propagandistas de la corona de Francia, la orden única no podía ser más que un instrumento a su servicio, lo que ni el papa ni el resto de soberanos podían aceptar. Los intereses nacionales (que tampoco estaban ausentes en Aragón o en Inglaterra) contaminaban la cuestión y retrasaban, e incluso impedían, la unión de las órdenes.

El problema lo resolvió de manera inesperada el rey de Francia, que atacó brutalmente a la orden del Temple e hizo detener a todos sus miembros en Francia, el 13 de octubre de 1307. Analizar las razones del ataque y del proceso que lo siguió no es el objeto de este libro. El asunto del Temple estuvo en el corazón de un brutal enfrentamiento entre el Estado moderno en gestación y la autoridad espiritual, con una fuerte tendencia teocrática, del papado.[14] Finalmente, la orden del Temple fue suprimida, aunque sin condenarla, en el concilio de Vienne en 1312. Sus bienes fueron entregados a la orden del Hospital, que se convirtió en una orden internacional bajo la tutela del papa. Ciertamente no era la fusión que Felipe el Hermoso hubiera deseado, pero tuvo que aceptarla.

LA CRUZADA ES LA PAZ

Si les creemos, a ellos o a sus propagandistas, los príncipes no soñaban más que con una cosa: partir en cruzada. Pero tenían tantos asuntos que arreglar antes de empezar, que no partían nunca; además tenían que encontrar el dinero para ello. Sólo san Luis consiguió resolver sus problemas y encontrar el dinero necesario; y partió. Se convirtió en un icono, una referencia, pero ¿qué pesa un icono ante la *realpolitik*? Philippe de Mézières, un hombre de acción un tanto exaltado, casi convenció a su pupilo Carlos VI de que podía ser un segundo san Luis. Trabajaron ardientemente para hacer las paces con Inglaterra y poder llevar a cabo con ese reino el grandioso proyecto de cruzada del que la expedición de Nicópolis de 1396 debía ser la primera etapa. Pero desde 1392, cuanto sufrió su primera crisis de demencia, la pobre cabeza del rey no volvió a funcionar debidamente.

Para emprender tal empresa, la cruzada suponía la paz entre los príncipes cristianos, era en sí misma una obra de paz; es paradójico, pero resulta un hecho válido desde Urbano II a Pío II. Volveré un poco más adelante sobre las ideas y los actos de este pontífice para no hablar aquí más que de su viejo enemigo, el rey de Bohemia Jorge de Podiébrad. Tendré ocasión, en la continuación de esta parte, de hablar de las singulares *cruzadas husitas*. Se ha llamado a Jorge de Podiébrad *el rey husita*, porque permaneció fiel al compromiso de 1436, que permitió restablecer la paz entre herejes husitas y católicos en el reino de Bohemia.[15] El compromiso, que fue obra por parte católica de los padres del concilio de Basilea, nunca fue aceptado por el papado, y Pío II lo abolió en 1462. Podiébrad, preocupado por no enconar el conflicto, replicó en el mismo terreno en el que se había implicado con determinación el papa: una cruzada contra los turcos y para la recuperación de Tierra Santa. Con la ayuda de Antonio Marini, natural de Grenoble y de origen italiano, ingeniero, inventor y diseñador de proyectos de toda índole —un verdadero hombre del Renacimiento, según los estereotipos al uso—, elaboró un proyecto de paz perpetua entre los Estados cristianos para unirlos en una cruzada contra los turcos y por Jerusalén.[16] El plan entraba en todo lujo de detalles concernientes a la organización material y duradera de esa paz entre los pueblos. De ahí a ver en él un precedente de la Sociedad de Naciones o de la ONU hay un paso que los historiadores actuales no franquean.

Como en tiempos de Urbano II, la paz y la cruzada marchaban juntas; ¡la paz entre cristianos, claro está!

Ninguno de los proyectos de recuperación de Tierra Santa fue puesto realmente en pie; pero que hubiera demasiadas palabras y pocas acciones no incumbió a los autores de los tratados. En todo caso, es un error que los historiadores se hayan despedido de la cruzada en 1291, ya que la idea de recuperar Tierra Santa, lejos de abandonarse en los siglos XIV y XV, se combinó con la lucha, ésta muy real, contra los turcos.

Capítulo 3

Frente al peligro turco

Combatir a los turcos otomanos podía parecer más urgente que recuperar Jerusalén, pero casi nadie separaba ambos objetivos.

LA CONQUISTA OTOMANA

La destrucción del sultanato selyúcida de Asia Menor por los mongoles en 1243 dio lugar a una decena de emiratos turcos. Entre ellos, los emiratos costeros de Karasi, Aydin y Mentese se dedicaban a la piratería en el mar Egeo y en las costas circundantes. Un texto turco, el *Destan*, compuesto en honor y gloria del emir de Aydin, Umur Pachá, nos los da a conocer.[17]

En las proximidades de esos emiratos se estableció la orden religiosa de los Hospitalarios de San Juan de Jerusalén tras la conquista de la isla griega de Rodas (1306-1310) y del resto de islas del Dodecaneso.[18] En Rodas se formó un pequeño Estado teocrático, cuyo soberano era el gran maestre de una orden religiosa bajo la tutela del papa. Durante más de dos siglos, Rodas y sus caballeros fueron un elemento determinante de la resistencia cristiana a los turcos en el mar Egeo.

No obstante, el futuro no se jugaba en la costa.

El pequeño emirato continental formado por Osmán en 1314 (osmanlí u otomano) y agrandado por su hijo Orhán (1326-1362) se extendió por el interior de Anatolia y en dirección a las costas del mar Negro y del Egeo; su capital era Prusa. Orhán prestó ayuda al usurpador bizantino Juan Cantacuzeno en sus combates contra los serbios, pero los mercenarios turcos acantonados en Tracia y en Macedonia acabaron por actuar por su cuenta y se apoderaron de Gallípoli en 1354 y, después, en 1369, de Andrinópolis y toda la Tracia. Los otomanos estaban en Europa. Con el terreno así preparado, el sucesor de Orhán, Murad I, se lanzó a la conquista de los Balcanes. Los serbios fueron vencidos en la famosa batalla del Campo de los Mirlos, en Kosovo (1389), en cuyo curso Murad encontró la muerte. Su hijo Bayaceto prosiguió la conquista y se apoderó de Bulgaria, en 1392, antes de aplastar, en Nicópolis (1396), la cruzada dirigida por el rey de Hungría, Segismundo, y por el hijo del duque de Borgoña, Juan sin Miedo. Asedió en vano Constantinopla. El frenazo a la progresión otomana no se gestó allí, sino en Asia: los mongoles de Tamerlán irrumpieron en Asia Menor y derrotaron a los otomanos en la batalla de Ankara (1402); Bayaceto fue hecho prisionero y murió en las cárceles de su vencedor.

La conquista de Tamerlán no fue duradera. El sucesor de Bayaceto, Mehmet I (1413-1421), dedicó su reinado a restablecer la autoridad otomana en Asia Menor, de resultas de lo cual suavizó la presión sobre los Balcanes y sobre Bizancio. Pero los cristianos no supieron aprovecharlo, aunque bien es verdad que el Imperio griego estaba muy debilitado: se reducía a Constantinopla y a sus alrededores, así como al Peloponeso sur-oriental, formado por el territorio griego de Morea (seguía existiendo el principado franco de Mora o Acaya).

Los otomanos volvieron a Europa después de 1420. La tenaza se apretó sobre Constantinopla. Aunque estuvo un tiempo en dificultades por las revueltas de los albaneses y de los serbios, así como por las ofensivas victoriosas de los húngaros, Murad II volvió la situación a su favor venciendo en la terrible batalla de Varna, a finales de 1444, sobre la cruzada húngara y latina dirigida por el legado del papa Cesarini y por el rey de Hungría y Polonia Ladislao III. Por fin, el 29 de mayo de 1453, Constantinopla fue tomada al asalto por Mehmet II (1451-1481). El Imperio griego ya no existía.

¿Cómo reaccionaron los cristianos frente a los turcos?

La confrontación tuvo lugar en condiciones y terrenos diversos y cambiantes: combatir la piratería no era lo mismo que resistir la conquista otomana de los Balcanes. Los cristianos, griegos y latinos, tampoco estaban implicados en el mismo grado. Rodas, Génova, Venecia o Bizancio estaban en primera fila frente a los piratas; al contrario, no tenían siempre el mismo enfoque sobre los progresos otomanos que el rey de Hungría o los principados de los Balcanes. En cuanto a los occidentales y el papado, reaccionaron en términos de *recuperación* de Tierra Santa, de socorro a los griegos o de defensa del reino de Hungría.

Contener a los turcos, ayudar a Bizancio y proteger Europa; ésos fueron los objetivos de las empresas procedentes de Occidente o sostenidas por occidentes en los siglos XIV y XV. Pero las interferencias fueron muchas y complejas y hay que considerarlas en relación con la cruzada.

LAS LIGAS NAVALES CONTRA LA PIRATERÍA TURCA

Éste es un magnífico ejemplo de interferencia. Estamos a principios del reinado de Felipe VI de Valois, rey de Francia, a finales de 1331 o comienzos de 1332. El rey negocia con los venecianos para obtener el concurso de sus barcos con destino a la cruzada que planea en Tierra Santa. Por otra parte, toma la cruz en octubre de 1333. Venecia no quiere una cruzada en Tierra Santa, que la enemistaría con los mamelucos, amos de Alejandría; orienta hábilmente al rey de Francia hacia una empresa más modesta, una liga, o *societas* contra los turcos (*societas de facto turcorum*).[19]

Se trataba de reunir una pequeña flota capaz de eliminar a los piratas turcos del mar Egeo. La liga se constituyó en 1332 con Venecia, Rodas, el reino de Francia y el Imperio bizantino, entonces dirigido por Andrónico III: cada uno se comprometió a proporcionar algunos barcos (veinte en total). El papado tomó a su cargo el equipamiento de cuatro galeras.[20] El éxito fue innegable, pero modesto: Adramition, en el emirato de Karasi, cayó en manos de la liga.

Se trataba de una empresa naval de nuevo cuño, que asociaba con un objetivo concreto las potencias cristianas, incluida Bizancio, con el patronazgo del papado.

En 1343 se formó una liga semejante que agrupaba al papado, Venecia y sus dependencias en el Egeo, Rodas y Chipre, pero sin Bizancio, desgarrada por la lucha que enfrentaba a Juan V con el usurpador Juan Cantacuzeno. El papa Clemente VI aplicó a «este grande y difícil asunto de la parte de Romanía» las instituciones de cruzada con la bula *Insurgentibus fidei*.[21] Se conquistó el puerto de Esmirna, en el emirato de Aydin. El delfín de Viennois (Delfinado), Humbert, que había tomado la cruz para ir a Tierra Santa, se sumó entonces a la liga. Esmirna permaneció en manos de los cristianos hasta la llegada de Tamerlán a Asia Menor, a principios del siglo XV.

Hubo otras ligas después (como en 1359) y otras razzias e incursiones cristianas (los golpes de mano del mariscal Boucicaut en Beirut y Trípoli en 1404). Los hospitalarios de Rodas mantuvieron también una política de corso y consiguieron mantener a resguardo de piratas de todo tipo (no había más que turcos) sus aguas territoriales del Dodecaneso.[22] Mencionemos por último la liga formada en 1456 en la isla, por entonces genovesa, de Quíos, por el papa Calixto III, que hizo equipar tres galeras. Jacques Cœur, el antiguo tesorero del rey de Francia, Carlos VIII, llegó a la isla y murió a finales de año, ¡sin que pudiera llegar a ser un arrepentido del enriquecimiento comercial convertido en cruzado![23]

¿AYUDAR A BIZANCIO?

De 1261 a 1330, el papado y sus aliados franceses y angevinos quisieron reconstituir el Imperio latino de Constantinopla. Siempre hábiles diplomáticos, los griegos supieron poner palos en las ruedas de los proyectos pontificios, que llegaron hasta un llamamiento, el 26 de junio de 1304, a favor de Carlos de Valois, «para recuperar dicho Imperio [el de Constantinopla]», llamamiento renovado en 1306.[24] Los papas apoyaban sin muchos problemas al rey de Francia, pero también se colocaban en la perspectiva de los tratados de recuperación de Tierra Santa, que hacían de la sumisión de los griegos un paso previo para la cruzada.[25] No existió continuidad.

La asociación de Bizancio con la liga naval de 1332-1334, ¿significó un cambio de actitud de la cristiandad latina respecto a los griegos? Sólo en parte. Se abandonó la *cruzada* antibizantina y los emperadores griegos no dudaron en volverse hacia Occidente y Roma. No obstante, se mantenían los viejos resquemores: los occidentales denunciaron el doble juego de los griegos cuando tanto Juan V como su competidor Juan Cantacuzeno buscaron aliados entre los turcos. Los problemas de fondo permanecían incólumes y el papado seguía subordinando la ayuda occidental a la unión de las Iglesias. Juan V y, posteriormente, Manuel II aceptaron la unión, pero eso les afectaba a ellos, ya que la población griega seguía dando pruebas de franca hostilidad. Añadamos a eso el odio de los griegos hacia los italianos (genoveses y venecianos), cuyo imperialismo comercial había arruinado al Imperio griego.

Juan V fue a Europa occidental en el período entre 1369 y 1371, como luego hizo Manuel II entre 1399 y 1402. Recibido en la corte de Francia, obtuvo ayudas reales, aunque insuficientes. Todo eso no impidió la instalación duradera de los otomanos en los lindes europeos. Bizancio no estaba exento de responsabilidades, por supuesto, pero Occidente tampoco. Hay otros ejemplos de ese tipo de malentendidos.

En 1366, una liga, que no era exclusivamente naval, asoció el rey de Hungría, que debía operar en los Balcanes, con una flota en la que estaban los genoveses, el conde de Saboya y el rey de Chipre, Pedro I, que debía actuar en el Egeo. La génesis de esa liga fue considerablemente complicada. Al principio, hubo un llamamiento de Luis de Hungría, y el rey de Francia, Juan el Bueno, y el de Chipre, Pedro I, hicieron voto de cruzada para Tierra Santa (1363); el conde Amadeo VI de Saboya se unió a ellos. Juan el Bueno murió en 1364 y el papa Urbano V propuso entonces que Luis de Hungría, Pedro I de Chipre y el conde de Saboya se asociaran contra los turcos y los sarracenos. Pero Venecia, centro de todos los pactos, se negó a aportar sus navíos, ya que por entonces estaba en paz con los turcos del Egeo. Pedro I, cansado de esperar, emprendió solo la cruzada, que llevó al saqueo de Alejandría. Urbano V mantenía un doble lenguaje. El 1 de julio de 1366 escribió a los obispos griegos para pedirles que predicaran la cruzada contra los turcos, pero el 22 de junio precedente, en carta dirigida al rey de Hungría, no hablaba más que del «asunto de la defensa de los griegos».[26] El conde de Saboya, que había partido a una cruzada, se resignó a no participar más que en una liga que consiguió recuperar Gallípoli, en poder de los turcos. Después, fue a

Constantinopla y al mar Negro para liberar a Juan V, *retenido* por los búlgaros a los que el rey de Hungría combatía. Se habían olvidado de los turcos.

La defensa de los griegos, las acciones del rey de Hungría y los objetivos de cruzada en Tierra Santa se interfirieron. La cruzada de Nicópolis ofreció la misma mezcolanza, pero la examinaré en su marco balcánico y húngaro, más marcado que en 1366.

En cuanto a la empresa de Boucicaut, estaba abocada únicamente a la defensa de Constantinopla, sitiada por Bayaceto. El emperador Manuel II obtuvo la ayuda del rey de Francia; en marzo de 1399, el mariscal Boucicaut fue nombrado cabeza de una liga que comprendía a Venecia, Génova, Florencia y el Hospital. En realidad, Boucicaut actuó casi solo y obligó al sultán a levantar el sitio de la ciudad. El papa de Roma (estamos en la época del cisma), Bonifacio IX, había concedido indulgencias a los participantes en esa liga.[27]

De 1438-1439 pareció que se había dado un gran paso hacia la unión de las Iglesias: el concilio de Florencia, convocado por el papa Eugenio IV, se reunió en presencia de toda la jerarquía eclesiástica griega y del emperador Juan VIII. Se adoptó una declaración de unión que fue aceptada por casi todo el clero griego. Poco después, el papado se puso al lado de Jan Hunyadi, voivoda de Transilvania, al sur de Hungría, que estaba haciendo una campaña con éxito contra los turcos. La aportación de recursos occidentales no impidió el fracaso de la cruzada de Varna en diciembre de 1444.

La unión de Florencia, que de todas maneras los griegos no habían aceptado, a pesar del compromiso de sus elites, no sobrevivió a la caída de Constantinopla.

La defensa de Europa

La penetración turca en Europa afectaba tanto a los Balcanes como al Imperio griego. Serbia, Albania, Bulgaria o Valaquia habían sufrido la ley de los otomanos y el vasto reino de Hungría, que englobaba a provincias tales como Transilvania o Croacia, se encontraba en primera línea. Era, si aceptamos la expresión, el verdadero «baluarte de la cristiandad», mucho más que la Rodas de los caballeros del Hospital.

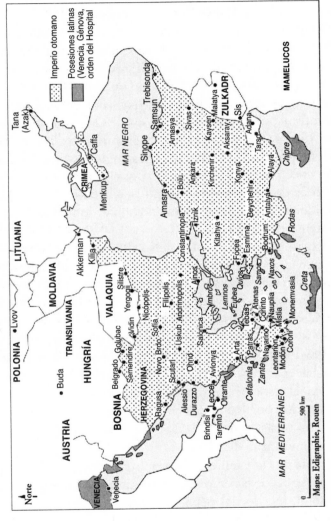

El Imperio otomano a principios del siglo XVI

Imperio otomano

Posesiones latinas
(Venecia, Génova,
orden del Hospital)

Norte

Mapa: Edigraphie, Rouen

Fuera cual fuera el objetivo, Tierra Santa, Bizancio o los Balcanes, Hungría era «insoslayable», y su papel no era sólo defensivo. Ya he hablado de la liga de 1363-1366. La cruzada de Nicópolis, en 1396, tuvo una génesis semejante. Tras la conquista de Bulgaria por Bayaceto, el rey de Hungría, Segismundo apeló a Occidente. Reinaba la paz entre Francia e Inglaterra y Carlos VI se planteó una cruzada a Tierra Santa, que dirigiría junto a Ricardo II, rey de Inglaterra. Segismundo envió una embajada a París. Se firmó un acuerdo el 6 de agosto de 1395: el hijo del duque de Borgoña, Juan sin Miedo, dirigiría un contingente franco-borgoñón para el «viaje de Hungría» o «de Turquía».[28] Juan se reunió con el rey Segismundo en Buda. Un ejército compuesto por franceses, borgoñones, ingleses, alemanes, húngaros, polacos, checos y valacos descendió por el Danubio y se enfrentó con los ejércitos de Bayaceto en Nicópolis, a la entrada de Valaquia. Sufrió una derrota completa y Bayaceto no perdonó más que a los jefes, para obtener rescate.

La expedición que, en 1444, llevó al desastre de Varna, tuvo como origen una iniciativa húngara, la del voivoda de Transilvania Jan Hunyadi, que combatía a los turcos en las fronteras de Serbia y Valaquia. Los refuerzos llegados de toda la cristiandad permitieron proseguir victoriosamente la ofensiva y devolver algunas esperanzas a los griegos. Un legado del papa, el cardenal Cesarini, acompañaba a los cruzados. El sultán Murad II supo hábilmente, al proponer una tregua y hacer ciertas concesiones, dividir al campo cristiano. La prudencia exigía atenerse a la tregua de diez años, pero el ejército y el legado, crecidos por los éxitos precedentes, prefirieron continuar la guerra. Tras una sangrienta y disputada batalla, fueron derrotados en Varna en noviembre de 1444.

La caída de Constantinopla proporcionó la ocasión para intentar la coordinación de las empresas y los diferentes frentes. Eneas Silvio Piccolomini, legado del papa, se esforzó por popularizar el llamamiento a la acción lanzado por Calixto III a la cristiandad. En 1456, Jan Hunyadi obligó a los turcos a levantar el sitio de Belgrado. El respiro no era desdeñable, ya que estuvo acompañado en el mar Egeo por la resistencia victoriosa de los hospitalarios de Rodas durante su primer asedio, en 1480. Pero la ofensiva otomana se reanudó, inexorable, en Persia y después en Oriente Próximo contra los mamelucos

(1517). Apareció entonces Solimán el Magnífico (1520-1566): Belgrado fue tomada en 1521; Rodas capituló después de seis meses de un asedio heroico en enero de 1523; en 1526, los húngaros fueron vencidos en Mohacs; y en 1529 tuvo lugar el primer sitio de Viena.

Reinstalados en Malta, los hospitalarios, dirigidos por Jean Parisot de La Valette, se tomaron su revancha sobre Solimán al resistir victoriosamente su asedio. En 1571, sus barcos participaron en la Liga Santa, que infligió un serio revés a la flota otomana en Lepanto (la Liga Santa, lejano eco de las ligas navales del siglo XIV).

¿Y JERUSALÉN?

¿Eran cruzadas todas esas iniciativas? ¿La bula, la toma de la cruz y las indulgencias les imprimían carácter?[29] Planteemos la cuestión de otra manera: ¿estaba presente en ellas el objetivo de la recuperación de Tierra Santa? ¿Se utilizaron siempre las instituciones de cruzada? ¿En qué medida animó el espíritu de cruzada a esas iniciativas y a sus promotores?

Jerusalén y Tierra Santa estuvieron presentes a lo largo de esos dos siglos. Carlos IV en 1323, Felipe VI en el período de 1332 a 1334 o Juan el Bueno en 1363 hicieron voto de apoyo a Tierra Santa. También lo hicieron Humbert de Viennois o Amadeo VI de Saboya, quienes crearon órdenes de caballería en sus tierras con ese objetivo. Carlos VI, a partir de 1391, pensó en ello cada vez más. Palabras, palabras, se dirá. Pero las ligas navales de 1334 y 1344-1345, la locura de Amadeo VI para ir en ayuda de Bizancio en 1366 o la cruzada de Nicópolis en 1396 fueron reales, lo que no es más artificial que la realización del voto de cruzada del rey de Chipre, Pedro I: el saqueo de Alejandría, efectuado en octubre de 1365, aventura que, aunque fructuosa en términos de botín, no duró más que ocho días. El acontecimiento tuvo una repercusión considerable y desproporcionada, dadas las expectativas y las frustraciones de los occidentales; la *Toma de Alejandría*, compuesta por Guillaume de Machaut en 1369, era de hecho el relato de las hazañas del rey Pedro, que acababa de ser asesinado.[30]

El «viaje a Berbería», emprendido en 1390 por el duque Luis de Borbón, ¿puede ser considerado un paso particular previo a una em-

presa más amplia, o no fue más que una astuta operación de los genoveses contra los piratas, ya «berberiscos», del golfo de Gabes? Los
genoveses supieron hacer que vibraran cuerdas sensibles: el recuerdo
de san Luis o la perspectiva de obtener la conversión de tres reinos
(Túnez, Bugía y Tremecén). El duque de Borbón seguía los pasos de
san Luis y muchos de los que le siguieron se planteaban prolongar la
aventura hasta Chipre, Rodas o Tierra Santa.[31]

Es notable la «continuidad de la idea de cruzada en el interior del
reino de Francia» durante el siglo XIV.[32] Hay que insistir sobre el papel representado por Philippe de Mézières en la propaganda de cruzada en tiempos de Carlos V y Carlos VI: canciller de Pedro I de
Chipre, consejero del rey de Francia, Carlos V, y tutor de su hijo Carlos VI, se retiró al convento de los celestinos de París, desde donde
multiplicó los llamamientos y los escritos sobre la cruzada: el *Sueño
del viejo peregrino*, la *Epístola al rey Ricardo* o la regla de una nueva
orden militar, la orden de la Pasión de Cristo. Su gran idea, que supo
inculcar a su pupilo Carlos VI, fue la de unir a ambos reinos, Francia
e Inglaterra, en un paso general del que la operación de Nicópolis debía ser el paso particular. El fracaso de Nicópolis, sobre el que Philippe escribió una *Epístola consoladora* enfrió los ardores, pero no hizo
que desapareciera Jerusalén del horizonte de la cruzada.

El duque de Borgoña, Felipe el Bueno (1419-1467), recuperó la
antorcha de la cruzada que la monarquía francesa había abandonado
en los dos primeros tercios del siglo XV.[33] La caída de Constantinopla
hubiera podido relegar a Jerusalén a un segundo plano. No ocurrió
así y el célebre «voto del faisán», en 1454,[34] aunque partiera de una
reacción a la caída, fue también un medio para asociar la idea de la reconquista de Constantinopla a la recuperación de Jerusalén. De la
misma manera, en 1456, el predicador franciscano Juan de Capistrano asoció este objetivo al éxito de Jan Hunyadi y obligó a los turcos a
levantar el asedio de Belgrado.

A finales del siglo XV, embebido por lo que iban a ser las guerras
de Italia, Carlos VIII volvió a emplear la tradición real francesa de la
cruzada insertándola en una visión profética que lo destinaba a recuperar Jerusalén.[35]

Al combatir a los turcos en la Europa balcánica, creyó que los
cristianos reanudaban una tradición. Recuperaban el camino que sus

ancestros de la primera cruzada habían seguido para ayudar a las Iglesias de Oriente y liberar Jerusalén: Alemania, Hungría y los Balcanes, entonces bizantinos, y después el Asia Menor, recientemente conquistada por los selyúcidas. Como los cruzados de antaño, los cruzados de los siglos XIV y XV, al ir a combatir contra los turcos en el Egeo o en los Balcanes querían proseguir hasta Jerusalén. También incluyeron con claridad, en la ideología de la cruzada, expediciones —el vocabulario empleado para designarlas da fe de ello—, que seguían siendo percibidas en su singularidad (viaje a Berbería, a Hungría, a Turquía, de apoyo a los griegos), pero a las que las instituciones de cruzada se aplicaban constantemente.

El preámbulo de la bula *Insurgentibus contra fidem* (1343) procede directamente de Urbano II: evoca a los turcos sedientos de sangre cristiana que habían invadido el territorio de los romanos y reducido a la esclavitud a los fieles, «tratándolos como animales». El feroz otomano había tomado el lugar del sanguinario selyúcida de la primera cruzada.[36] No se trataba de un paso general y ni siquiera se menciona a Jerusalén, pero esa pequeña operación naval puede ser asimilada a un paso particular y, sin serlo, estaba próxima en su espíritu, a la cruzada.

Cruzada, liga o *asunto* de los turcos, los berberiscos u otros, poco importa; las bulas pontificias, los textos de los publicistas, los sermones de los predicadores o los escritos de los cronistas que hablan de estas empresas estaban profundamente impregnados por el espíritu de la cruzada.

Hay dos ejemplos esclarecedores.

En julio de 1333, Pierre Roger, arzobispo de Rouen y futuro papa Clemente VI, dirigió a la curia un sermón concerniente a la cruzada de Felipe VI. Citó en varias ocasiones a san Bernardo, invocó el amor a Cristo, llamó a socorrer a los cristianos orientales y recordó la regla que obligaba al vasallo a servir a su señor para ayudarlo a recuperar su patrimonio.[37]

Ciento treinta años más tarde, Pío II, el papa humanista (Eneas Silvio Piccolomini), se puso a la cabeza de una cruzada destinada a combatir a los otomanos y a liberar Jerusalén. Le había afectado mucho la caída de Constantinopla, lo que consideraba era la segunda muerte de Homero y Platón; lanzó entonces el tema, muy humanista, de los turcos que destruían los libros y amenazaban la cultura. Cuando llegó a ser papa, en 1458, se dedicó inmediatamente a la organización de una cruzada y convocó con ese objetivo un concilio que reunió a los señores y príncipes italianos en Mantua. El resultado fue muy relativo. En su sermón no utilizó el tema de la destrucción de la cultura y volvió a los temas más tradicionales de la polémica contra el islam: Mahoma, un charlatán lúbrico; la violencia contra los cristianos; la destrucción de las iglesias; Jerusalén cautiva; etc. Algo más actual, el asalto contra Europa; pero acabó refiriéndose a Urbano II y a los cruzados de la primera cruzada.[38]

De todas formas, el camino a Jerusalén no estaba cerrado, ya que la peregrinación subsistía; incluso conoció un repunte de interés, como dan fe la multiplicación de relatos de peregrinos, nobles, burgueses de las grandes ciudades comerciales o clérigos en la segunda mitad del siglo XV.[39] Sin embargo, no nos engañemos: la peregrinación no concernía más que a un número ínfimo de personas. ¿Los peregrinos hacían su peregrinación a falta de cruzada? ¿O bien estaban convencidos de que la cruzada, en su práctica, estaba muerta y bien muerta? Yo estaría inclinado a pensar, pero estoy dispuesto a corregirme, que la cruzada seguía estando allí, pero en espíritu. Paradójicamente, el espíritu de cruzada marcó más de lo que en los siglos XII y XIII habían hecho algunas empresas (no todas) entre los siglos XIV y XVI, cubiertas por las instituciones de cruzada.

La orden teutónica en el Báltico (siglos XIII-XV)

Capítulo 4

Los últimos coletazos de la cruzada en Occidente

Los campos abiertos a las instituciones de cruzada no quedaron desiertos después del año 1300, pero habían dejado de tener ímpetu, o no el que era de esperar: la práctica se empobreció y cayó en la caricatura.

CALLEJÓN SIN SALIDA EN EL BÁLTICO

Tras la caída de Acre en 1291 y tras unos años de espera en Venecia, donde había establecido su cuartel general, la orden teutónica dio un paso adelante en 1309 y, aunque sin olvidar el Mediterráneo, gracias a sus sólidas posiciones en Italia del sur y en Sicilia, se volvió a centrar en Prusia y en Livonia. Poco más tarde, Marienburg se convirtió en la sede central de la orden y en la residencia del gran maestre. Prusia se convirtió en un principado teocrático soberano. En Livonia, la orden tenía que contar con el arzobispo de Riga y con los burgueses de la ciudad, que no aceptaban que se los despojara de sus derechos. La orden estaba encargada por el papado de la actividad misionera en la región y pretendía imponer a todos sus concepciones de la guerra misionera librada contra los paganos de Lituania.

A principios del siglo XIV, el arzobispo expresó severas críticas en cuanto a los métodos que ponían en práctica los teutónicos en esa guerra; el interés religioso cedía el paso a una política de pura dominación obtenida mediante la violencia y la conversión forzosa. Apoyado por la burguesía de Riga, el arzobispo se quejó ante la Santa Sede. Bonifacio VIII no tuvo tiempo de actuar y el asunto fue instruido por Clemente V, en el mismo momento en que el Temple era atacado. En 1310, ordenó una investigación que «insulta, ay, a nuestro Redentor, avergüenza a todos los fieles e insulta su fe; se han convertido en enemigos de los fieles y familiares de sus enemigos».[40] El gran maestre Charles de Tréveris, hábil diplomático, supo parar el golpe, lo que no impidió que los hermanos de la encomienda de Riga fueran excomulgados.

EL «VIAJE A PRUSIA» DE LA NOBLEZA OCCIDENTAL

La tenaz resistencia de los lituanos y sus ofensivas e incursiones sobre los territorios teutónicos seguían justificando la acción militar de la orden. Las extensas fronteras entre Prusia y Lituania, al sur, y Livonia y Lituania, al norte, eran el escenario de crueles combates. Se ha calificado de «interminable cruzada» a aquellas operaciones, que, sin embargo, no tenían ninguno de los caracteres de la cruzada.[41] Por el contrario, al igual que en el siglo precedente, la orden continuó llamando a la caballería de Occidente para que acudiera en su ayuda. A partir de 1337 comenzó la moda de las cruzadas de Prusia, que los contemporáneos llamaban con más propiedad *el viaje a Prusia* o *la rese* (del alemán *Reise*, «viaje»). La rese solía tener lugar en invierno, cuando los pantanos helados y un tiempo tranquilo, frío pero no demasiado, permitían los desplazamientos por las regiones pantanosas. Los combates de la guerra de los Cien Años se apaciguaban durante el invierno y la nobleza occidental encontraba una alegre diversión en el viaje a Prusia. También las treguas, más largas, daban ocasión para partir, pero en ese caso en verano.

El rey de Bohemia, Juan de Luxemburgo, fue tres veces, y los duques Pedro y Luis I de Borbón, el mariscal Boucicaut y el conde de Derby, el futuro Enrique IV de Inglaterra, también realizaron el viaje.[42] Partían para ayudar a la orden teutónica a combatir a los «sarracenos», es decir, a los lituanos paganos. Pero cuando no estaba prevista ninguna operación, o no era posible, pasaban el tiempo dedicándose al placer de la caza mayor. Los valientes caballeros volvían a casa cargados de preciosas pieles que podían ofrecer a sus damas. Al final de las operaciones, los caballeros colgaban el escudo con sus

armas en los muros de la catedral de Königsberg e iban a Marienburg. Allí, el gran maestro de la orden, como un nuevo rey Arturo,
ofrecía un banquete y recibía en su mesa (¡redonda, evidentemente!)
a los doce caballeros más valerosos de la campaña.

Por supuesto, el viaje a Prusia valía a sus participantes las indulgencias de la cruzada, como si hubieran ido en socorro de Tierra Santa.

LOS TEUTÓNICOS Y POLONIA

En 1386, el gran duque de Lituania, Ladislao Jagellon, se convirtió al
cristianismo para llegar a ser rey de Polonia y de Lituania. A continuación los lituanos se convirtieron, lentamente pero con seguridad.
La orden teutónica se había quedado sin su razón de ser: ¿se podía
continuar la guerra en nombre de Cristo contra el rey católico de un
reino católico desde hacía tiempo (Polonia) y otro que estaba en vías
de serlo (Lituania)?

Desde principios del siglo XIV y la anexión a la Prusia teutónica
de Pomerelia (o Pomerania occidental), las relaciones entre Polonia y
los teutónicos eran conflictivas. A través de Danzig (Gdansk), los teutónicos exportaban el trigo de Prusia y controlaban las exportaciones
de los productos del *hinterland* polaco. Para ellos era inaceptable un
«pasillo de Danzig». La unión polaco-lituana llevó a la guerra abierta. El 15 de julio de 1410 los teutónicos fueron vencidos en la batalla
del Tannenberg (o de Grunwald); pero las fortalezas teutónicas resistieron y la paz de Torun, firmada en 1413, no fue excesivamente dra-
mática para la orden.

El conflicto con Polonia fue llevado al concilio de Constanza, reunido en 1415 para resolver el gran cisma de Occidente. De resultas de
él se eligió un único papa, Martín V. Se abordaron también otras
cuestiones, de las que dos nos interesan especialmente: los problemas
de la reforma husita en Bohemia, de la que hablaré después, y el conflicto entre polacos y teutónicos. La orden aprovechó el concilio para
acusar a Polonia de violar la paz de Torun y de estar aliada con los
paganos —los sarracenos— lituanos, cuya conversión no era sincera.
Además, los lituanos eran acusados de dejar que los cismáticos (de
rito griego) vivieran y practicaran su culto en el sur de su Estado y

de establecer relaciones con la Iglesia de Constantinopla. Los teutónicos hablaban de guerra santa y reivindicaban su derecho a atacar y exterminar a los enemigos de la fe y expoliarles sus bienes. Eran los términos que se habían utilizado en 1209 para justificar la guerra contra los albigenses. No puedo detenerme aquí sobre el debate de Constanza entre polacos y teutónicos. Paul Wladimir, doctor de la Universidad de Cracovia, en nombre de los polacos, repudió el uso de la fuerza no sólo contra los cristianos, aunque fueran cismáticos o herejes, sino también contra los paganos o infieles que pertenecieran a una nación soberana (el reino polaco-lituano). Para él, la cruzada no tenía legitimidad más que en Tierra Santa, la tierra de Cristo: «La Tierra Santa, que ocupan los sarracenos, fue conquistada por el emperador romano en el curso de una guerra justa. Así que es legal para el papa [el heredero del Imperio], o para otros que tengan allí intereses, volver a colocarla bajo la jurisdicción del Imperio romano. Y también porque los infieles adoran ahora a Mahoma allí donde Cristo fue adorado».[43] En cualquier otra parte, la *cruzada* —entendamos con ello cualquier acción armada— era un atentado a la ley natural, ya que todas las criaturas gozan de derechos naturales.

Evidentemente, el concilio no siguió a los polacos por ese terreno, pero tampoco admitió el desaforado discurso del defensor de los teutónicos, el dominico Jean de Falkenberg. No obstante, prohibió a los teutónicos cualquier empresa armada contra Polonia y Lituania. El papa Martín V confió al rey Ladislao la tarea misionera en sus Estados.

Fieles al espíritu de Urbano II, los polacos habían recordado el principio de la guerra justa (aunque la demostración de Paul Wladimir sobre Tierra Santa distase de ser convincente) y el lugar central que Jerusalén tenía en la cruzada. Pero, de acuerdo con las ideas políticas de su tiempo, también habían aludido a los derechos del Estado moderno con relación a la Iglesia, sus instituciones y sus satélites.

FRACASO EN BOHEMIA

El 6 de julio de ese mismo año, 1415, y en la misma Constanza, los padres conciliares condenaron a la hoguera al reformador checo Jan Hus, llegado para defenderse de las acusaciones de herejía que se alzaban contra él. La ejecución sublevó a Bohemia, donde Jan Hus era una de las principales figuras de un movimiento de reforma religiosa emprendido desde hacía más de treinta años. El rey Wenceslao, desbordado, no consiguió canalizar lo que se convirtió en un movimiento nacional del pueblo checo y una revolución social. Su hermano y sucesor, Segismundo, ya emperador y rey de Hungría, tampoco.

Sin entrar en detalles sobre una reforma que llevaba a la formación de una Iglesia checa en la que la comunión bajo las dos especies de pan y vino para todos los fieles era un artículo de fe esencial, y el cáliz (que contiene el vino) su símbolo, indiquemos solamente que durante una docena de años, husitas moderados y husitas radicales colaboraron, lo que dio al movimiento reformador una sólida base política. La toma por asalto, el 30 de julio de 1419, del ayuntamiento de la Nueva Ciudad, en Praga, seguida poco después de la muerte del rey Wenceslao, dio el poder a los husitas, mientras que Segismundo no estaba en condiciones de hacer valer sus derechos.[44]

El movimiento husita creó sus propias estructuras de poder. En 1418-1419 comenzó la práctica de las peregrinaciones a las montañas. Poco y difícilmente implantado en las ciudades, incluidas las «cinco ciudades elegidas», las únicas en las que se podía ganar la salvación, el movimiento se desarrolló en el campo. En las *montañas*, los peregrinos se reunían para escuchar la predicación de la ley de Dios y recibir la comunión bajo las dos especies que la Iglesia oficial les negaba. Las montañas fueron rebautizadas con nombres bíblicos, como Tabor u Oreb. En Tabor, se edificó una ciudad fortificada, que se convirtió rápidamente en el centro político del ala radical, que propugnaba una pobreza absoluta. Se formaron cofradías socio-militares, como la «comunidad que trabaja en el campo de batalla», creada por Jan Jijka de Trocnow, en Tabor, y unida por él en 1423 a la de Oreb. Las cofradías se convirtieron en un instrumento militar tan temible contra los adversarios de la reforma religiosa y de la revolución husita que la Iglesia alzó su bandera para erradicar la herejía.

El 22 de febrero de 1418, Martín V denunciaba en la bula *Inter cuncta* a los herejes de Bohemia: debían ser expulsados de la comunidad de los creyentes y «desarraigados tan completamente como Dios nos haga capaces». Si rehusaban reconocer sus errores, serían entregados al brazo secular.[45] No obstante, no fue más que después de la toma de la Nueva Ciudad de Praga cuando, a petición de Segismundo, el legado pontificio publicó la bula *Omnium plasmatoris domini*, durante una dieta del Imperio en Breslau: se prometían recompensas espirituales «a los atletas de Cristo que lleven el signo de la cruz»; se invitaba a los fieles a tomar las armas y a los obispos a «predicar la cruz».[46]

Se lanzaron cinco *cruzadas* contra la Bohemia husita. El reclutamiento se hizo en el Imperio y la dirección militar estaba garantizada por los príncipes alemanes; un legado estaba presente. Todas las empresas (1420, 1421, 1422, 1427 y 1431) se saldaron con lamentables fracasos. También allí se aplicaron a una empresa militar de guerra santa las instituciones de cruzada: la toma de la cruz (¿hubo voto?, nada lo sugiere) y las indulgencias. Estamos ante una situación comparable a la de la cruzada contra los albigenses dos siglos antes: el objetivo era hacer que los herejes volvieran a la ortodoxia, y ése era el trabajo de los obispos. La especificidad de la lucha contra la herejía, que aquí se afirmaba, no era la especificidad de la lucha contra el infiel, aunque se pusieran en pie las instituciones de cruzada.

Pero la Bohemia husita ofrecía una situación original y paradójica. Los herejes estaban militarmente organizados bajo la dirección de jefes como Jan Jijka o Procopio el Rapado. A sus adversarios *cruzados* oponían la ley de Dios; se alzaban contra los falsos profetas; se referían a los macabeos. Su canto de guerra era explícito:

> Vous qui êtes les combattants de Dieu
> Et de la loi de Dieu
> Priez pour que Dieu vous aide
> Croyez en Dieu
> Et avec Dieu vous triompherez toujours.
> Christ vous récompensera de tout ce qui est perdu
> Il a promis cent fois pus
> À qui donne sa vie pour lui...*[47]

---

* Vosotros, combatientes de Dios/ y de la ley de Dios/ Rezad para que Dios os ayude/ Creed en Dios/ Y con Dios siempre triunfaréis./ Cristo os recompensará por todo lo perdido/ Ha prometido cien veces más/ A quien dé su vida por él...

¡Los cruzados camino a Jerusalén no lo hubieran dicho mejor!

También en la práctica, los *herejes* se comportaban como cruzados: en 1423, Jan Jijka impuso a los soldados que se habían dedicado al pillaje y habían ofendido a Dios una penitencia pública.[48] Thomas Fudge escribe: «Cruzados y herejes se enfrentaban en una guerra santa.»[49] La fórmula es curiosa, ya que revela toda la ambigüedad de la situación de Bohemia y la dificultad que tiene el historiador para hacerla entrar en marcos demasiado rígidamente establecidos, porque, ¿quiénes eran los verdaderos cruzados en este asunto? ¿En qué lado estaba el espíritu de la cruzada?[50]

Tras el fracaso de 1431, se abandonó el arma de la guerra santa. El compromiso con los husitas moderados, buscado entonces por los padres del concilio de Basilea, era posible. Los moderados rompieron con los radicales, a los que vencieron en la batalla de Lipany, en 1434. Los victoriosos husitas moderados obtuvieron del concilio de Basilea la firma de pactos, en 1436. Los checos mantenían la comunión bajo las dos especies y el cáliz, y se reintegraban a la Iglesia. Pero el papado, que no había tomado parte en el concilio, no se sintió comprometido. Cuando recuperó la dirección efectiva de la Iglesia, denunció el compromiso (Pío II en 1462) y excomulgó a Jorge de Podiébrad, rey de Bohemia, quien, como ya he dicho, replicó sobre la marcha al papado proponiéndole un proyecto de cruzada basado en una paz duradera entre los reinos europeos. Siempre el espíritu de la cruzada.

Las *cruzadas* antihusitas fueron a la vez empresas políticas y guerras santas contra los herejes. No se encontró mucha gente, fuera del Imperio, para apoyarlas. El duque de Borgoña hizo oídos sordos. Bien es verdad que Juana de Arco anunció que, una vez que los ingleses hubieran sido expulsados de Francia, ella partiría a desafiar a los malos cristianos, pero su carta del 3 de marzo de 1430 ¡es falsa![51]

Nostalgia atlántica

Los ibéricos apenas participaron en la cruzada de Tierra Santa. Hay que esperar al último tercio del siglo XIII para ver un príncipe aragonés en Acre. Es verdad que los territotios de la corona de Aragón ya apenas estaban implicados en la Reconquista, lo que lo explica. Pero tanto para los castellanos como para los portugueses la Reconquista no fue una excusa para no comprometerse en la cruzada (hubieran querido implicarse más); no fue un sustituto de la cruzada, sino una realidad y un mito unificador y fundacional de la «hispanidad».[52] Entre 1250 y la guerra de Granada, a finales del siglo XV, la Reconquista languideció. Bastaba que un soberano de Castilla tomase la iniciativa de una expedición contra Granada para que obtuviera del papado ánimos y concesiones de indulgencias. La batalla de Río Salado, en 1340, permitió provocar el aislamiento entre el reino de Granada y Marruecos; la *cruzada* de Antequera, en 1410, aureoló de gloria a su promotor Fernando, que se convertiría dos años después en rey de Aragón.

El gran tema de finales del siglo XV fue la conquista de Granada. La guerra, decidida por los Reyes Católicos, Isabel de Castilla y su marido, Fernando de Aragón, duró diez años (1482-1492) y exigió considerables medios financieros y militares. Se llevó a cabo en una atmósfera de cruzada, pero una cruzada puesta absolutamente al servicio de una ideología y de un proyecto político. La bula de Sixto V del 10 de agosto de 1482 concedía indulgencias plenarias «a todos los fieles que vayan en persona al *ejército del rey y de la reina* (la cursiva es mía)».[53] La guerra de Granada fue una guerra santa dirigida por los príncipes, investidos directamente por Dios para esa misión.

La palabra clave de la ideología y el proyecto real era la unidad (en eso el paralelismo con la cruzada es evidente). Se trataba de recuperar la última tierra cristiana que los infieles ocupaban en la península Ibérica y llevar a cabo así la unidad de la península cristiana. Pero, además, la conquista de Granada se inscribía en un proyecto de unidad de fe; se acompañó de la eliminación, por conversión forzosa o por expulsión, de los judíos y los musulmanes. Evidentemente no es ninguna casualidad que la expulsión de los judíos tuviera lugar el mismo año de la victoria, 1492. A pesar de los acuerdos pactados con los musulmanes de Granada, se estimularon las conversiones forzosas, que se multiplicaron.

La conversión —tanto de los judíos como de los musulmanes— no lo solucionaba todo. La Reconquista era una empresa de purificación (también en eso el paralelismo con la cruzada es flagrante). En los siglos XIV y XV tuvo lugar una reforma religiosa en ese sentido y se acuñó el concepto de *limpieza de sangre*, privativo de los verdaderos

y puros cristianos. Los *conversos* judíos y musulmanes fueron arroja-
dos a una categoría inferior, despreciada y sospechosa.[54] Los conversos judíos fueron acusados de continuar «judaizando», y los moriscos de permanecer fieles al islam. En 1568-1571 estalló una violenta
rebelión morisca (la segunda guerra de Granada). En 1613, cuando
se puso de manifiesto el fracaso de la asimilación, los moriscos fueron
expulsados al norte de África.

Pero mientras tanto, el espíritu de la cruzada había encontrado
otro terreno y otro objetivo.

A mediados del siglo XV, el infante portugués Enrique el Navegante armó flotas que se lanzaron al descubrimiento de las costas afri-
canas; las velas de los navíos enarbolaban la cruz de la orden de Cristo, heredera del Temple en Portugal. Ya por entonces, Ceuta y Melilla
eran cabezas de puente castellanas para una futura cruzada en África.
Los intereses materiales eran evidentes en las expediciones de Cristóbal Colón a las *Indias* («buscad las especias»); pero tales expediciones, comenzadas en 1492, se inscribían también en la atmósfera de
cruzada que había marcado la guerra de Granada. En las cartas dirigidas a los Reyes Católicos en 1501 y al papa Alejandro VI en 1502,
Cristóbal Colón se presentaba como «enseña de Cristo» o mensajero
de la Trinidad, predestinado para la misión de llevar a los «indios» a
la fe de Cristo. Para Colón, la tarea debía ser facilitada por el hecho
de que los *indios* no eran infieles; creían en Dios, pero no tenían religión. Colón vinculaba su misión con la cruzada tradicional: formaba
parte de un plan providencial de conquista del mundo por la fe católica bajo la égida de los Reyes Católicos. Pedía al papa que destina-
se las supuestas riquezas de las «Indias» al combate contra la «secta
de Mahoma» para restaurar a Cristo en Jerusalén.[55]

CONCLUSIÓN: CRUZADA Y CABALLERÍA

La cruzada no murió después de 1291. Jerusalén —siempre presente—, la ayuda a las Iglesias orientales y la lucha contra los turcos siguieron sosteniendo proyectos y tentativas en Oriente, y reactivaron
la idea de cruzada. El discurso de Urbano II siguió siendo actual.
Y eso, a la vez que la peregrinación pacífica conocía un resurgimien-

to y la misión pacífica se instalaba en Asia. El Báltico y la península Ibérica fueron el escenario de guerras santas o de guerras misioneras en las que siempre se aplicaban las instituciones de cruzada. Siempre hubo herejes y adversarios políticos del papa, e incluso, durante el gran cisma de los papas.

¿No fue más que un juego? ¿Un teatro de sombras? No sólo eso, pero también fue eso. Cuando Carlos IV de Luxemburgo, rey de Bohemia y emperador del Sacro Imperio fue a visitar al rey Carlos V a París a finales de 1377, fue tratado magníficamente. Durante el banquete, como era costumbre en aquel tiempo, fueron representados entremeses entre plato y plato: uno de ellos representaba la toma de Jerusalén por Godefroy de Bouillon; habría sido puesto en escena por Philippe de Mézières. ¡Teatro! Como los banquetes de la tabla redonda de la rese de Prusia; como el banquete del faisán en la corte de Borgoña.

Pero no sólo eso.

La nobleza europea integró durante mucho tiempo la cruzada a sus tradiciones familiares y a su tipo de vida. «Vivir noblemente» implicaba ser cruzado. No neguemos a la caballería de los siglos XIV y XV la fe y la espiritualidad. Pero el mejor pintor de esa caballería, que se considera decadente, Jean Froissart, no hablaba, cuando evocaba el «viaje a Berbería» del duque de Borbón, más que de «alta empresa y noble que hicieron en esta estación caballeros de Francia y de Inglaterra y de otros países en ultramar al reino de Berbería».[56] Boucicaut, que pudo pasar por un *cruzado profesional*, siempre por mares y por valles a finales del siglo XIV, sin duda nunca tomó la cruz.[57] Fue la mentalidad caballeresca, tanto como el espíritu de cruzada, lo que inspiró a Enrique el Navegante; también es la que explica la rocambolesca aventura de san Francisco ante el sultán en 1219 (Francisco era originario de los medios caballerescos de Asís); y, asimismo, es también la que animó, ya en los siglos XVI- XVII, a los caballeros del Hospital en Malta.

Caballería y cruzada nacieron casi al mismo tiempo, en tanto que ética e idea. Nunca cesaron de apoyarse la una en la otra a lo largo de la Edad Media, tanto sobre el terreno como en el imaginario. El debate entre la caballería del siglo y la nueva caballería (la caballería de Cristo), iniciado por san Bernardo, en su *Elogio de la nueva caballería* en 1128, de hecho, nunca cesó.

Conclusión:
A vueltas con una definición

CONCEPCIÓN «TRADICIONAL» O CONCEPCIÓN «PLURALISTA»

Los historiadores de la cruzada se dividen sobre su definición entre «tradicionalistas» y «pluralistas» (naturalmente, son éstos los que así califican a aquéllos). Los primeros están de acuerdo con una concepción de la cruzada que privilegia el objetivo, Jerusalén; los segundos piensan que el origen (el papa) y las instituciones (voto, cruz, indulgencias) son primordiales.[1] Retengamos una definición tradicionalista, la de Hans E. Mayer: «La cruzada es una peregrinación armada para la liberación de los Santos lugares y la ayuda a los cristianos de Oriente, con valor penitencial, sancionado con la concesión de la indulgencia plenaria».[2] Enfrentémosla con una definición pluralista, la de J. Riley-Smith: «Una cruzada es una guerra santa dirigida contra los que estaban considerados como enemigos, en el exterior y en el interior, para la recuperación de los bienes de la cristiandad o la defensa de la Iglesia o del pueblo cristiano».[3]

Tanto en unos como en otros se pueden encontrar definiciones más restrictivas o más amplias. Cada uno cita sus fuentes: Urbano II, la bula de Eugenio III, los textos jurídicos de los canonistas, etc. Cada uno puede encontrar en ellas argumentos para una u otra definición, desde el momento en que —lo que se acaba por olvidar— la palabra *cruzada* es una palabra tardía, por una parte, y, por otra, los hombres de la Edad Media utilizaron para nombrar el asunto otras palabras que ya tenían una aplicación particular. También, cuando la palabra acabó al fin por emerger en la lengua vulgar, en los siglos XIV y XV (en las formas *croiserie, croisiée, croisade*, cruzada, *crociata*), los contemporáneos (no hablo de la cancillería pontificia, que era mucho más estricta) apenas se preocuparon por rescribir la historia y la aplicaron a lo que tenían antes sus ojos. Hay que tenerlo en cuenta.

Se aprecian claramente las implicaciones de las diferentes tomas de postura: la definición tradicionalista limita el campo de la cruzada; la concepción pluralista lo amplía notablemente; la primera ve desviación de cruzada donde la segunda considera que se trata de una aplicación normal.

Desde el principio de la década de 1980, las posiciones han cambiado algo. Los pluralistas van viento en popa y consideran que su definición ha vencido definitivamente. Desde entonces, ya no hay materia de debate y no discuten sobre ello; en eso se equivocan, porque afirmar no es demostrar.[4] Pero, y ése es justamente el interés del debate, los avances, las investigaciones, emprendidas por ellos o por otros, quienes, sin adoptar forzosamente su punto de vista, lo han integrado en su andadura, han hecho nacer nuevas preguntas y nuevas respuestas.[5] Lo que, en mi opinión, saca adelante a la definición tradicionalista. Ésta ha quedado fijada; pero también ésa ha sido la suerte de la definición pluralista. Las dos son demasiado estáticas.

La definición pluralista pone por delante la autoridad que decide la cruzada —el papa, así como las instituciones de cruzada, con la indulgencia en primer plano— y los objetivos —defensa de la fe, de la Iglesia, del papado—. A grandes rasgos: en cualquier lugar en el que se encuentren esos elementos, o parte de ellos, habría cruzada. Hay dos cosas totalmente olvidadas: la dimensión de la peregrinación, que, sin embargo, es un componente esencial de la cruzada tal como fue proclamada en Clermont; y —muy vinculado a la peregrinación— el movimiento espontáneo, la respuesta, un elemento quizás inesperado pero real y fundamental de la concepción de la cruzada. Así, la *cruzada de los niños* no responde a las normas de la definición pluralista. Y, sin embargo…

Segundo reproche a la concepción pluralista: al ampliar desmesuradamente el campo de la cruzada, ésta absorbe totalmente la guerra santa. Algunos autores llegan a establecer una completa equivalencia entre una y otra noción (es el caso de la definición de J. Riley-Smith citada más arriba), o bien a una incapacidad para definir una en relación con la otra. Norman Housley define la cruzada por el voto, la cruz y las indulgencias; extendiendo, con toda la razón, sus análisis a los siglos XVI y XVII, hace de las guerras de religión en Francia guerras santas, pero sin dar una definición de ellas. Por otra parte, prefiere la expresión «guerra religiosa». Joseph O'Callaghan también se inclina por esa expresión para calificar las guerras de la reconquista en España, que, no obstante, asimila a las cruzadas.[6] Pero es una expresión comodín y no muy rica de contenido.

Por último, la definición pluralista no suele tener en cuenta las palabras. Vuelvo a repetir que la palabra *cruzada* aparece tarde y en las lenguas vulgares. Los historiadores modernos utilizan la palabra corrientemente y la aplican de manera arbitraria a operaciones diversas, que la gente de la Edad Media designó en principio con términos y expresiones latinas variadas, pero que no estaban escogidas al azar.

EL PESO DE LAS PALABRAS

Situémonos en el siglo XIV para examinar cuidadosamente los textos de las bulas producidas por la cancillería pontificia o transcritas por los cronistas.

¿Hay planteada una cruzada para liberar Tierra Santa? Se hablará de *peregrinatio*, de «Santo viaje a ultramar» (Felipe VI en 1332), de paso general (el *passagium generale* de Amadeo de Saboya, cuando tomó la cruz con Pedro I de Chipre y Juan el Bueno en 1363); se dirá: *pro passagio ultramarino faciendo* [...] *pro recuperatione Terrae Sanctae*. La expedición está dirigida contra los sarracenos impíos que ocupan Tierra Santa: *adversus Saracenos impíos detentores Terrae sanctae* (bula de Urbano V en 1363).

¿Se trata de Carlos de Valois, que quiere conquistar Constantinopla y reconstituir el Imperio latino? Es una empresa para recuperar el Imperio: *negotio ad recuperandam dictum imperium* o *pro recuperatione imperii Constantinopolii*. ¿El conde Amadeo de Saboya cambia de rumbo y en lugar de ir a Jerusalén se dirige hacia el mar Negro para socorrer a su amigo y pariente el emperador bizantino Juan V? Urbano V concede una bula para la empresa de defensa de los griegos: *negotium defensionis Graecorum*.

Cuando hay que ir a combatir a los turcos en el mar Egeo, Venecia se esfuerza por poner en pie una *societas de facto Turcorum* (1325), mientras Clemente VI en 1343 habla de «gran y difícil empresa en las partes de Romania»: *magnis et arduis negotiis ad partes Romaniae*. En 1309-1310, Clemente V habla de la «empresa contra los sarracenos del reino de Granada»: *negotio contra Sarracenis regni Granati*. En cuanto a los caballeros europeos que parten a Prusia, van a «la rese de Prusia», no en cruzada.

Añadamos que, en todos esos casos, hubo predicación, a veces toma de la cruz, y siempre indulgencias y remisión de los pecados. Pero las indulgencias se dieron, invariablemente, con referencia a Jerusalén: «Concedemos… [a los fieles que participaron en la Liga naval] la remisión de los pecados […] que se otorga a quienes atraviesan el mar para socorrer Tierra Santa» (Clemente VI, bula *Insurgentibus contra fidem*, 1343).

Es obvio que si adoptamos la definición pluralista, podemos colocar *a priori* todas estas empresas en la categoría de cruzadas y considerar que el lenguaje circunstanciado no tiene interés. Pero ¿es buen método?

Esta precisión del vocabulario posee, según mi punto de vista, un doble significado:

La cabeza de la Iglesia, el papa, aún haciendo uso y abuso de las instituciones de cruzada, siempre diferenció entre los diversos campos de aplicación y estableció una jerarquía en cuya cima mantuvo siempre a Jerusalén.

También se puede pensar que el papado usaba aquí una simple precaución de estilo; pero entonces sería una concesión hecha a una opinión que sabía cuál era la diferencia entre una cruzada a Jerusalén y una cacería de osos en los bosques lituanos.

PARA UNA DEFINICIÓN DINÁMICA DE LA CRUZADA

Después de haber reprochado a los pluralistas que miren por el anteojo de Hostiensis, hay que saber ponerse las gafas de los escribas de la cancillería pontificia. Ya que si, como pienso, la cruzada se define tanto por el llamamiento como por la respuesta, hay que tener en cuenta el uso amplio de la palabra cruzada una vez que apareció en lengua vulgar.

Mantener una definición tradicional de cruzada no es defendible. El concepto nació en Clermont en 1096; se fundó sobre una ideología y una espiritualidad, pero, al mismo tiempo, fue fundadora de esa ideología y esa espiritualidad (el juego del llamamiento y la respuesta). Se convirtió en una realidad, una práctica, y creó sus propias instituciones. En resumen, la cruzada vivió su propia vida y eso no se puede negar. Algunas experiencias la enriquecieron (la Reconquista en España, la misión); otras la deshonraron (Constantinopla, el Báltico) o la hicieron odiosa (la guerra de los albigenses); algunas incluso la envilecieron (las guerras particulares del papado en Italia) o la ridiculizaron (la cruzada del obispo de Norwich, las cruzadas husitas). Ampliando abusivamente el campo de aplicación de sus instituciones se empobrece su contenido.

Dicho esto, la cruzada marcó los campos, el de la Reconquista, por ejemplo. Si nos colocamos en la dialéctica llamamiento/respuesta, poco se puede repetir sobre la aplicación en España de las instituciones de cruzada. El lector ha podido observar que las órdenes religioso-militares, cuya creación está íntimamente unida a la cruzada, no actuaron más que en regiones en las que los cristianos se enfrentaban a los no-cristianos, musulmanes (Oriente, España) o paganos (Báltico); de todas maneras, hay que señalar la reticencia del Temple y del Hospital, las dos grandes órdenes nacidas en Tierra Santa para comprometerse plenamente en España y en el Báltico. Algo hicieron en España, pero muy poco en el Báltico, donde dejaron su puesto a los teutónicos. Aunque también rechazaron implicarse contra otros cristianos, herejes (albigenses) o simplemente adversarios del papado (Federico II, Manfredo y algunas ciudades italianas); aun así, hay que exceptuar a los griegos en la misma Grecia o en Chipre y en Rodas, pero ello se debió en parte a la implicación de esas regiones en los asuntos orientales. Se puede pensar también que el papado, sabiendo las reticencias de las órdenes y teniendo absoluta necesidad de ellas para defender Tierra Santa no las implicó, por prudencia, en esos terrenos.

El campo geográfico de la acción militar de las órdenes militares puede ser un marcador eficaz de la posible extensión de las instituciones de cruzada a terrenos de la guerra santa (España, Báltico) y de los límites que fijaron a esa extensión.

Pero esa extensión no debe significar la confusión. Sin Jerusalén, no hay cruzada.

La cruzada es una empresa decidida por el papado y que concierne a todos los fieles; asocia y amalgama la guerra santa y la peregrinación penitencial para dar a los cristianos la posesión de Jerusalén; proporciona a quien pronuncia el voto y toma la cruz la remisión de sus pecados. Engendró prácticas e instituciones que pudieron extenderse a los campos de la guerra santa sin que nunca la referencia a Jerusalén fuera olvidada.[7]

IDEA, REALIDAD, ESPÍRITU

La cruzada, en su singularidad, se salvó por la persistencia de la «idea», por la resistencia de los «simples», como decía Hostiensis, por la crítica, es decir, por la respuesta.

Hasta fecha reciente, los historiadores se despedían de la cruzada a finales del siglo XIII, con el pretexto de que se había hecho anacrónica y no estaba de acuerdo con la realidad del mundo nuevo de finales de la Edad Media. Concedían que la idea continuaba, pero que la cruzada, en su práctica, estaba muerta. ¿Era cierto? Es verdad que se la asociaba con otro moribundo que, de hecho, no lo llevaba tan mal: la caballería. Sin embargo, el Estado moderno, responsable de ambas muertes, no hizo ascos para servirse de la una y de la otra, tanto en la España de los Reyes Católicos como en el reino del santo rey Luis. Porque la idea de cruzada no sólo sobrevivió en los siglos XIV y XV, sino que renació y se renovó[8] bajo la influencia de una realidad nueva pero familiar, porque ya se había experimentado: los turcos.[9] La realidad de 1096 apenas amenazaba al Occidente cristiano, pero había conducido al acto: la cruzada, manifestación de la paz y la unión de los cristianos (al principio por lo menos) para liberar Jerusalén de manos de los infieles. La realidad de 1453 amenazaba directamente a Europa, pero no llevó más que a intenciones piadosas y a acciones veleidosas o abortadas, ya que faltaban la unión y la paz en Occidente. En 1096, la idea reflejaba la realidad; en 1453, la idea y la realidad no llegaron a unirse.

El espíritu de la cruzada de 1096, que animaba a los niños o a los zagales del siglo XIII, seguía animando a Catalina de Siena cuando escribía a la Señoría de Florencia: «No debemos hacer más la guerra entre cristianos, pero debemos hacerla contra los infieles porque nos injurian y porque poseen lo que no es suyo, sino nuestro». ¡Jerusalén, por supuesto! Animaba también a Pío II cuando se dirigía a los asistentes al congreso que reunió en Mantua en 1459: «¡Oh, si Godefroy, Balduino, Eustache, Hugues el Grande, Bohémond, Tancredo y otros grandes hombres estuvieran allí!, ellos, que antaño forzaron a las líneas turcas en la batalla y recobraron Jerusalén por la fuerza, no nos permitirían hablar tanto […], sino que alzándose como hicieron ante Urbano II, nuestro predecesor, gritarían con pasión "Dieu le veut"».[10]

Sin duda, sus oyentes lo encontraron un poco *viejo truco*, ya que los apostrofó así: «Esperáis tranquilamente el final de nuestro sermón y no parecéis emocionados del todo por nuestra exhortación.»

Durante cuatro años, intentó interesar a los príncipes en la cruzada que quería lanzar contra los turcos y por Jerusalén. Amargado, se resolvió en septiembre de 1463 a comprometerse solo, citando a los que inspiraba su ejemplo (contaba con Felipe el Bueno) en Ancona, en el verano de 1464: «Quizá, al ver a vuestro maestro y padre, el pontífice romano, vicario de Jesucristo, ir a la guerra (*in guerra vadentens*) viejo y enfermo, los príncipes sientan vergüenza por quedarse en su casa, tomen las armas y se adhieran animosos a la defensa de la religión sagrada».[11]

Fue a Ancona para encontrar allí la terrible realidad: un puñado de cruzados, algunas galeras venecianas… y la peste. Murió el 15 de agosto de 1464.

¿Fracaso de un hombre que Alphonse Dupront ha colocado, junto con Philippe de Mézières y Catalina de Siena, en la categoría de los «solitarios de la cruzada»,[12] o fracaso de un hombre que fue obligado a hacer la cruzada en solitario?

Queda el mito, el mito de la cruzada tan bien estudiado por Alphonse Dupront y revisitado por Géraud Poumarède. Simplifica o exalta, deforma o renueva la cruzada en función de circunstancias y elementos diversos y contradictorios. Quería ser unificadora y pacificadora del pueblo cristiano; casi nunca llegó a ese objetivo. El mito es generalmente unificador, pero el mito de la cruzada no lo consiguió.

Quizás a causa de sus ambigüedades: aunque nacida de una respuesta (a la invasión selyúcida) fue percibida como agresiva; de desviación en desviación se convirtió en un instrumento de normalización. El terrible «Dieu le veut» del principio fue fuente de fanatismo, pero la cruzada no sólo fue fanatismo; fue también un medio de intercambio y de conocimiento del otro. Esas ambigüedades aún perduran; decididamente, la cruzada sigue siendo un objeto histórico todavía mal identificado. Razón de más para abordarla con circunspección y sin ningún *a priori* simplificador.

Notas

Abreviaturas

APC: *Autour de la première croisade* (Actas del coloquio de la SSCLE, Clermont, 1996). Balard, M. (comp.), París, Publications de la Sorbonne, 1996.

BEC: *Bibliothèque de l'École des Chartes.*

C. et P.:   *Croissades et pèlerinages.* Régnier-Bohler, Danielle (comp.), París, Robert Laffont, 1997.

G. de T.:   Guillaume de Tyr, *Historia rerum in partibus transmarinis gestarum*, en Huygens, R. B. C. (comp.), 2 vols., Tournai, Brepols, 1986.

HC: *A History of the Crusades.* Setton, Kenneth (comp.), 6 vols., Madison, The University of Wisconsin Press, 1969-1989.

PL: *Patrologie latine*, en Migne, J. P. (comp.), 217 vols., París, 1841-1864.

RHC: *Recueil des historiens des Croisades*, 16 vols., París, 1841-1906.

RHGF: *Recueil des historiens des Gaules et de France*, 24 vols., París, 1867-1904.

Introducción

1. Cahen, C., *Orient et Occident au temps des croisades*, París, Aubier, 1983, pág. 7.
2. Grousset, R., *Les Croisades*, París, PUF, 1994, pág. 5.
3. Lévi-Strauss, C., *Tristes tropiques*, París, Plon, 1993, págs. 472-473.

Primera parte. La idea de Cruzada

1. La realizada por Jean Flori, en *Pierre l'Ermite et la prèmiere croisade* (París, Fayard, 1999), es ejemplar.

2. Tráfico de las órdenes sagradas (en especial, en el siglo XI, de su obtención debido a la corrupción de los cargos episcopales). Esta herejía debe su nombre a Simón el Mago, quien, según los Hechos de los Apóstoles, quiso comprar a los apóstoles el poder de impartir los sacramentos.

3. Robert le Moine, *Hieroslymitana expeditio*, 1, 1-2, en *RHC, Hist. Occ.,* tomo III, pág. 729.

4. Flori, Jean, *Pierre l'Ermite et la prèmiere croisade*, París, Fayard, 1999, pág. 160.

5. Cowdrey, H. E. J., «Pope Urban II's Preaching of the First Crusade», en Madden, Thomas F. (comp.), *The Crusades*, págs. 15-30.

6. Richard, Jean, *L'Esprit de la croisade*, París, Cerf, 2000, pág. 64.

7. Halphen, L. (comp.), *Chroniques des comtes d'Anjou et des Seigneurs d'Amboise*, París, 1913, pág. 412. Citado y traducido por Jean Flori (1999, pág. 165).

8. Schein, Sylvia, *Gateway to the Heavenly City*, Aldershot, 2003; Hamilton, B., «The Impact of the Crusader Jerusalem on Western Christendom», en *Catholic Historical Review*, nº LXXX, 1994.

9. Swanson, R.W., «Introduction», en Swanson, R.W. (comp.), *The Holy Land, Holy Lands and Christian History*, Londres, 2000.

10. *HC*, VI, N. Daniel, cap. I, «The Legal and Political Theory of the Crusades», pág. 11, citando una bula de Honorio III fechada en 1217.

11. Bernard de Clairvaux, *Lettres*, en Duchet-Suchaux, R. (comp.), París, Cerf, 2001, tomo II, nº 64.

12. Tanto para los griegos como para los latinos establecidos en Oriente y los musulmanes, el nombre de «iglesia de la Resurrección» era el término normalmente empleado. Los occidentales, y en especial el papado, seguían utilizando «Santo Sepulcro».

13. Micheau, F., «Jérusalem entre pays d'islam et monde latin», en *Islam et Monde de latin (milieu X^e-milieu XIIe), Espace et enjeux*, París, ADHE, 2000, págs. 139-157.

14. Graboïs, Arieh, «La Terre Sainte à la veille de la première croisade», en *Il Concilio di Piacenza et le crociate*, Piacenza, Tip Le Co, 1996, pág. 274; y Glaber, R., *Historiae*, en *RHGF*, tomo X, pág. 34.

15. Labande, E. R., «Recherches sur les pèlerins dans l'Europe des XIe et XIIe siècles», en *Cahiers de civilisation médiévale*, I, 1958, págs. 156-168 y 339-341.

16. France, J., «Les origines de la première croisade. Un nouvel examen», en *APC*, pág. 48.

17. Micheau, F., «Jérusalem entre pays d'islam et monde latin», págs. 143-144.

18. Schein, Sylvia, «Jérusalem, objectif spirituel de la première croisade?», en *APC*, págs. 119-126.

19. Heyman, A., «The representation of the Holy Sepulchre in Auvergnat Romanesque Sculpture. A Reflection of Crusader Patrons?», en *APC*, págs. 634 y 636-637.

20. Cahen, C., «Notes sur l'histoire de l'Orient latin. En quoi la conquête turque appelait-elle la croisade ?», en *Bulletin de la faculté de lettres de l'université de Strasbourg*, nº 21, 1950-1951.

21. Graboïs, A., «La Terre Sainte...», pág. 281.

22. Esta peregrinación, puesta en duda durante mucho tiempo, hoy parece confirmada; véase Jean Flori (1999, pág. 67-90).

23. Hamilton, B., «The Impact of Crusader Jerusalem...».

24. Erdmann, C., *The Origin of the Idea of Crusade*, Princeton, 1977; Cowdrey, H. E. J., «Pope Urban II's Preaching of the First Crusade», en Riley-Smith, Jonathan (comp.), *The First Crusade and the Idea of Crusading*, Londres, 1986.

25. Véanse los libros de Jean Flori, *La Guerre sainte: La formation de l'idée de*

croisade dans l'Occident chrétien (París, Aubier, 2001) y *Guerre sainte, jihad, croisade: Violence et religion dans le christianisme et l'islam* (Le Seuil, 2002), así como su artículo «Réforme-*reconquista*-croisade. L'idée de reconquête dans la correspondance pontificale d'Alexandre II à Urbain II», en *Cahiers de civilisation médiévale*, n° 40, 1996.

26. Cowdrey, H. E. J., *The Register of Pope Gregory VII (1073-1085). An English Translation*, Oxford, 2002, 1, 28, pág. 33; en una carta al obispo de Pavía fechada en 1073 y hablando de Erlambaud «valiente y muy esforzado caballero de Cristo», que combatió por la fuerza a los clérigos simoníacos y a sus partidarios en Milán.

27. Flori, Jean, 2001, pág. 51; traducción del canónigo Delaruelle.

28. Sobre la noción de «reconquista» y los abusos de su empleo, véase Torrò, J., «Pour en finir avec la reconquête. L'occupation chrétienne d'al-Andalûs, la soumission y la disparition des populations musulmanes (XIIe-XIIIe siècles)», en *Cahiers d'histoire critique*, n° 78, 2000, págs. 79-98; y Fletcher, R. A., «Reconquest and Crusade in Spain, c. 1050-1150», en Madden, Thomas F. (comp.), *The Crusades*, págs. 51-68.

29. Cowdrey, H. E. J., *The Register of Pope Gregory VII*, 2, 31, pág. 123.

30. *PL*, 151, col. 504.

31. *Ibid.*, 151, col. 506.

32. Richard, Jean, *Histoire des croisades*, París, Fayard, 1996, pág. 33. El punto de vista es diferente en Bull, M., «The Roots of Lay Enthusiasm for the First Crusade», en *History*, n° 78, 1993. Véase sobre el debate el artículo de Jean Flori, «De la paix de Dieu à la croisade? Un réexamen», en *Crusades*, n° 2, 2003.

33. Guibert de Nogent, *Dei gesta per Francos*, libro I, Brepols, 1998, pág. 53.

34. Foucher de Chartres, *Historia Hierosolimitana*, cap. I, en *Histoire de la croisade*, Cosmopole, 2001, págs. 15, 17-18.

35. Cowdrey, H. E. J., *Pope Gregory VII, 1073-1085*, Oxford, 1998, pág. 123.

36. France, J., «Les origines de la première croisade...», pág. 53.

37. *Ibid.*, pág. 56.

38. Flori, Jean, *Pierre l'Ermite...*, pág. 166.

39. Dupront, A., *Du sacré*, París, Gallimard, 1987, pág. 15.

40. Demurger, A., *La Croisade au Moyen Âge*, Nathan, 1998, págs. 19-20. He cambiado de opinión sobre este punto, por una parte porque he sido receptivo a los argumentos de Jean Flori y, por otra, porque estoy cada vez más convencido de la necesidad de integrar completamente la respuesta al llamamiento en el proceso de formación de la idea de cruzada.

41. Richard, Jean, «L'indulgence de croisade et le pèlerinage en Terre sainte», en *Il Concilio di Piacenza et le crociate*, Piacenza, Tip Le Co, 1996, págs. 213-223.

42. Finke, H., *Acta Aragonensia. Quellen aus der diplomatischen Korrespondenz Jaymes II (1291-1327)*, Berlín, tomo I, n° 147, pág. 224.

43. Bréhier, L. (comp.), *Histoire anonyme de la prèmiere croisade*, 1964, págs. 166-167; Flori, Jean, *Pierre l'Ermite...*, pág. 392 y n. 74.

44. Flori, Jean, «Une o plusieurs "prèmiere croisade"? Le message d'Urbain II et les plus anciens pogroms d'Occident», en *Revue historique*, n° 285, 1991, págs. 3-27.

45. Bréhier, L. (comp.), *Histoire anonyme...*, págs. 178-179.

46. Prawer, Joshua, *Histoire du royaume latin de Jérusalem*, París, Éditions du CNRS, 2003, tomo I, pág. 216.

47. Rouche, M., «Cannibalisme sacré chez les croisés populaires», en Hilaire, Y-M. (comp.), *La Religion populaire. Aspects du christianisme populaire à travers l'histoire*, Presses de l'université de Lille III, 1981, págs. 29-38. Véase una sólida visión crítica sobre la cuestión en Camus, J. P., «Les cannibales de Dieu. Polémique sur l'anthropologie de la première croisade», en *Histoire et conséquences*, n° 3 (octubre-noviembre de 2005), págs. 64-83.

48. Cowdrey, H. E. J., *The Register of Pope Gregory VII...*, vol. 1, 49, págs. 54-55.

49. Cole, P., «"O God, the Heathen Have Come into your Inheritance" (Psalm 78.1). The Terme of Pollution in Crusade Documents, 1095-1188», en *Crusaders and Muslims*, Leyde, págs. 84-111.

50. Bréhier, L. (comp.), *Histoire anonyme...*, págs. 206-207.

51. Foucher de Chartres, *Historia Hierosolymitana*, cap. XVIII, en *Histoire de la croisade*, Cosmopole, 2001, pág. 81.

52. Schein, Sylvia, *Gateway to the Heaven City...*, pág. 40.

53. Bréhier, L. (comp.), *Histoire anonyme...*, n. 42, págs. 215-216.

54. Flori, Jean, *Pierre l'Ermite...*, pág. 392.

55. Flori, Jean, «Réforme-*reconquista*-croisade...», págs. 317-335.

56. Flori, Jean, *Pierre l'Ermite...*, pág. 395.

57. Markowski, M., «Cruce signatus: its Origins and Early Usage», en *Journal of Medieval History*, n° 10, 1984.

58. Trotter, D. H., *Medieval French Literature and the Crusades (1100-1300)*, Ginebra, 1987.

59. Guibert de Nogent, *Dei Gesta per Francos*, libro I, 1, pág. 53.

60. Ambroise, *L'Estoire de la guerre sainte, histoire en vers de la troisième croisade (1190-1192)*, en Paris, G. (comp.), París, 1897. Por ejemplo, versos 4.029, 4.070.

61. Tyerman, C., «Were there Any Crusade in the Twelfth Century?», en Madden, Thomas F. (comp.), *The Crusades*, págs. 101-102.

62. Flori, Jean, *La Guerre sainte...*, págs. 14-15.

63. Foucher de Chartres, *Historia Hierosolymitana*, cap. I, en *Histoire de la croisade*, págs. 13-14.

64. Siedel, L., «Images of the Crusades in the Western Art», en Goss, V. P. (comp.), *The Meeting of the two Worlds*, Kalamazoo, Western Michigan University, 1986, págs. 377-392.

65. Grousset, R., *Les Croisades*, París, PUF, 1994, pág. 6 ; Regan, G., *First Crusader. Byzantium's Holy Wars*, Nueva York, 2001.

66. Grousset, R., *Les Croisades*, pág. 8.

67. Ledesma Rubio, M. L., *Templarios y Hospitalarios en el Reino de Aragón*, Zaragoza, 1982, pág. 28.

68. Goñi Gastambide, J., *Historia de la bula de la cruzada en España*, Madrid, 1958. Pero véase Ayala Martínez, C. de, *Las Cruzadas*, Madrid, 2004, que vuelve a centrar el estudio de la cruzada en Tierra Santa.

69. Boissonnade, P., *Du nouveau sur la Chanson de Roland*, París, 1923, pág. 20. El mito de la cruzada de Barbastro fue reventado por los trabajos de Ferreiro, A., «The Siege of Barbastro. A Reassessment», en *The Journal of Medieval History*, n° 9, 1983.

70. Rousset, Paul, *Histoire d'une idéologie. La croisade*, Lausanne, 1983, pág. 131.

71. Fletcher, R. A., «Reconquest and Crusades...», en Madden, Thomas F. (comp.), *The Crusades*, págs. 51-67. Las aventuras del Cid —el Cid histórico, por supuesto— pasando de una obediencia cristiana a una obediencia musulmana antes de ir por su cuenta bastan para descalificar la utilización de la palabra cruzada para esas guerras.

72. *Ibid.*, pág. 51.

73. Riley-Smith, Jonathan, *Les Croisades*, París, Pygmalion, 1990, pág. 21.

74. Cowdrey, H. E. J., *The Register of Pope Gregory VII...*, 2, 31, págs. 122-124, «*et usque ad sepulchrum Domini ipso ducente pervenire*» (*Registrum*, II, 31, págs. 163-165); Cowdrey, H. E. J., «Pope Gregory VII's "Crusading" Plans», en Kedar, B. Z., Mayer, H. E. y Smail, Raymond C. (comps.), *Outremer*, Jerusalén, 1982, págs. 139-140; Flori, Jean, «Le vocabulaire de la reconquête chrétienne dans les lettres de Grégoire VII», en Laliena-Corbera, C. y Utrilla, J. F. (comps.), *De Toledo a Huesca. Sociedades medievales en transición a finales del siglo XI*, Zaragoza, 1998, págs. 247-267.

Segunda parte. El Cruzado

1. Riley-Smith, Jonathan, *Les Croisades*, París, Pygmalion, 1990, págs. 141-142.

2. Véase Linder, A., *Raising Arms, Liturgy in the Struggle to Liberate Jerusalem in the Late Middle Ages*, Turnhout, 2003.

3. *Ibid.*, pág. 15. Para el autor, la liturgia es una de las formas esenciales de la acción a favor de la liberación o de la ayuda a Tierra Santa.

4. Inocencio III, *Quia major*, PL 216, col. 817-818.

5. Linder, A., *Raising Arms...*, pág. 363.

6. Dickson, G., «The Flagellants of 1260 and the Crusades», en *Journal of Medieval History*, n° 15, 1989, págs. 227-267.

7. Villehardouin, G. de, *La Conquête de Constantinople*, en Dufournet, J. (comp.), 1969, pág. 25; Theiner, A. (comp.), *Vetera documenta historica Hungariam sacram illustrantia*, Roma, 1859-1860, tomo I, págs. 660-662.

8. *Ad crucesignates vel crucesignandos*, citado por Maier, C., *Crusade Propaganda and Ideology. Model Sermons for the Preaching of the Cross*, Cambridge, 2000, págs. 82 y 100.

9. Cole, P. J., *The Preaching of the Crusades to the Holy Land, 1095-1270*, Cambridge, 1991, pág. 289.

10. *Ibid.*, pág. 71.

11. Cambrensis, Giraldus, *Itinerarium Kambriae*, en *Œuvres complètes*, tomo VI, Londres, 1861-1891: el itinerario de Balduino está reproducido en Riley Smith, J., *Atlas des croisades*, Autrement, 1996, pág. 88.

12. *The Register of John le Romeyn, Lord Arshbishop of York 1286-1296*, Durham, 1913-1916, tomo I, pág. 113; citado por Maier, C., *Crusade Propaganda...*, pág. 95; véase el mapa en Riley-Smith, Jonathan, *Atlas des croisades*, pág. 88.

13. Paris, Gunther de, *Historia captae a Latinus Constantinopoleis*, en PL 212, col. 227-228.

14. Jean Flori, en *Pierre l'Ermite et la première croisade* (Fayard, 1999), cree que es inverosímil el papel oficial de Pedro el Ermitaño durante la primera cruzada. Se presentan algunas reservas en: Rubinstein, J., «How up and How much to Reevaluate Peter the Hermit», en Ridyard, S. (comp.), *The Medieval Crusades*, 1994, págs. 53-70.

15. Petit, J., «Mémoire de Foulques de Villaret sur la croisade», en *BEC*, vol. 60, 1899, pág. 604.

16. Delaborde, H., «Documents inédits concernant l'Orient latin et les croisades (XIIᵉ-XIVᵉ siècles)», en *Revue de l'Orient latin*, VII, 1900, págs. 33-34; Brundage, J. A., «A Note on the Attestation of the Crusaders Vows», en *Catholic Historical Review*, LII, 1966; La Marche, Olivier de, *Mémoires*, en Beaune, H. y D'Arbaumont, J., (comps.), París, 1883-1888, tomo II, págs. 381-389.

17. Texto publicado por Jacques Paviot, *Les Ducs de Bourgogne, la croisade et l'Orient (fin XIVᵉ-XVᵉ siècle)* (París, Presses universitaires de Paris-Sorbonne, 2003, pág. 308).

18. Rousset, Paul, «Étienne de Blois, croisé fuyard et martyr», en *Genova*, nº 2, 1963; Brundage, J. A., «An Errant Crusader, Stephen of Blois», en *Traditio*, nº 15, 1960.

19. Hageneder, O. (comp.), *Die Register Innocenz III*, Viena, 1993, tomo V, nº 16, pág. 36.

20. Véase n. 13.

21. Brundage, J. A., «*Cruce signari*: The Rite for Taking the Cross in England», en *Traditio*, nº 22, 1966, pág. 289.

22. Caroff, F., «La croix prêchée et la croix du croisé. Le moment de la prise de croix dans les manuscrits enluminés du XIIIᵉ au XIVᵉ siècle», en *Revue Mabillon*, nº 12, 2001, págs. 65 y sigs.

23. El pontifical es el libro litúrgico del obispo, que contiene los textos que necesita para celebrar la misa.

24. Brundage, J. A., «*Cruce signari...*», págs. 299 y 301.

25. Pissard, Hippolyte, *La Guerre sainte en pays chrétien*, París, 1912, pág. 41; en ese libro se cita el siguiente texto cuya referencia, incompleta o errónea, no me ha permitido encontrarlo: «Maint baron et maint plains de foi Nostre Seigneur, se croisièrent et mistrent les croiz par devant, à la difference de la croiserie d'outre-mer» [«Muchos barones y muchos fieles de Nuestro Señor se cruzaron y mostraron la cruz por delante, a diferencia de la cruzada de ultramar»]; véanse también las referencias incluidas en el *Dictionnaire*, de Du Cange (comp.), 1883, tomo II, págs. 637-638.

26. Schein, Sylvia, *Gateway to the Heavenly City*, Aldershot, 2003, pág. 68.

27. Deuil, Eudes de, *De Projectione Ludovici VII in Orientem*, en Waquet, H. (comp.), París, 1949.

28. Neumann, C., *Die Kreuzzüge Kaiser Heinrich IV*, Francfort, 1994.

29. Kedar, B. Z. y Westergerd-Nielen, C., «Islanders in the Crusade Kingdom of Jerusalem: A Twelfth-Century Account», en *Mediaeval Scandinavia*, nº 11, 1978-1979.

30. Delaville Le Roulx, J., *La France en Orient*, París, 1886, tomo II, págs. 6-11.

31. Mas Latrie, L. de, «Commerce et expéditions militaires de la France et de Venise au Moyen Âge», en *Mélanges historiques. Choix de documents*, París, 1880, tomo III, págs. 97-109.

32. Pryor, John H., «Transportation of Horses by Sea during the Era of the Crusades, 8th Century to 1255», en *Mariner's Mirror*, n° 68, 1982.

33. Quantin, M., *Cartulaire de l'Yonne. Recueil de pièces pour faire suite au cartulaire général de l'Yonne, XIIIe siècle*, Auxerre, 1873, tomo III, n° 459, págs. 208-209.

34. Villehardouin, G. de, *La Conquête de Constantinople*, págs. 23-25.

35. Le Goff, Jacques y Dédeyan, G. (comps.), *La Méditerranée au temps de Saint Louis*, Actas del coloquio de Aigues-Mortes, abril de 1997, Ediciones del SIVOM de la región de Aigues-Mortes, 1998.

36. Joinville, *Vie de Saint Louis*, en Monfrin, J. (comp.), Classiques Garnier, 1995, pág. 65.

37. *Ibid.*, págs. 57-59.

38. Pryor, John H., *Geography, Technology, and War. Studies in the Maritime History of the Mediterranean, 649-1571*, Cambridge, 1988.

39. Kedar, B. Z., «The Passenger List of a Crusader Ship, 1250: towards the History of the Popular Element on the Seventh Crusade», en *Studi Medievali*, n° 13, 1972.

40. *PL*, 216, col. 817-822.

41. Graboïs, Arieh, «The Crusade of King Louis VII. A Reconsideration», en Edbury, P. (comp.), *Crusade and Settlement*, Cardiff, 1985, pág. 100.

42. Richard, Jean, «L'indulgence de croisade et le pèlerinage en Terre sainte», en *Il Concilio di Piacenza et le crociate*, Piacenza, Tip Le Co, 1996, pág. 220.

43. Deuil, Eudes de, *De Projectione...*, pág. 57.

44. G. de T., XXII, 15, pág. 1.026 ; Blancard, L., *Documents inédits sur le commerce de Marseille au Moyen Âge*, Marsella, 1884, tomo II, n° 952.

45. *PL* 200, col. 599-601; bula *Inter omnia*; publicada y traducida por Jean Richard, en *L'Esprit de la croisade* (París, Cerf, 2000, págs. 69-73).

46. Prawer, Joshua, *Histoire du royaume latin de Jérusalem*, París, Éditions du CNRS, 2003, tomo I, pág. 548.

47. Jotischky, A., *The Perfection of Solitude. Hermits and Monks in the Crusader States*, Pennsylvania, 1995, págs. 163-166.

48. Mont-Sion, Burchard de, y Laurent, J. M. C. (comps.), *Peregrinatores Medii Aevi quatuor*, Leipzig, 1864.

49. *Registres de Nicolas IV (1288-1292)*, en Langlois, E. (comp.), París, 1887-1893, tomo II, n° 2.258.

50. Véase el texto conocido como «Les pardons d'Acre», en Michelant, M. y Raynaud, G. (comps.), *Itinéraires à Jérusalem et descriptions de la Terre sainte rédigés aux XIe, XIIe et XIIIe siècles*, Ginebra, 1882.

51. Graboïs, Arieh, «Les pèlerins occidentaux en Terre sainte», en *Studi Medievali*, n° 30, 1984.

52. Delaville Le Roulx, J., *La France en Orient*, tomo II, págs. 6-11.

53. Alberigo, G., *Les Conciles écumeniques*, Cerf, 1994, II, 1, canon 18, pág. 440.

54. Guillaume de Tudèle, *Chanson de la croisade contre les Albigeois*, en Meyer, P. (comp.), París, 1875, tomo I, págs. 77-78.

55. Coste, J., *Boniface VIII en procès*, Roma, 1995, pág. 760.

56. *Actes du parlement de Paris*, en Boutaric, E. (comp.), 1867, tomo I, págs. 208 y 233; tomo II, pág. 124.

57. Bresc-Bautier, G., «Les imitations du Saint-Sepulcre de Jérusalem (IXe-XVe siècles). Archéologie d'une dévotion», en *Revue d'histoire de la spiritualité*, n° 50, 1974.

58. Tucci, U., «I servizi marittimo veneziani per il pelegrinaggio in Terra santa nel Medioevo», en *Studi Veneziani*, n° 24, 1986; Jacoby, D., «Pèlerinage médiéval et sanctuaires de Terre sainte. La perspective vénitienne», en *Ateneo veneto*, n° 24, 1986.

59. Véanse los relatos de Guillaume de Boldensele y Nompar de Caumont y Louis de Rochechouart publicados en Régnier-Bohler, Danielle (comp.), *C. et P.*, París, Robert Laffont, 1997.

60. Nompar de Caumont, «Le voyage d'outre-mer à Jérusalem», en Régnier-Bohler, Danielle (comp.), *C. et P.*, París, Robert Laffont, 1997, pág. 1.063.

61. *Historia diplomatica Frederici secundi*, en Huillard-Bréholles, J. L. A. (comp.), París, 1861, tomo VI, págs. 784-790; Kedar, B. Z., «The Passenger List...».

62. Nicholson, Helen, «Women in the Third Crusade», en *Journal of Medieval History*, n° 23, 1997.

63. Demurger, A., «L'aristocrazia laica e gli ordini militari in Francia nel duecento. L'essempio della Bassa Borgogna», en Coli, E. y Di Marco, M. (comps.), *Militia sacra. Gli ordini militari tra Europa e Terra santa*, Perugia, F. Tommasi, 1994.

64. Longnon, J., *Les Compagnons de Villehardouin. Recherches sur les corisés de la quatrième croisade*, Ginebra, 1974; Powell, J. M., *Anatomy of a Crusade, 1213-1221*, Filadelfia, 1986; Riley-Smith, Jonathan, *The First Crusaders, 1095-1131*, Cambridge, 1997.

65. Lloyd, S., *English Society and the Crusades, 1216-1307*, Oxford, 1988, págs. 113-153 y 262-281; donde el autor presenta un cuadro de los cruzados ingleses identificados en 1270-1272, indicando su estatus social, sus vínculos con el rey, sus hijos y otros señores ingleses, su origen geográfico y los parientes que, con ellos o antes que ellos, participaron en la cruzada.

66. Demurger, A., *Les Templiers. Une chevalerie chrétienne au Moyen Âge*, París, Le Seuil, 2005; Forey, A., «Towards a Profile of the Templars in the Early Fourteenth Century», en Barber, M. (comp.), *The Military Orders: Fighting for the Faith and Caring for the Sick*, Aldershot, 1994, págs. 196-204.

67. Housley, Norman, *Relgious Warfare in Europe, 1400-1536*, Oxford, 2002, pág. 9: «Nunca ha habido una guerra santa realizada por motivos puramente idealistas, y la historiografía que hace de la pureza de la intención un criterio para la guerra santa es falazmente moralista en sus métodos».

68. Rousset, Paul, *Histoire d'une idéologie. La croisade*, Lausanne, 1983, pág. 28.

69. Vauchez, A., *La Spiritualité du Moyen Âge occidental*, París, Le Seuil, 1994, pág. 98.

70. Riley-Smith, Jonathan, *Les Croisades*, pág. 129.

71. *Ibid.*, pág. 129; Libertini, C. G., «Practical Crusading. The Transformation of Crusading Practice, 1095-1221», en *APC*, págs. 281-292.

72. Cerrini, S., *Une expérience neuve au sein de la spiritualité médiévale. L'ordre du Temple (1120-1314)*, tesis de doctorado presentada en la Universidad de París IV París-Sorbonne en 1996 (inédita).

73. Vauchez, A., *La Spiritualité...*, pág. 43.

74. Cerrini, S., *Une expérience...*; e «I Templari: una vita da fratres, ma una regola anti-ascetica; una vita da cavalieri, ma una regola anti-eroica», en Cerrini, S. (comp.), *I Templari, la guerra e la santità*, Rimini, 2000.

75. Lacroix, B., «*Deus le volt*: la théologie d'un cri», en *Étude de civilisation médiévale, IXᵉ-XIIᵉ siècle. Mélanges E.-R. Labande*, Poitiers, 1974, págs. 461-470; Mastnak, T., *Crusading Peace. Christendom, the Muslim World and Western Political Order*, Berkeley, 2004, pág. 54.

76. G. de T., XXI, 21, pág. 990.

77. Hamilton, B., «The Impact of Crusader Jerusalem on Western Christendom», en *Catholical Historical Review*, n° LXXX, 1994.

78. Dickson, G., «The Flagellants...».

79. Scarpellini, P., «La chiesa di San Bevignate, i Templari e la pittura perugina del Duecento», en Roncetti, M., Scarpellini, P. y Tommasi, F. (comps.), *Templari e Ospitalieri in Italia. La chiesa di San Bevignate a Perugia*, Milán, 1987, págs. 93-158.

80. Al-Makin ibn al-Amîd, *Chronique des Ayyoubides (602-658/1205-6-1359-60)*, en Micheau, F. y Eddé, A. M. (comps.), París, «Documents relatifs à l'histoire des croisades», publicado por la Académie des Inscriptions et Belles Lettres, XVI, 1994, pág. 114.

81. Frolow, A., *Recherches sur la déviation de la quatrième croisade vers Constantinople*, París, PUF, 1955.

82. Claverie, P. V., «Un cas de trafic de reliques dans le royaume de Jérusalem au XIIIᵉ siècle: l'affaire Giovanni Romano», en *Revue historique de droit français et étranger*, n° 75, 1997.

83. Demurger, A., *Temps de crises, temps d'espoirs. Nouvelle histoire de la France médiévale*, París, Le Seuil, 1989, V, págs. 300-301; Beaune, C., «Visionnaire ou politique? Jean Michel, serviteur de Charles VIII», en *Journal des savants*, 1987; Le Thierc, G., «Le roi, le pape et l'otage. La croisade entre théocratie pontificale et messianisme royal (1494-1504)», en *Revue d'histoire de l'Église de France*, n° 88, 2002, págs. 41-82. No se debe confundir a Jean Michel con su homónimo angevino, autor de *Mystère de la Passion*.

Tercera parte. La cruzada: una institución

1. *PL* 180, col. 1.064.

2. Gregorio VIII, *Audita tremendi, PL* 202, col. 1.537; Inocencio III, *Quia major, PL* 216, col. 817-822; Clemente VI, *Insurgentibus contra fidem*, en Theiner, A. (comp.), *Vetera documenta historica Hungariam sacra illustrantia*, Roma, 1859-1860, tomo I, págs. 660-662, n° 986.

3. *PL* 216, col. 817-822, parcialmente traducida por Jean Richard, en *L'Esprit de la croisade* (París, Cerf, 2000, págs. 85-88).

4. *PL* 216, col. 830-832.

5. Guillaume Le Clerc, *Le Besant de Dieu*, Bruselas, 1973, pág. 135, versos 2.555-2.559.

6. Richard, Jean, «La croisade de 1270, premier passage général?», en *Comptes rendus de l'Académie des Inscriptions et Belles Lettres*, 1989; y *Croisades et États latins d'Orient. Points de vue et documents*, Aldershot, 1992.

7. Le Goff, Jacques, *Saint Louis*, París, Gallimard, 1996, pág. 145.

8. *Ibid.*, págs. 778-780.

9. Marshall, C., «The French Regiment in the Latin East (1254-1291)», en *Journal of Medieval History*, n° 15, 1989.

10. Dickson, G., «La genèse de la croisade des enfants (1212)», en *BEC*, n° 153, 1995.

11. Barber, M., «The Crusade of the Shepherds in 1251», en *Proceedings of the Tenth Annual Meeting of the Western Societies for French History*, 1984; y *Crusaders and Heretics, 12th-14th Century*, Aldershot, 1995.

12. Barber, M., «The Pastoureaux of 1320», en *Journal of Ecclesiastical History*, n° 32, 1981.

13. Flori, Jean, «Une ou plusieurs "première croisade"? Le message d'Urbain II et les plus anciens pogroms d'Occident», en *Revue historique*, n° 285, 1991, págs. 3-27.

14. Mayer, H. E., *The Crusades*, Oxford, 1988, pág. 216.

15. Volveremos a encontrar el problema de «el espíritu y la letra» con las cruzadas husitas en Bohemia en el siglo XV. Véase la séptima parte.

16. Richard, Jean, «Le financement des croisades», en *Pouvoir et gestion*, Toulouse, Presses de l'Université des Sciences Sociales, 1997, pág. 64; Gardner, Ch. K., «The Capetian Presence in Berry as a Consequence of the First Crusade», en *APC*, pág. 71.

17. Constable, G., «The Financing of the Crusades in the Twelfth Century», en *Outremer*, 1982, págs. 64-88.

18. Recordemos que en la Edad Media, el término *usurero* se refería a cualquier prestamista de dinero, fuera judío, lombardo o de otra procedencia y sin ninguna relación con el interés excesivo del crédito.

19. Joinville, *Vie de Saint Louis*, 112, en Monfrin, J. (comp.), Classiques Garnier, 1995, págs. 56-57.

20. Claverie, P. V., «Un nouvel éclairage sur le financement de la première croisade de Saint Louis», en *Mélanges de l'École française de Rome, Moyen Âge*, n° 113, 2001, págs. 621-635.

21. Trabut-Cussac, J. P., «Le financement de la croisade anglaise de 1272», en *BEC*, n° 119, 1961, págs. 113-140.

22. *Registres d'Innocent IV*, en Berger, E. (comp.), París, 1884, tomo I, n° 2644; véase Richard, Jean, «La confrérie de la croisade: à propos d'un épisode de la première croisade», en *Étude de civilisation médiévale, IXe-XIIe siècle, Mélanges E.-R. Labande*, Poitiers, 1974, págs. 617-622.

23. Morris, W. S., «A Crusader's Testament», en *Speculum*, n° 27, 1952.

24. Riley-Smith, Jonathan, *Les Croisades*, París, Pygmalion, 1990, pág. 144.

25. Richard, Jean, *Histoire des croisades*, París, Fayard, 1996, pág. 254.

26. *HC*, VI, F. Cazel, cap. III, «Financing the Crusades», págs. 135-137.

27. *Thesaurus novus anecdotorum*, en Martène, F. y Durand, U. (comps.), París, 1717, tomo II, pág. 54.

28. Alberigo, G., *Les Conciles oecuméniques*, París, Cerf, 1994, tomo II, 1, Constitución *ad liberandum*, págs. 572-573.

29. *HC* II, J. R. Strayer, cap. X, «The Political Crusades of the Thirteenth Century», pág. 347.

30. Richard, Jean, *Saint Louis*, París, Fayard, 1983, págs. 201-203.

31. Joinville, *Vie de Saint Louis*, 427, págs. 209-211.

32. Hasta el punto que algunos historiadores se niegan a hablar de cruzada antes de 1215. Tyerman, C., «Were there any Crusades in the Twelfth Century?», artículo que ha utilizado como capítulo introductorio de su libro, *The Invention of the Crusades*, que comienza con la aportación de Inocencio III sobre la materia.

33. Alberigo, G., *Les Conciles oecuméniques*, tomo II, 1, págs. 569-577.

34. *Actes du Parlement de Paris*, en Boutaric, E. (comp.), París, 1867, tomo I, n° 1.689, pág. 158.

35. Gregorio VIII, *Audita tremendi*, *PL* 202, col. 1.537.

36. Richard, Jean, «L'indulgence de croisade et le pèlerinage en Terre sainte», en *Il Concilio di Piacenza et le crociate*, Piacenza, Tip Le Co, 1996, págs. 213-223.

37. *Ibíd.*, pág. 216. Véase también Lourie, E., «The Confraternity of Belchite, the Ribat and the Temple», en *Viator*, n° 13, 1982, págs. 159-178.

38. *PL*, 200, col. 600-601. Richard, Jean, «L'indulgence de croisade...», pág. 219.

39. Richard, Jean, «L'indulgence de croisade...», pág. 219.

40. No obstante, es la posición defendida por F. H. Russel, en *The Just War in the Middle Ages* (Cambridge, 1975, pág. 204): «Cuando la doctrina de las indulgencias se unió a la guerra justa es cuando nació la teoría jurídica de la cruzada». También por Norman Housley en, por ejemplo, *The Avignon Papacy and the Crusades, 1305-1378* (Oxford, 1986, «Introduction»).

41. Flori, Jean, *Les Croisades*, París, J. P. Gisserot, 2001, pág. 68.

42. Alberigo, G., *Les Conciles oecuméniques*, tomo II, 1, págs. 576-577.

43. Maier, C. T., *Crusade Propaganda and Ideology. Model Sermon for the Cross*, Cambridge, 2000, pág. 113.

44. *Henrici de Seguso, cardinalis Hostiensis, Summa aurea*, Basilea, 1573, libro III, *De votum*, 19, págs. 906-907; *HC* II, J. R. Strayer, cap X, «The Political Crusades in the Thirteenth Century», pág. 345.

Parte cuarta. Cruzada y Guerra Santa:
¿Una ampliación del campo de la cruzada?

1. Alberigo, G., *Les Conciles oecuméniques*, París, Cerf, 1994, tomo II, 1, págs. 418-421.

2. Fletcher, R. A., «Reconquest and Crusade in Spain, c. 1050-1150», en Madden, Thomas F. (comp.), *The Crusades*, págs. 63-64.

3. *PL* 180, col. 1.064.

4. Graboïs, Arieh, «The Crusade of King Louis VII. A Reconsideration», en Edbury, P. (comp.), *Crusades and Settlements*, Cardiff, 1985, pág. 100.

5. Meschini, M., *San Bernardo e la seconda crociata*, Milán, 1998, págs. 100-101.

6. Prawer, Joshua, *Histoire du royaume latin de Jérusalem*, Éditions du CNRS, 2003, tomo I, pág. 343.

7. Hoch, Martin y Phillips, Jonathan (comps.), *The Second Crusade. Scope and Consequence*, Manchester, 2001: los dos compiladores de esta recopilación de artículos defienden ese punto de vista, discutido en el mismo volumen por Rudolph Hiestand. La frase que cito pertenece a G. Constable, que introduce el volumen, ¡y parece dubitativo!

8. *PL* 180, col. 1.203, nº CLXVI.

9. Edgington, S., «Albert von Aachen, St Bernard and the Second Crusade», en *The Second Crusade. Scope and Consequence*, pág. 61.

10. A pesar de lo que dice J. Goñi Gastambide, en su *Historia de la bula de la cruzada en España* (Madrid, 1958, pág. 83).

11. Constable, G., «A Further Note on the Conquest of Lisbon in 1147», en Bull, M. y Housley, Norman (comps.), *The Experience of Crusading, I, Western Approaches*, Cambridge, 2003, págs. 43-45.

12. *PL*, 216, col. 355, 371, 513, 533.

13. Véase el sugestivo primer capítulo de Joseph F. O'Callaghan, *Reconquest and Crusade in Medieval Spain* (Filadelfia, 2003, págs. 7-22). El autor se pronuncia a favor de las teorías pluralistas de la cruzada y asimila la reconquista a la cruzada, pero de manera progresiva; primero, una guerra santa (aunque él prefiere hablar de guerra religiosa, por no decir guerra de religión), después, la cruzada: «El tema de este libro es en lo que la idea de reconquista fue modificada y transformada por el concepto de cruzada». Estoy de acuerdo con la propuesta, pero que la cruzada hubiera influido en la reconquista no basta, en mi opinión, para asimilarlas.

14. Rucquoi, A., *Histoire médiévale de la péninsule Iberique*, París, Le Seuil, 1993, pág. 264.

15. Véase séptima parte.

16. Riley-Smith, Jonathan, *Les Croisades*, París, Pygmalion, 1990, págs. 153-154. Habla de «las ideas del movimiento de las cruzadas, alteradas por el concepto nórdico de la guerra misionera», pero utiliza la palabra cruzada para la mayoría de las empresas militares de esas regiones.

17. Actualmente Kaliningrado, en Rusia.

18. Flori, Jean, *Les Croisades*, París, J. P. Gisserot, 2001, pág. 68; Berger, E. (comp.), *Registres de Innocent IV*, París, 1884, tomo I, nº 1.561.

19. Richard, Jean, *Histoire des croisades*, París, Fayard, 1996, pág. 254.

20. Barbaro, J. B. y Rostaing, Ch., *Raimbaut de Vaqueiras*, Scriba, 1989, págs. 116-117.

21. Hageneder, O. (comp.), *Die Register Innocenz III*, Roma, 1979, tomo II, pág. 264.

22. La palabra «cisma» significa «separación»; no cuestiona ni las creencias ni los fundamentos de la fe, a diferencia de la herejía (elección, preferencia particular). La herejía se define como la opción por una verdad parcial erigida como absoluta contra la doctrina de la Iglesia, con lo que marca una verdadera ruptura con ésta, tanto con sus creencias y sus dogmas como con su disciplina y su jerarquía.

23. *PL* 215, col. 701, citado por Jonathan Riley-Smith, en *Les Croisades* (pág. 152).

24. Lower, M., *The Baron's Crusade. A Call to Arms and its Consequences*, Filadelfia, 2005, pág. 6.

25. *Ibid.*, pág. 9.

26. *Regestum Clementis papae V ex Vaticanis archetypis editio, cura et studio monachorum ordinis sancti Benedicti*, Roma, 1885-1892, n° 1.768; Menache, S., *Clément V*, Cambridge, 1998, págs. 119-121.

27. Alberigo, G., *Les Conciles oecuméniques*, tomo II, 1, págs. 482-485.

28. Housley, Norman, «Crusades against Christians. Their Origins and Early Development, circa 1100-1216», en Madden, Thomas F. (comp.), *The Crusades*, pág. 86.

29. Pissard, Hippolyte, *La Guerre sainte en pays chrétien*, París, 1912, pág. 41.

30. Cánones 27 y 24 (1179), 71 y 3 (1215).

31 Berlioz, J., «Tuez les tous. Dieu reconnaîtra les siens», en *La croisade contre les Albigeois vue par Césaire de Heisterbach*, Loubatières, 1994.

32. Pissard, Hippolyte, *La Guerre sainte...*, pág. 87.

33. Rousset, Paul, *Histoire d'une idéologie. La croisade*, Lausanne, 1983, pág. 86.

34. Alberigo, G., *Les Conciles oecuméniques*, tomo II, 1, pág. 495.

35. Housley, Norman, *The Italian Crusades. The Papal-Angevin Alliance and the Crusades against Christian Lay Powers, 1254-1343*, Oxford, 1982.

36. Housley, Norman, «Crusades against Christians...», en Madden, Thomas F. (comp.), *The Crusades*.

37. *Registres de Clément IV*, en Jordan, E. (comp.), París, 1893, n° 1.444, pág. 451. Sobre el segundo plano de esta *cruzada*, véase Dickson, G., «The Flagellants of 1260 and the Crusades», en *Journal of Medieval History*, n° 15, 1989; y Toubert, P., «Les déviations de la croisade au milieu du XIIIᵉ siècle: Alexandre IV contre Manfred», en *Le Moyen Âge*, LXIX, 1963, págs. 391-399.

38. Olivier-Martin, F. (comp.), *Registres de Martin IV*, París, 1901-1935, tomo I, n° 570.

39. Housley, Norman, *The Italian Crusades...*, págs. 16 y sigs.

40. Letrán I, 10; Letrán III, 23; Letrán IV, 71 (el último y más elaborado de los cánones del concilio).

41. *PL* 216, col. 744-745, bula *Cum jam captis*.

42. *Ibid.*, col. 817-822; aquí 820.

43. *Ibid.*, col 905.

44. Purcell, M., *Papal Crusading Policy, 1244-1249: The Chief Instruments of Papal Crusading Policy and Crusade to the Holy Land from the Final Loss of Jerusalem to the Fall of Acre*, Leyde, 1975.

45. Housley, Norman, *The Avignon Papacy and the Crusades, 1305-1378*, Oxford, 1986, pág. 12; donde hace suya la fórmula de F. H. Russel, en *The Just War in the Middle Ages* (Cambridge, 1975, pág. 204): «Cuando la doctrina de las indulgencias se une a la guerra justa, nace la teoría jurídica de la cruzada».

46. Housley, Norman, «Crusades against Christians...», en Madden, Thomas F. (comp.), *The Crusades*, pág. 86.

47. Como se verá en la conclusión de esta obra, esa confusión está en el origen de las divergencias entre defensores de la definición pluralista y de la definición tradicional de la cruzada.

Parte quinta. Experiencias de cruzada

1. Burns, R. I., *The Crusader Kingdom of Valencia. Reconstruction on a Thirteenth Century Frontier*, Cambridge, Cambridge University Press, 1967, 2 vols.

2. Jensen, K. V., «Denmark and the Second Crusade: the Formation of a Crusader State?», en Hoch, Martin y Phillips, Jonathan (comps.), *The Second Crusade. Scope and Consequences*; y Christiansen, E., *Les Croisades nordiques. La Baltique et la frontière catholique, 1100-1525*, Alérion, 1996, califica indistintamente a todos los Estados cristianos de Escandinavia de Estados *cruzados*.

3. Lourie, E., «A Society Organised for War», *Past and Present*, 35, 1966.

4. Jackson, P., «The Crusades of 1239-1241 and their Aftermath», en *Bulletin of the School of Oriental and African Studies*, n° 50, 1987, págs. 58-59. El autor muestra en especial, contra la opinión más corriente, que los templarios dieron prueba de una mayor flexibilidad que su ponentes en la explotación de una situación cambiante y fluida en el mundo musulmán.

5. Véase el mapa de estos señoríos en Riley-Smith, Jonathan, *Atlas des croisades*, Autrement, 1996, pág. 37.

6. Harari, Y., «The Military Role of the Frankish Turcoples: a Reassessment», en *Mediterranean Historical Review*, n° 12, 1997, págs. 75-116.

7. Richard, Jean, «The Turcoples au service des royaumes de Jérusalem et de Chypre: musulmans convertis ou chrétiens orientaux?», en *Mélanges Dominique Sourdel. Revue des études islamiques*, n° 55, 1986.

8. Demurger, A., «Templiers et Hospitaliers dans les combats de Terre sainte», en Balard, M. (comp.), *Le Combattant au Moyen Âge*, París, 1989.

9. Minervini, L. (comp.), *Chronique du Templier de Tyr*, 115 (351), pág. 114.

10. Marshall, C., «The French regiment in the Latin East, 1254-1291», en *Journal of Medieval History*, n° 15, 1989, págs. 301-307; Lloyd, S., *English Society and the Crusade, 1216-1307*, Oxford, 1988, pág. 242.

11. G. de T., XXI, 21-22, págs. 990-992.

12. Richard, Jean, «Introduction», en Faucherre, N., Mesqui, J. y Prouteau, N. (comps.), *La Fortification au temps des croisades*, Presses universitaires de Rennes, 2004, pág. 17.

13. Véanse las tres obras de P. Deschamps sobre *Le Crac des Chevaliers, La Défense du Royaume de Jérusalem* y *La Défense de la principauté d'Antioche et du comté de Tripoli* (*Les Châteaux des croisés en Terre sainte*, 3 vols., París, Paul Geuthner, 1934-1973); Smail, Raymond C., *Crusading Warfare (1097-1193)*, Cambridge, 1986.

14. Se trataba de un antiguo monasterio griego.

15. G. de T., XX, 19, pág. 937.

16. Ellenblum, R., «Three Generations of Frankish Castle Building in the Latin Kingdom of Jerusalem», en *APC*, págs. 517-551.

17. Huygens, R. B. C., *De constructione castri Saphet, Construction et fonctions d'un château fort franc en Terre sainte*, Amsterdam, 1981, pág. 41; y Barbe, E. y Damati, E., «Le château de Safed, sources historiques, problématique et premiers résultats des recherches archéologiques», en *La Fortification au temps des croisades*, págs. 77-94, que muestra la importancia del *vestir* mameluco en las fortalezas francas.

18. Richard, Jean, «Introduction», pág. 21.

19. Demurger, A., *Chevaliers du Christ. Les ordres religieux-militaires au Moyen Âge*, París, Le Seuil, 2002.

20. Paris, Mathieu, *Chronica majora*, en Luard, H. (comp.), Londres, 1872-1884. Paris insertó en su obra numerosas cartas, especialmente sobre la batalla de La Forbie.

21. Demurger, A., *Jacques de Molay*, París, Payot, 2002, pág. 170.

22. Delisle, L., *Mémoire sur les opérations financières des Templiers*, París, 1889; Piquet, J., *Des banquiers au Moyen Âge: les Templiers, Étude de leurs opérations financières*, París, 1939, donde el autor dedica un capítulo a los hospitalarios; y De la Torre Muñoz de Morales, I., *Los Templarios y el origen de la Banca*, Madrid, 2004.

23. Verbruggen, J. F., *The Art of Warfare in Western Europe during the Middle Age*, Amsterdam, 1976, pág. 13; Demurger, A., «La mission des Templiers: la règle et le terrain», en *Sacra Militia*, n° 3, 2002, págs. 5-18.

24. De Curzon, H. (comp.), *La Règle du Temple*, París, Société de l'Histoire de France, 1889, art. 77-197.

25. Contamine, P., *La Guerre au Moyen Âge*, París, PUF, 1992.

26. *Ibid.*, pág. 357; Schein, Sylvia, «*Fideles Crucis*»: *The Papacy, the West and the Recovery of the Holy Land, 1274-1314*, Oxford, 1991. El tratado de E. Piloti, *Traité sur le passge en Terre sainte*, está parcialmente editado en Régnier-Bohler, Danielle (comp.), *C. et P.*, París, Robert Laffont, 1997, págs. 1.224-1.278.

27. Citado por Jean Richard, en *Histoire des croisades* (París, Fayard, 1996, págs. 105-106).

28. Riley-Smith, Jonathan, *The First Crusaders, 1095-1131*, Cambridge, 1997, pág. 19.

29. Boas, A., *Crusader Archaeology. The Material Culture of the Latin East*, Londres, 1999, págs. 60-67.

30. Ellenblum, R., *Frankish Rural Settlement in the Latin Kingdom of Jerusalem*, Cambridge, 1998, pág. 282.

31. Véase la reconstrucción gráfica en Riley-Smith, Jonathan, *Atlas des croisades*, págs. 40-41.

32. Ellenblum, R., *Frankish Rural Settlement...*, n. 31, págs. 75-76.

33. Paris, Mathieu, *Chronica majora*, tomo V, pág. 107 y tomo VI, pág. 63.

34. Kedar, B. Z., «A Passenger List of a Crusader Ship, 1250: towards the History of the Popular Element of the Seventh Crusade», en *Studia Medievali*, n° 13, 1972, págs. 267-269.

35. Sobre el comercio italiano en el Mediterráneo oriental, véase Balard, M., *La Romanie génoise (XIIe-début du XVe siècle)*, Roma, 1978; y Thiriet, F., *La Romanie vénitienne au Moyen Âge*, París, 1959.

36. Djubayr, Ibn, «Relation des péripéties qui surviennent pendant les voyages (Rihla)», en *Voyageurs arabes*, París, Gallimard, 1995, pág. 326.

37. El inmenso imperio creado por Gengis Kan y sus sucesores inmediatos, de China a Rusia, fue después dividido en cuatro partes (*ulus* o kanatos).

38. Cahen, C., *Orient et Occident au temps des croisades*, París, Aubier, 1983, págs. 107-108.

39. Favreau-Lillie, M. L., *Die Italiener im Heilgen Land vom ersten Kreuzzug bis zum Tode Heinrichs von Champagne (1097-1197)*, Amsterdam, 1989.

40. Véase la mesa redonda sobre el tema, cuyas actas están publicadas en Kedar, B. Z. (comp.), *The Horns of Hattim*, Londres-Jerusalén, 1992.

41. Alberigo, G., *Les Conciles oecuméniques*, tomo II, págs. 480-481 (Letrán III, canon 24) y págs. 569-577 (Letrán IV, canon 71).

42. Friedman, Y., *Encounter between Enemies: Captivity and Ransom in the Latin Kingdom of Jerusalem*, Leyde, 2002, pág. 90.

43. Cipollone, G., *Cristianità, Islam e liberazione in nome de Dio*, Roma, 1992, págs. 182-186. Incluye una lista de las ejecuciones.

44. «Le pèlerinage du maître Thietmar», en Régnier-Bohler, Danielle (comp.), *C. et P.*, París, Robert Laffont, 1997, pág. 936.

45. Huygens, R. B. C., *De constructione...*

46. Friedman, Y., *Encounter...*, pág. 23.

47. Muqaddassi, 177; citado y traducido por Miquel, A., *La Géographie humaine du monde musulman*, Mouton, tomo IV, 1988, pág. 55.

48. Friedman, Y., *Encounter...*, pág. 32.

49. *Ibid.*, pág. 83.

50. Richard, Jean, *La Papauté et les missions d'Orient au Moyen Âge (XIIIe-XVe siècles)*, Roma, 1998, pág. 40.

51. «Le pèlerinage du maître Thietmar», en Régnier-Bohler, Danielle (comp.), *C. et P.*, París, Robert Laffont, 1997, pág. 936.

52. Véase una relación de sus milagros en Smith, C., *Christians and Moors in Spain*, Warminster, 1989, tomo I, págs. 92-97 (se trata de una recopilación de documentos publicados en latín con traducción inglesa).

53. Usâma ibn Munqid, *Des enseignements de la vie. Souvenirs d'un gentilhomme syrien du temps des croisades*, Imprimerie nationale, 1983, pág. 225.

54. Redención, acción de rescatar, por referencia a la acción de Cristo —el redentor del género humano— quien, con su sacrificio, rescató a los hombres y los liberó del pecado.

55. Brodman, J. W. «Municipal Ramsoning Laws in the Medieval Spanish Frontier», en *Speculum*, n° 60, 1983, págs. 319 y 325-328.

56. Cipollone, G., *La Casa della Santa Trinità di Marsiglia (1207-1547)*, Roma, 1981.

57. Cipollone, G., *Cristianità...*, págs. 415-421.

58. Gross, J. (comp.), *The Trinitarian Rule of Life. Text of the Six Principal Editions*, Roma, 1983, pág. 11.

59. Cipollone, G., *Cristianità...*, págs. 426-433.

60. Brodman, J. W., «The Origins of the Mercedarians. A Reasessment», en *Studia Monastica*, n° 19, 1977.

61. Forey, A. J., «The Order of Saint Thomas of Acre», en *Military Orders and Crusades*, Aldershot, 1994, XII, págs. 481-503.

62. Mur i Raurell, A., *La Encomienda de San Marcos. La orden de Santiago en Teruel*, Teruel, 1988; Gallego Blanco, E. (comp.), *The Rule of the Spanish Military Order of Saint James, 1170-1192*, Leyde, 1971, págs. 11 y 112-113.

63. Throop, Palmer A., *Criticism of the Crusade: a Study of Public Opinion and Crusade Propaganda*, Amsterdam, 1940.

64. Duby, G., *Guillaume le Maréchal, le meilleur chevalier du monde*, París, Fayard, 1984, pág. 20.

65. Siberry, Elizabeth, *Criticism of Crusading, 1095-1274*, Oxford, 1985.

66. Rutebeuf, *Œuvres complètes*, en Zink, M. (comp.), Le Livre de Poche, pág. 905.

67. Constable, G., «Medieval Charters as a Source for the History of the Crusades», en Madden, Thomas F. (comp.), *The Crusades*, págs. 129-151; Demurger, A., «L'aristocrazia laica e gli ordini militari in Francia nel duecento. L'esempio della Bassa Borgogna», en Coli, E., de Marco, M. y Tommasi, F. (comps.), *Militia sacra. Gli Ordini militari tra Europa e Terra santa*, Perugia, 1994, págs. 55-83.

68. Kedar, B. Z., *Crusade and Mission. European Approaches toward the Muslims*, Princeton, 1984, pág. 115.

69. Housley, Norman, *Documents on the Later Crusades...*, *1274-1580*, Basingbroke, 1996, págs. 90-100.

70. Flahiff, G. B., «*Deus non vult*: a Critic of the Third Crusade», en *Medieval Studies*, n° 9, 1947, pág. 163.

71. Jeanroy, A., «Le troubadour Austorc d'Aurillac et son sirventes sur la septième croisade», en *Romanische Forschungen*, n° 23, 1906, págs. 81-87; Siberry, Elizabeth, «Troubadours, Trouvères, Minnesanger and the Crusades», en *Studi Medievali*, n° 29, 1988, págs. 19-43.

72. Rutebeuf, *Œuvres complètes*, pág. 901.

73. Joinville, *Vie de Saint Louis*, 735, en Monfrin, J. (comp.), Classiques Garnier, 1995, págs. 363-365.

74. Lower, M., *The Baron's Crusade. A Call to Arms and its Consequences*, Filadelfia, 2005, págs. 5-6.

75. Guillaume Le Clerc, *Le Besant de Dieu*, en Ruelle, P. (comp.), Bruselas, 1973, pág. 133, versos 2.484-2.488.

76. De Bastard, A., «La colère et la douleur d'un Templier en Terre sainte (1265)», en *Revue des langues romanes*, n° 81, 1974, págs. 333-374.

77. Dante, *Divina Comedia*, «Infierno», 27, 86.

78. *Ibid.*, «Paraíso», 15, 144: *per colpa de pastor*; Cardini, F., «Crusade and Presence of Jerusalem in Medieval Florence», en *Outremer*, págs. 332-346.

79. Siberry, Elizabeth, *Criticism of Crusading...*, donde también mantiene el argumento de que las cruzadas «cismarinas» eran tan populares como las cruzadas a Jerusalén, lo que no está demostrado. Su punto de vista ha sido criticado por H. E. Mayer, *The Crusades*, Oxford, 1988, pág. 320, n. 143.

80. Rutebeuf, *Œuvres complètes*, págs. 401, 827, 835.

Parte sexta. Los cruzados y los demás

1. Le Goff, Jacques, *La Civilisation de l'Occident médiéval*, Arthaud, 1964, pág. 98. Hay que añadir el molino de viento, el papel, el cero y las cifras indias. Elisséeff, N.,

«Les échanges culturels à l'époque de Nûr al-Din», en Goss, V. P. (comp.), *The Meeting of the Two Worlds*, Kalamazoo, Western Michigan University, 1986, pág. 41.

2. Voltaire: «Todo lo que ganamos de las cruzadas fue esa lacra»; Michelet, para quien la institución de las leproserías era un «sucio residuo de las cruzadas», citado por Touati, F. O., *Maladie et société au Moyen Âge. La lèpre, les lépreux et les léproseries dans la provinde ecclésiastique de Sens jusqu'au milieu du XIVe siècle*, Bruselas, 1998, págs. 32-33.

3. Nicol, D. M., «The Crusades and the Unity of Christendom», en *The Meeting of the Two Worlds*.

4. Crowley, H. E. J., *The Register of Pope Gregory VII. An English Translation*, Oxford, 2002, 3, 21, pág. 204.

5. *PL* 216, col. 832; Richard, Jean, *L'Esprit de croisade*, París, Cerf, 2000, pág. 84.

6. Se encuentra todavía un eco en D'Alverny, M. T., «Translations and Translators», en Benson, R. L. y Constable, G. (comps.), *Renaissance and Renewal in the Twelfth Century*, Oxford, 1982, págs. 438-439; también en Cahen, C., *Orient et Occident au temps des croisades*, París, Aubier, 1983, págs. 113-114.

7. Harris, Jonathan, «Introduction», en *Byzantium and the Crusades*, Londres, 2003.

8. Cheynet, J. C., «Byzance et la guerre sainte: un malentendu?», en *Regards croisés sur la guerre sainte*, Actas del coloquio de Madrid, abril de 2005, Madrid, en prensa.

9. Prawer, Joshua, *Histoire du royaume latin de Jérusalem*, Éditions du CNRS, 2003, tomo I, págs. 547-550.

10. Ibn al-Athir y Kamil al-Tawarikh, *Chroniques arabes des croisades*, en Gabrieli, F. (comp.), Sindbad, 1977, 1996, págs. 25-26.

11. Sivan, Emmanuel, «La genèse de la contre-croisade: un traité damasquin du début du XIIe siècle», en *Journal asiatique*, 1966, págs. 197-224.

12. Hillenbrand, C., «The First Crusade. The Muslim Perspective», en Philips, J. (comp.), *The First Crusade, Origins and Impact*, Manchester, 1997, págs. 130-141.

13. Hawting, G. R. (comp.), *Muslims, Mongols and Crusaders*, Londres, 2001, pág. 15.

14. Citado por Kedar, B. Z., «Latins and Oriental Christians in the Frankish Levant, 1099-1291», en Kofsky, A. y Stoumsa, G. (comps.), *Sharing the Sacred. Religious Contacts and Conflicts in the Holy Land*, Jerusalén, 1998, pág. 214.

15. Se aprecia una evolución semejante en España, en tiempo de los Almorávides: Lagardère, V., «Évolution de la notion de Djihad à l'époque almoravide (1038-1147)», en *Cahiers de civilization médiévale*, n° 41, 1998, págs. 3-16.

16. Ibn al-Fûrat, *Histoires des dynasties des rois*, en Balard, M., Demurger, A. y Guichard, P. (comps.), *Pays d'Islam et le monde latin, X^e-XIIe siècles*, Hachette, 2000, págs. 83-85.

17. Ibn Asakir, *Histoire de la ville de Damas*, «Un document contemporain de Nûr al-Din», en *Bulletin des études orientales*, n° 25, 1972, págs. 126-127.

18. Kemal al-Din, Blochet (comp.), *Revue de l'Orient latin*, III, pág. 539; citado por Joshua Prawer, *Histoire du royaume latin...* (tomo I, págs. 419-420).

19. Blumenkranz, B., *Juifs et chrétiens dans le monde occidental, 430-1096*, Mouton, 1960, págs. 9-10.

20. Malkiel, D., «The Underclass in the First Crusade», en *Journal of Medieval History*, n° 28, 2000.

21. Chazzan, R., «The First Crusade as Reflected in the Earliest Hebrew Narrative», en *Viator*, n° 29, 1998, pág. 32

22. Rabbi Ephraïm de Bonn, *Sefer zekhirah (Libro del recuerdo)*; Eidelberg, S., *The Jews and the Crusaders*, Madison, 1977.

23. M. Lower amplía este aspecto en *The Baron's Crusade. A Call to Arms and its Consequences* (Filadelfia, 2005).

24. Gotein, F., «Contemporary Letters on the Capture of Jerusalem by the Crusaders», en *Journal of Jewish Studies*, n° 3, 1952, págs. 162-178.

25. Tudela, Benjamín de, «Itineraire de voyage», en Régnier-Bohler, Danielle (comp.), *C. et P.*, París, Robert Laffont, 1997, págs. 1.313-1.319.

26. Prawer, Joshua, *The History of the Jews in the Latin Kingdom of Jerusalem*, Oxford, 1988, págs. 149-155 y 252-254.

27. Hamilton, B., «Knowing the Enemy: Western Understanding of Islam at the Time of the Crusades», en *Crusaders, Cathars and the Holy Places*, Aldershot, 1999, pág. 373.

28. Eddé, A. M., «Francs et musulmans de Syrie au début du XIIe siècle d'après l'historien Ibn Abi Tayyi», en *Dei Gesta per Francos*, Mélanges Jean Richard, Aldershot, 2001, pág. 165.

29. Goñi Gastambide, J., *Historia de la bula de la cruzada en España*, Madrid, 1958, pág. 123.

30. Rodríguez García, J. M., «Idea and Reality of Crusade in Alfonso 's X Reign Castile and Leon, 1254-1284», en *APC*, págs. 379-390.

31. Powell, J. (comp.), *Muslim under Latin Rule*, Princeton, 1992, pág. 5.

32. Cowdrey, H. E. J., *The Register of Pope Gregory VII*, 3, 21, págs. 204-205.

33. Tolan, John, *Les Sarrasins*, París, Flammarion, 2006, pág. 164.

34. *Ibid*, págs. 217-228. El autor dedica los capítulos V, «Les Sarrasins en *Païenie*», y VI, «Mahomet "hérésiarque"», a las dos corrientes que marcaron profundamente los siglos de la cruzada. Véase también Kedar, B. Z., «"De judeis et saracenis". On the Categorization of Muslims in Medieval Canon Laws», en *The Franks in the Levant. 11th to 14th Centuries*, Aldershot, 1993, XIII, págs. 207-213.

35. «Le pèlerinage du maître Thietmar», en Régnier-Bohler, Danielle (comp.), *C. et P.*, París, Robert Laffont, 1997, pág. 931.

36. *Ibid.*, pág. 940.

37. Paviot, Jacques, *Les Ducs de Bourgogne, la Croisade et l'Orient (fin XIVe siècle-XVe siècle)*, Presses de l'Université de Paris-Sorbonne, 2003, pág. 75.

38. Balard, M., «Le musulman d'après les illustrations de Guillaume de Tyr», en *De Toulouse à Tripoli. Itinéraires de cultures croisées*, Presses de l'Université de Toulouse, 1997, pág. 151.

39. Gaulthier Bougassas, C., *La Tentation de l'Orient dans le roman médiéval. Sur l'imaginaire médiéval de l'Autre*, Honoré Champion, 2003.

40. *Muslim under Latin Rule*, págs. 8-9 y pág. 206.

41. Djubayr, Ibn, «Relation des péripéties qui surviennent pendant les voyages (Rihla)», en *Voyageurs arabes*, París, Gallimard, 1995, págs. 328, 329, 331.

42. Kedar, B. Z., *Crusade and Mission. European Approached toward Muslims*, Princeton, 1984, pág. 108.

43. *Ibid.*, págs. 58-60.

44. *Ibid.*, págs. 149-150

45. *Ibid.*, pág. 100.

46. Cardini, F., «Nella presenza del soldano superba», en *Studi Francescani*, n° 71, 1974.

47. Richard, Jean, *La Papauté et les missions d'Orient au Moyen Âge (XIIIe-XVe siècles)*, Roma, 1998.

48. Kedar, B. Z., *Crusade and Mission...*, pág. 148.

49. Schein, Sylvia, «Fidelis Crucis», en *The Papacy, the West and the Recovery of the Holy Land, 1274-1314*, Oxford, 1991, págs. 102-107.

50. Alberigo, G., *Les Conciles œcuméniques*, tomo II, 2, canon 2, 784-787.

51. Ducellier, A., *Chrétiens d'Orient et Islam au Moyen Âge, VIIe-XVe siècles*, Armand Colin, 1996.

52. Nicol, D. M., «The Crusades and the Unity of Christendom», en *The Meeting of the Two Worlds*, pág. 164; es la posición que mantenía Joshua Prawer.

53. Kedar, B. Z., «Latins and Oriental Christians...»

54. *Ibid.*, pág. 219.

55. Crowdrey, H. E. J., *The Register of Pope Gregory VII*, 8, 1, pág. 361.

56. MacEvitt's, C., «Christian Authorities in the Latin East. Edessa in Crusader History», en Rudyard, Susan (comp.), *The Medieval Crusades*, Woodbridge, 2004, págs. 71-84.

57. Dedéyan, G., *Les Arméniens entre Grecs, musulmans et croisés. Étude sur les pouvoirs arméniens dans le Proche-Orient méditerranéen (1068-1150)*, Lisboa, 2003, tomo I, págs. 487-500, y tomo II, págs. 761-817. Armenios y francos: contactos, convergencias e influencias.

58. Kedar, B. Z., «Latin and Oriental Christians...», pág. 217.

59. *Histoire orientale de Jacques de Vitry*, 68, Honoré Champion, 2005, pág. 194.

60. Morgan, «The Meaning of Old French "Poleins", Latin "Pullani"», en *Medium Aevum*, n° 48, págs. 40-56.

61. *Histoire orientale de Jacques de Vitry*, 73, págs. 203-206.

62. Djubayr, Ibn, «Relation...», en *Voyageurs arabes*, pág. 324.

63. Kedar, B. Z., «The Subjected Muslims of the Frankish Levant», en Powell, J. M. (comp.), *Muslims under Latin Rule 1100-1300*, Princeton, 1990, pág. 151.

64. *Ibid*, pág. 159.

65. Richard, Jean, «Vassaux, tributaires ou alliés? Les chefferies montagnardes et les Ismaéliens dans l'orbite des États des croisés», en *Die Kreuzfahrerstaaten als multikulturelle Geselschaft*, Múnich, 1997, págs. 141-152.

66. Djubayr, Ibn, «Relation...», en *Voyageurs arabes*, pág. 321.

67. Kedar, B. Z., «The Subjected Muslims...», pág. 137.

68. «Le pèlerinage du maître Thietmar», en Régnier-Bohler, Danielle (comp.), *C. et P.*, París, Robert Laffont, 1997, págs. 941-942.

69. «Saladin», en Régnier-Bohler, Danielle (comp.), *C. et P.*, París, Robert Laffont, 1997, págs. 417-498.

70. Al-Harawi, *Guide des lieux de pèlerinages secondaires*, Damasco, 1957, pág. 69.
71. Djubayr, Ibn, «Relation...», en *Voyageurs arabes*, pág. 326.
72. Kedar, B. Z., «Convergences of Oriental Christian, Muslims and Frankish Worshippers. The Case of Saydnaya and de Knights Templars», en Hunyadi, Z. y Lazlovsky, J. (comps.), *The Crusades and the Military Orders*, Budapest, 2004, págs. 89-100.
73. Paris, Mathieu, *Chronica majora*, tomo II, pág. 487.
74. *Histoire orientale de Jacques de Vitry*, 73, págs. 203-206.
75. Attiya, H., «Knowledge of Arabic in the Crusader States in the Twelfth and Thirteenth Centuries», en *Journal of Medieval History*, n° 25, 1999, págs. 203-214.
76. Burnett, C. S., «Antioch as a Link between Arabic and Latin Culture in the Twelfth and Thirteenth Centuries», en Draelants, I., Tihon, A. y Van den Abeele, B. (comps.), *Occident et Proche Orient: contacts scientifiques au temps des croisades*, Turnhout, 2000, págs. 1-12.
77. *Ibid.*, pág. 7.
78. *Ibid.*, pág. 10; Kedar, B. Z. y Kohlberg, E., «The Intellectual Career of Theodore of Antioche», en Arbel, B. (comp.), *Intercultural Contacts*, Londres, 1996.
79. Hiestand, Rudolph, «Un centre intellectuel en Syrie du Nord? Notes sur la personnalité d'Aimery d'Anrioche, Albert de Tarse et Rorgo Fretellus», en *Le Moyen Âge*, n° 100, 1994, págs. 7-36.
80. *Ibid.*, pág. 35.
81. G. de T., III, 18.
82. Véase para todo el parágrafo el libro de P. Mitchell, *Medecine in the Crusades. Warfare, Wounds and the Medieval Surgeon* (Cambridge, 2004).
83. *Ibid.*, pág. 107.
84. *Ibid.*, cap. I, págs. 11-45.
85. *Ibid.*, págs. 239-240.
86. Siedel, L., «Images of the Crusades in Western Art: Models as Metaphors», en Goss, V. P. (comp.), *The Meeting of the Two Worlds*, Kalamazoo, Western Michigan University, 1986.
87. Ellenblum, R., *Frankish Rural Settlement in the Latin Kingdom of Jerusalem*, Cambridge, 1998, págs. 5-11 y 284-287.

Séptima parte. Ideal y realidades (1250-1500)

1. Richard, Jean, «Saint Louis et la Terre sainte dans l'histoire de la Méditerranée», en Le Goff, Jacques y Dédéyan, G. (comps.), *La Méditerranée au temps de Saint Louis*, Actas del coloquio de Aigues-Mortes, abril de 1997, Ediciones del SIVOM de la región de Aigües-Mortes, 1998.
2. Barber, M., «Supplying the Crusaders States. The Role of the Templars», en Kedar, B. Z. (comp.), *The Horns of Hattin*, Londres-Jerusalén, 1992.
3. Demurger, A., *Jacques de Molay*, París, Payot, 2002, págs. 139-157.
4. Véase al respecto Sylvia Schein, «*Fideles Cruxis*»: *The Papacy, the West and the recovery of the Holy Land, 1274-1314*, Oxford, Clarendon Press, 1991, págs. 264-265; y J. Delaville Le Roulx, *La France en Orient* (París, 1886, tomo I).

5. Bratianu, G., «Le conseil du roi Charles. Essai sur l'internationale chrétienne et les nationalités à la fin du Moyen Âge», en *Revue d'histoire du Sud-Est européen*, n° 19, 1942.

6. Digard, G. (comp.), *Les registres de Boniface VIII*, París, 1884-1935, tomo I, n° 4.380-4.382.

7. Richard, Jean, «La croisade de 1270, premier passage général?», en *Comptes rendus de l'Académie des Inscriptions et Belles Lettres*, 1989.

8. Kedar, B. Z. y Schein, Sylvia, «Un projet de passage particulier proposé par l'order de l'Hôpital, 1306-1307», en *BEC*, n° 37, 1979, págs. 220-226; Demurger, A., «Les ordres militaires et la croisade au début du XIVe siècle. Quelques remarques sur les traités de croisade de Jacques de Molay et Foulques de Villaret», en *Dei Gesta per Francos*, págs. 117-128.

9. Schein, Sylvia, «*Fideles Crucis...*», pág. 207.

10. Mirot, L. y Jassemin, H., *Lettres secrètes et curiales du Pape Grégoire XI relatives à la France*, París, 1935-1937, fascículo 2, n° 1.848, col. 613-614.

11. Thiriet, F., *La Romanie vénitienne au Moyen Âge*, págs. 144, 161-165.

12. Forey, A. J., «The Military Orders in the Crusading Proposals of the Late 13th and Early 14th Centuries», en *Traditio*, n° 36, 1980.

13. Lizerand, G., *Le Dossier de l'affaire des Templiers*, Les Belles Lettres, 1963, págs. 2-15.

14. Demurger, A., *Les Templiers*, París, Le Seuil, 2005, págs. 425-429 y 494-499.

15. Heymann, F. G., *George of Bohemia, King of Heretics*, Princeton, 1965.

16. *The Universal Peace Organisation of King George of Bohemia. A Fifteenth Century Plan for World Peace*, Praga, 1964.

17. Mélikoff-Sayar, I. (comp.), *Le Destan d'Umur Pacha*, París, PUF, 1954.

18. Vatin, Nicolas, *Rhodes et l'ordre de Saint-Jean*, Éditions du CNRS, 2000. Da la bibliografía necesaria sobre el tema.

19. Setton, K. M., *The Papacy and the Levant (1204-1571)*, Filadelfia, 1976-1984, tomo I, pág. 180, n. 81.

20. Contrato firmado con armadores de Toulon y de Marsella en marzo de 1334.

21. Clemente VI, *Insurgentibus contra fidem*, en Theiner, A. (comp.), *Vetera documenta historica Hungariam sacram illustrantia*, Roma, 1859-1860, tomo I, págs. 660-662; Gay, J., *Le Pape Clément VI et les affaires d'Orient (1342-1352)*, París, 1904.

22. Luttrell, A., «The Earliest Documents on the Hospitaller Corso at Rhodes: 1413 et 1416», en *Mediterranean History Review*, n° X, 1995, págs. 177-188.

23. Mollat, M., *Jacques Cœur*, París, Aubier, 1988, págs. 180-182.

24. Grandjean, Ch. (comp.), *Registres de Benoît XI*, París, 1883-1905, n° 1.006; *Regestum Clementis papae V ex Vaticanis archetypis*, Roma, 1885-1892, tomo I, n° 244.

25. Setton, K. M., *The Papacy...*, tomo II, pág. 166.

26. *Ibid*, pág. 289.

27. *Les Livre des faits du bon messire Jehan le Meingre, dit Boucicqaut, maréchal de France et gouverneur de Jennes*, Ginebra, 1985, pág. 82.

28. Citas en Schnerb, B., «Le contingent franco-bourguignon à la croisade de Nicopolis», en Paviot, Jacques (comp.), *Nicopolis, 1396-1996*, Annales de Bourgogne, n° 68, 1996, págs. 68-69.

29. Housley, Norman, *Religious Warfare in Europe, 1400-1536,* Oxford, 2002, pág. 11, n. 50.

30. Machaut, G. de, *La Prise d'Alexandrie,* Ginebra, 1877.

31. Mirot, L., «Une expédition française en Tunisie», en *Revue des études historiques,* n° 97, 1931.

32. Paviot, Jacques, *Les Ducs de Bourgogne, la Croisade et l'Orient (fin XIVe siècle-XVe siècle),* París, 2003, pág. 291.

33. *Ibid.,* pág. 67.

34. Célebre banquete en el curso del cual el duque y sus principales vasallos tomaron la cruz.

35. Véase la segunda parte, capítulo sexto y, para indicaciones biográficas, nota 83.

36. Theiner, A. (comp.), *Vetera dcoumenta...,* tomo I, págs. 660-662, n° 986; Demurger, A., «Le pape Clément VI et l'Orient. Ligue ou croisade?», en Paviot, Jacques y Verger, J. (comps.), *Guerre, pouvoir et noblesse au Moyen Âge. Mélanges* en l'honn*eur de Philippe Contamine,* Presses de l'Université de Paris-Sorbonne, 2000, págs. 207-214.

37. *BNF,* ms. lat. 3.293, f. 241v-246v; citado por Tyerman, C., «The Holy Land and the Crusades of the Thirteenth and Fourteenth Centuries», en Edbury, P. (comp.), *Crusade and Settlement,* Cardiff, 1985.

38. Bisaha, N., «Pope Pius II and the Crusade», en Housley, Norman (comp.), *Crusading in the Fifteenth Century. Message and Imnpact,* Basingstoke, 2004, págs. 39-52.

39. Richard, Jean, «Typologie des sources du Moyen Âge occidental», en *Les Récits de voyages et de pèlerinages,* Turnhout, 1981. Véase la segunda parte de este libro, capítulo cuarto.

40. Bunge, F.G. von, *Liv.-Esth. Und Curlandisches Urkudenbuch,* en Housley, Norman (comp.), Riga, 1853-1910, tomo II, bula *In vinea domini,* n° 630.

41. Christiansen, E., *Les Croisades nordiques. La Baltique et la frontière catholique, 1100-1525,* Alerion, 1996, pág. 221-284.

42. Paravicini, W., *Die Preussenreisen des europäischen Adels,* Sigmarigen, 1989-1994, tomo I, págs. 94-101 y 123-127. Da la lista de 257 caballeros franceses y 177 caballeros ingleses que participaron en el viaje a Prusia entre 1336 y 1413.

43. Belch, S. F., *Paulus Vladimiri and his Doctrine Concerning International Law and Politics,* Mouton, 1965, tomo I, págs. 90-91, y tomo II, pág. 868.

44. Sobre la reforma husita, véase Macek, J., *Jean Hus et les traditions hussites,* París, Plon, 1973.

45. Fudge, T., *The Crusades against Heretics in Bohemia, 1418-1437,* Aldershot, 2002, pág. 45.

46. *Ibid.,* pág. 55.

47. *Ibid.,* págs. 66-67.

48. *Ibid.,* págs. 164-165.

49. *Ibid.*

50. Housley, Norman, *Documents on the Later Crusades...,* págs. 115-130. El autor publica seis documentos sobre las cruzadas husitas; todos proceden del campo cruzado, ninguno del campo husita; en *The Later Crusades. From Lyons to Alcazar, 1274-1580* (Oxford, 1992, pág. 255), Housley admite sin embargo que el canto de guerra de los husitas «es interesante» y que expresa las «ideas neo-cruzadas».

51. Fudge, T., *The Crusades...*, págs. 284-285; Beaune, B., *Jeanne d'Arc*, Perrin, 2004, págs. 249-250.

52. Rucquoi, A., *Histoire médievale de la péninsule Ibérique*, París, Le Seuil, 1993, págs. 263 y sigs.

53. Goñi Gastambide, J., *Historia de la bula de la cruzada en España*, págs. 656-668.

54. Rucquoi, A., *Histoire médievale de la péninsule Ibérique*, n. 13, págs. 379-383.

55. Pistarino, G., «Christian and Jews, Pagans and Muslims in the Thought of Christopher Columbus», en Arbel, B. (comp.), *Intercultural Contacts in the Medieval Mediterranean*, Londres, 1996, págs. 267-275.

56. Froissart, *Chroniques*, Libros III y IV, en Ainsworth, P. y Varvaro, B. (comps.), Le Livre de Poche, 2004, IV, 13, pág. 456.

57. Housley, Norman, «Le maréchal Boucicaut à Nicopolis», en Paviot, Jacques (comp.), *Nicopolis, 1396-1996*, Annales de Bourgogne, n° 68, 1996, pág. 88.

Notas de la conclusión

1. Housley, Norman, *Religious Warfare in Europe, 1400-1536*, Oxford, 2002, pág. 11, n. 50.

2. Mayer, H. E., *The Crusades*, Oxford, 1988.

3. Riley-Smith, Jonathan, *Les Croisades*, París, Pygmalion, 1990, pág. 11.

4. Véase la pertinente puesta al día de J. Flori, «Pour une redéfinition de la croisade», en *Cahiers de civilisation médiévale*, n° 47, 2004, pág. 330.

5. Pienso especialmente en los trabajos de Norman Housley sobre la cruzada y las cruzadas de los siglos XIV-XVI. La posición pluralista del autor (que encuentro excesiva) no impide en absoluto el interés de sus investigaciones para la comprensión del fenómeno de la cruzada.

6. Housley, Norman, *Religious Warfare...*; O'Callaghan, Joseph F., *Reconquest and Crusade in Medieval Spain*, Filadelfia, 2003.

7. Comparto, matizándola algo, la formulación de Maud Purcell citada en el capítulo quinto y en la nota 44 de la cuarta parte. Flori, Jean, «Pour une redéfinition de la croisade», en *Cahiers de civilisation médiévale*, n° 47, 2004, pág. 349; propone una definición lapidaria: «La cruzada era una guerra santa que tenía como objetivo la recuperación por los cristianos de los Santos lugares de Jerusalén».

8. Mastnak, T., *Crusading Peace. Christendom, the Muslim World and Western Political Order*, Berkeley, 2004, pág. 332.

9. No habría ni que mencionarlo, pero es mejor decirlo, que cualquier parecido con debates contemporáneos es puramente fortuito. Los blablabla políticos y periodísticos no pueden evitarlo y nunca podrán; los turcos estaban en Europa, y siguen estándolo.

10. Citado por Bisaha, N., «Pope Pius II and the Crusade», en Housley, Norman (comp.), *Crusading in the Fifteenth Century. Message and Impact*, Basingstoke, 2004, pág. 44.

11. Citado por Poumarède, G., *Pour en finir avec la croisade. Mythes et réalité de la lutte contre les Turcs aux XVIe et XVIIe siècles*, París, PUF, 2004, págs. 36-37.

12. Dupront, A., *Le Mythe de la croisade*, París, Gallimard, 1997, tomo I, págs. 338-365.

Bibliografía

Herramientas

La bibliografía sobre las cruzadas es enorme. Durante un tiempo, la segunda mitad del siglo XX, uno de los florones de la historiografía francesa, el estudio de las cruzadas, ha sufrido un eclipse, y es principalmente en la historiografía inglesa donde hoy hay que buscar estudios y problemáticas actuales. Hace un siglo, la *Société de l'Orient latin* agrupaba a los investigadores que se interesaban por las cruzadas. Hoy ha desaparecido, pero la renovación del interés por el fenómeno de la cruzada y, más en general, por el de la guerra santa, ha hecho que los historiadores especializados se reúnan en una nueva *Society for the Study of the Crusades and the Latin East*, que publica un boletín bibliográfico anual desde 1981 y, desde 2002, una revista, *Crusades* (ediciones Ashgate); además, organiza un congreso cada cuatro o cinco años.

Otro testimonio de la vitalidad de la producción británica sobre el tema lo da la existencia de una serie, *Crusaders Worlds*, en las ediciones Hambledon de Londres. Algunos títulos ya han aparecido y se anuncian muchos más.

La abundantísima bibliografía sobre la historia de las cruzadas proporcionada por Hans Eberhard Mayer en el tomo VI de *A History of the Crusades* (véase más adelante) la ha completado el libro *Les Latins en Orient (XIe-XVe siècles)*, de Michel Balard, aparecido en las PUF, en su colección «Nouvelle Clio». Todos los volúmenes de esa colección incluyen una bibliografía importante y actualizada, un estado de la cuestión y una parte consagrada a los problemas y debates.

«1204, La Quatrième croisade: de Blois à Constantinople et Éclats d'Empire» (catálogo de exposición, Blois-París, octubre de 2005 a enero de 2006), en *Revue française d'héraldique et de sigillographie*, tomos 73-75, 2003-2005.

Andrea, Alfred J., *Encyclopedia of the Crusades*, Westport, Greenwood Press, 2003.

Rey-Delqué, Monique (comp.), *Les Croisades, L'Orient et l'Occident d'Urbain II à Saint Louis, 1096-1270*, Toulouse, 1997.

Riley-Smith, Jonathan, *Atlas des croisades*, París, Autrement, 1996.

Las fuentes

Para empezar, hay que señalar las publicaciones de los *Archives de l'Orient latin*, 2 vols. (1894-1895) y el *Recueil des historiens des croisades* publicados gracias a los buenos oficios de la Academia de Inscripciones y de Bellas Letras (París, 1846-1996), cuyos 16 volúmenes están repartidos en cinco series: *Historiens occidentaux* (5 vols.); *Historiens orientaux* (5 vols.); *Historiens grecs* (2 vols.); *Documents arméniens* (2 vols.); y *Lois* (2 vols.).

La *Historia* de Guillaume de Tiro (Guillaume de Tyr), publicada en ese compendio, con la traducción y la continuación francesa, con el nombre de «l'Estoire d'Eràcles empereur et la conquête de la terre d'Outre-mer», ha sido objeto de una reciente edición crítica y científica, y de una traducción al francés:

Guillaume de Tyr, *Historia rerum in partibus transmarinis gestarum*, 2 vols., en Huygens, R. B. C. (comp.), Tournai, Brepols, 1986.

——, *Chronique du royaume franc de Jérusalem de 1098 à 1184*, 2 vols., París, L'intermédiaire des chercheurs et curieux, 1999. De hecho, se trata de la versión en francés moderno de *Eraclès*, traducción en francés antiguo y continuación de l'*Histoire* (en latín), de Guillaume de Tyr.

Entre otras fuentes publicadas:

Ambroise, *L'Estoire de la guerre Sainte, histoire en vers de la troisième croisade*, en Paris, G. (comp.), París, 1987.

Curzon, H. de (comp.), *La Règle du Temple*, París, 1889.

Ernoul, *Chronique d'Ernoul et de Bernard le Trésorier*, en Mas-Latrie, L. de (comp.), París, 1871.

Eudes de Deuil, *De Projectione Ludovici VII in Orientem*, en Waquet, H. (comp.), París, 1949.

Felipe de Novara, *Guerra di Federico II in Oriente (1223-1242)*, en Melani, Silvio (comp.), Nápoles, Liguori, 1994.

Foucher de Chartres, *Histoire de la croisade. Récit d'un témoin de la première croisade*, París, Cosmopole, 2001.

Geoffroy de Villehardouin, *La Conquête de Constantinople*, en Dufournet, J. (comp.), París, 1969.

Guibert de Nogent, *Dei gesta per Francos et cinq autres textes*, en Huygens, R. B. C. (comp.), Turnhout, Brepols, 1996.

Guillermo de Tudela, *Chanson de la croisade contre les Albigeois*, en Meyer, P. (comp.), París, 1975.

Historia Hyerosolimitana, en J. Bongars (comp.), *Gesta Dei per Francos*, Hanovre, 1611.

Huygens, R. B. C. (comp.), *Peregrinationes Tres, Seawulf, John of Wurzburg, Theodoricus*, Turnhout, Brepols, 1994.

Jaime de Vitry, *Lettres de la cinquième croisade*, en Huygens, R. B. C. (comp.), Leyde, 1960.

Joinville, *Vie de Saint Louis*, en Monfrin, J. (comp.), París, Classiques Garnier, 1995.

Nicholson, Helen (comp.), *The Chronicle of the Third Crusades. The Itinerarium Peregrinorum et Gesta Regis Ricardi*, Aldershot, Ashgate, 2001.

Oliverus, Olivier le Scholastique, *Historia Damiatina*, en Hoogeweg, H. (comp.), Bibliotek des litterrischen Vereins in Stuttgart, Tübingen, 1894.

Paris, Mathieu, *Chronica majora*, 7 vols., en Luard, H. K. (comp.), Londres, 1872-1884.

Raynaud, G. (comp.), *La Geste des Chiprois. Recueil de chroniques françaises écrites en Orient aux XIIIe-XIVe siècles*, Ginebra, 1887. Esta compilación incluye tres textos: «Chronique de Terre sainte, 1131-1224»; «Récit de Philippe de Novare, 1212-1242»; y «Chronique du Templier de Tyr, 1242-1309». Existe otra edición de Templier de Tyr en *Recueil des Histonens des Croisades*, Documents arméniens, tomo II.

Rohricht, R. (comp.), *Quinti Belli sacri Sciptores minores*, Ginebra, Société de l'Orient latin, 1879.

Rohricht, R. (comp.), *Testimonia minora de quinto bello sacro*, Ginebra, Société de l'Orient latin, 1882.

Para los historiadores árabes, además de los textos reunidos en los cinco volúmenes del RHC, Historiens orientaux, *véanse:*

Al-Maqrisi, *Histoire d'Égypte*, París, 1928.
Ibn Jubayr, «Relation des péripéties qui surviennent pendant les voyages (Rihla)», en *Voyageurs arabes*, París, Gallimard, 1995, págs. 71-370.
Imad al-Din al-Asfahani, *Al-Fath, ou La Conquête de la Syrie et de la Palestine par Saladin*, París, 1872.
Usâma ibn Munqid, *Des enseignements de la vie: Souvenirs d'un gentilhomme syrien du temps des croisades*, París, Imprimerie nationale, 1983.

Cabe señalar también las compilaciones de textos:

Alberigo, Georgio, *Les Conciles æcuméniques*, París, Cerf, 1994 (trad. cast.: *Los concilios ecuménicos*, Salamanca, Sígueme, 1993).
Andrea, Alfred J., *Contemporary Sources of the 4th Crusade*, Leyde, Brill, 2000.
Eddé, A. M. y Micheau, F. (comps.), *L'Orient au temps des croisades*, París, GF Flammarion, 2002.
Fudge, Thomas, *The Crusades against Heretics in Bohemia, 1418-1437: Sources and Documents for the Hussite Crusades*, Aldershot, Ashgate, 2002.
Gabrieli, Francesco, *Chroniques arabes des croisades*, París, Sindbad, 1977, 1996. Es una edición más científica que: Maalouf, Amin, *Les Croisades vues par les Arabes*, París, Flammarion, 1983 (trad. cast.: *Las cruzadas vistas por los árabes*, Madrid, Alianza, 2004).
Housley, Norman, *Documents on the Later Crusade, 1274-1580*, Nueva York, St. Martin's Press, 1996. Un gran número de documentos difíciles de encontrar, publicados y traducidos íntegramente.
Régnier-Bohler, Danielle (comp.), *Croisades et pèlerinages. Récits, chroniques et voyages en Terre sainte, XIIᵉ-XVIᵉ siècles*, París, Robert Laffont, 1997. Importantes extractos de crónicas y relatos de peregrinaje (especialmente de la *Histoire* de Guillaume de Tyr).
Richard, Jean, *L'Esprit de la croisade*, París, Cerf, 2000.

Historia general de las cruzadas

Ayala Martínez, Carlos de, *Las cruzadas*, Madrid, Sílex, 2004.

Balard, Michel, *Croisades et Orient latin: XIe-XIVe siècles*, París, Armand Colin, 2001.

Cahen, Claude, *Orient et Occident au temps des croisades*, París, Aubier, 1983 (trad. cast.: *Oriente y Occidente en tiempo de las Cruzadas*, Madrid, Fondo de Cultura Económica, 2001).

Dupront, Alphonse, *Le Mythe de croisade*, 4 vols., París, Gallimard, 1997. Se trata de la edición de la tesis defendida por el autor en 1956, que permanece inédita. La obra es válida, sobre todo, para lo que concierne a la supervivencia de la idea de cruzada a finales de la Edad Media y en la época moderna.

Flori, Jean, *Les Croisades*, París, J. P. Gisserot, 2001.

——, «Pour une redéfinition de la croisade», en *Cahiers de civilisation médiévale*, n° 47, 2004, págs. 329-350.

Grousset, René, *Histoire des croisades et du royaume latin de Jérusalem*, 3 vols., París, Perrin, 1991. Se trata de una reedición de la obra publicada en 1932-1936; ofrece una visión heroica y *colonial* de la cruzada, que vuelve a encontrarse en dos obras de formato más restringido, también reeditadas:

——, *L'Épopée des croisades*, París, 1939, 1995 (trad. cast.: *La epopeya de las cruzadas*, Madrid, Palabra, 2001).

——, *Les Croisades*, París, PUF, 1944.

Hamilton, Bernard, *The Crusades*, Phoenix Mill, Sutton, 1998 (trad. cast.: *Las cruzadas*, Madrid, Acento, 2001).

Hillenbrand, Carole, *The Crusades. Islamic Perspectives*, Edimburgo, Edimburgh University Press, 1999.

Housley, Norman, *The Later Crusades. From Lyons to Alcazar, 1274-1580*, Oxford, Oxford University Press, 1992.

Jaspert, Nikolas, *Die Kreuzzuge*, Darmstadt, Wissenschaftliche Buchgesellschaft, 2003.

Mayer, Hans Eberhard, *Geschichte der Kreuzzüge*, Stuttgart, 1976 (trad. cast.: *Historia de las cruzadas*, Madrid, Istmo, 2001). Un clásico, constantemente reeditado, tanto en su versión original como en su traducción inglesa.

Michaud, Joseph François, *Bibliothèque des croisades contenant l'analyse de toutes les chroniques d'Orient et d'Occident qui parlent des croisades*, 4 vols., París, 1829, 1978.

Morrisson, Cécile, *Les Croisades*, París, PUF, 1973, 1992.

Poumarède, Géraud, *Pour en finir avec la croisade. Mythes et réalité de la lutte contre les Turcs aux XVIe et XVIIe siècles*, París, PUF, 2004.

Richard, Jean, *Histoire des croisades*, París, Fayard, 1996.

Riley-Smith, Jonathan, *The Crusades. A Short Story*, Londres, 1987. El principal historiador de la escuela inglesa, que ofrece la definición denominada «pluralista» de la cruzada. Atiende a todos los campos de la cruzada en el conjunto del período medieval.

Runciman, Steven, *A History of the Crusades*, 3 vols., Cambridge, Cambridge University Press, 1951-1954 (trad. cast.: *Historia de las cruzadas*, Madrid, Alianza, 1973).

Setton, Kenneth (comp. general), *A History of the Crusades*, 6 vols., Madison, The University of Wisconsin Press, 1969-1989. Vol. I: Baldwin, M. W. (comp.), *The First Hundred Years*, 1969; vol. II: Wolff, R. L. y Hazard, H. W. (comps.), *The Later Crusades, 1189-1311*, 1969; vol. III: Hazard, H. W. (comp.), *The Fourteenth and Fifteenth Centuries*, 1975; vol. IV: Hazard, H. W. (comp.), *The Art and Architecture of the Crusader States*, 1977; vol. V: Hazard, H. W. y Zacour, N. P. (comps.), *The Near East*, 1985; vol. VI: Zacour, N. P. y Hazard, H. W. (comps.), *The Impact of the Crusades in Europe*, 1989.

Tyerman, Christopher, *The Invention of the Crusades*, Londres, MacMillan, 1998.

Obras colectivas generales

Arbel, B. (comp.), *Intercultural Contacts in the Medieval Mediterranean*, Londres, Frank Cass, 1996.

Balard, M. (comp.), *Autour de la première croisade* (Actas del coloquio de la SSCLE, Clermont, 1996), París, Publications de la Sorbonne, 1996.

Balard, M. y Ducellier, A. (comps.), *Coloniser au Moyen Âge*, París, Armand Colin, 1995.

Balard, M., Kedar, B. Z. y Riley-Smith, J. (comps.), *Dei Gesta per Francos: Études sur les croisades dédiées à Jean Richard*, Aldershot, Ashgate, 2001.

Bull, M. y Housley, Norman (comps.), *The Experience of Crusading*, tomo I: *Western Approaches*, Cambridge, Cambridge University Press, 2003.

Ciggaar, K., David, A. y Teule, H. (comps.), *East and West in the Crusader States: Context-Contacts-Confrontation*, tomo I, Louvain, 1996.

Ciggaar, K. y Teule, H. (comps.), *East and West in the Crusader States: Context-Contacts-Confrontation*, tomo II, Louvain, 1999.

Concile de Clermont de 1095 et l'appel à la croisade, Le, París, École française de Rome, 1997.

Concilio de Piacenza et le crociate, Il, Piacenza, Tip Le Co, 1996.

Draelands, I., Tobin, A. y Van den Abeele, B. (comps.), *Occident et Proche-Orient, contacts scientifiques au temps des croisades* (actas del coloquio de Louvain la Neuve, 24-25 de marzo de 1997), Turnhout, Brepols, 2000.

Edbury, P. (comp.), *Crusade and Settlement*, Cardiff, 1985. Reedición de una decena de artículos, mayoritariamente anglosajones, que han jalonado la historiografía de la cruzada en la segunda mitad del siglo XX.

Edbury, P. y Phillips, J. (comps.), *The Experience of Crusading*, tomo II: *Defining the Crusader Kingdom*, Cambridge, Cambridge University Press, 2003.

García Guijarro Ramos, L. (comp.), *La primera cruzada novecientos años después: el concilio de Clermont y los origenes del movimiento cruzado*, Madrid, 1997.

Gervers, Michael (comp.), *The Second Crusade and the Cistercians*, Nueva York, St. Martin's Press, 1992.

Gervers, Michael y Powell, James M., *Tolerance and Intolerante: Social Conflict in the Age of the Crusades*, Nueva York, Syracuse University Press, 2001.

Goodich, M., Menache, S. y Schein, S. (comps.), *Cross Cultural Convergences in the Crusader Period: Essays presented to A. Graboïs for his Sixty-fifth Birthday*, Nueva York, Peter Lang Publishing, 1995.

Goss, V. P. (comp.), *The Meeting of the Two Worlds: Cultural Exchange between East and West during the Period of the Crusades*, Kalamazoo, Western Michigan University, 1986.

Hen, Yitzchak (comp.), «Cultural Encounters in Late Antiquity and The Middle Ages. De Sion exibit lex et verbum domini de Hierusalem», en *Essays on Medieval law, Liturgy and Literature in Honour of Amon Linder*, Turnhout, Brepols, 2001.

Hoch, M. y Phillips, J. (comps.), *The Second Crusade. Scope and Consequence*, Manchester, Manchester University Press, 2001.

Housley, Norman (comp.), *Crusading in the Fifteenth Century. Message and Impact*, Basingstoke, Palgrave-MacMillan, 2004.

CRUZADAS

Hunyadi, Zsolt y Laszlovsky, Jozsef (comps.), *The Crusades and the Military Orders*, Budapest, 2004.

Kedar, B. Z. (comp.), *The Horns of Hattin,* Londres-Jerusalén, Variorum, 1992.

Kedar, B. Z., Mayer, H. E. y Smail, R. C. (comps.), *Outremer, Studies on the History of the Crusading Kingdom of Jerusalem presented to Joshua Prawer*, Jerusalén, 1982.

Laiou, A. y Parviz Mottahedeh, R. (comps.), *The Crusades from the Perspective of Byzantium and the Muslim World*, Washington, Dumbarton Oaks Research Library and Collection, 2001. El volumen se presenta como un complemento a los aparecidos con ocasión del noveno centenario del llamamiento de Clermont, en 1995, más centrados en Occidente y en las perspectivas de los latinos de Oriente.

Mayer, Hans E. (comp.), *Die Kreuzfahrerstaaten als multikulturelle Gesellschaft: Einwanderer und Minderheiten im 12. und 13. Jahrhundert*, Múnich, R. Oldenbourg, 1997.

Meschini, Marco (comp.), *Mediterraneo medievale. Cristiani, musulmani ed eretici tra Europa et Oltramare (secoli IX-XIII)*, Milán, Vita e Pensiero, Publicazione dell'Università Cattolica.

Murray, Alan V. (comp.), *From Clermont to Jerusalem: The Crusades and Crusader Societies, 1095-1500*, Turnhout, Brepols, 1998.

Nicholson, Helen (comp.), *Palgrave Advances on the Crusades*, Basingstoke, Palgrave-Macmillan, 2005.

Paviot, J. (comp.), *Nicopolis, 1396-1996*, Annales de Bourgogne, n° 68, 1996.

Phillips, J. (comp.), *The First Crusade. Origins and Impact*, Manchester, Manchester University Press, 1997.

Ridyard, Susan J. (comp.), *The Medieval Crusade*, Woodbridge, Boydell Press, 2004.

Schatzmiller, M. (comp.), *Crusaders and Muslims in Twelfth-Century Syria*, Leyde, Brill, 1993.

Weiss, D. H. y Mahoney, L. (comps.), *France and the Holy Land. Frankish Culture at the End of the Crusades*, Baltimore, John Hopkins University Press, 2004.

Las cruzadas: contexto, idea, prácticas, temas, campos

Alphandéry, Prosper y Dupront, Alphonse, *La Chrétienté et l'idée de croisade*, 2 vols., París, Albin Michel, 1954-1959, 1995.

Asbridge, Thomas, *The Creation of the Principality of Antioch, 1098-1130*, Woodbridge, The Boydell Press, 2000.

Barber, Malcolm, *The Cathars. Dualist Heretics in Languedoc in the High Middle Ages*, Edimburgo, Pearson Education, 2000.

Berlioz, Jacques, *«Tuez-les tous, Dieu reconnaîtra les siens». La croisade contre les albigeois vue par Césaire de Heisterbach*, Portets-sur-Garonne, Loubatières, 1994.

Boas, Adrian J., *Crusader Archaelogy. The Material Culture of the Latin East*, Londres, Routledge, 1999.

——, *Jerusalem in the Time of the Crusades. Society, Landscape and Art in the Holy City under Frankish Rule*, Londres, Routledge, 2001.

Bouchard, Constance B., *Sword, Miter and Cloister: Nobility and the Church in Burgundy, 980-1198*, Ithaque, 1987.

Brundage, James A., *The Crusades, Holy War and Canon Law*, Aldershot, Variorum, 1991.

Burns, Robert I., *The Crusader Kingdom of Valencia. Reconstruction on a Thirteenth Century Frontier*, 2 vols., Cambridge, Harvard University Press, 1967 (trad. cast.: *El reino de Valencia en el siglo XIII*, Valencia, Promoció de Cultura Valenciana, 1982).

——, *Moors and Crusaders in Mediterranean Spain*, Londres, Variorum, 1978.

Cahen, Claude, *La Syrie du Nord à l'époque des croisades et la principauté franque d'Antioche*, París, P. Geuthner, 1940.

Cardini, Franco, *Alle radici della cavalleria medievale*, Florencia, 1982.

——, *Europe et Islam. Histoire d'un malentendu*, París, Le Seuil, 2002 (trad. cast.: *Nosotros y el Islam: historia de un malentendido*, Barcelona, Crítica, 2002).

Caroff, Fanny, «La croix prêchée et la croix du croisé. Le moment de la prise de coix dans les manuscrits enluminés du XIIIᵉ au XIVᵉ siècle», en *Revue Mabillon*, n° 12, 2001.

Christiansen, Erik, *Les Croisades nordiques. La Baltique et la frontière catholique, 1100-1525*, Lorient, Alerion, 1996.

Cole, Penny J., *The Preaching of the Crusades to the Holy Land, 1095-1270*, Cambridge, Medieval Academy of America, 1991.

Contamine, Philippe, *La Guerre au Moyen Âge*, París, PUF, 1992.

Cowdrey, Herbert E. J., *Popes, Monks and Crusaders*, Londres-Ashgate, Variorum, 1984. Contiene los principales artículos de un autor esencial para la comprensión de la idea de cruzada.

——, *Pope Gregory VII, 1073-1086*, Oxford, Oxford University Press, 1998.

Dédeyan, Gérard, *Les Arméniens entre Grecs, musulmans et croisés. Étude sur les pouvoirs arméniens dans le Proche-Orient méditerranéen (1068-1150)*, 2 vols., Lisboa, Fondation Gulbenkian, 2003.

Delaruelle, Étienne (comp.), *L'Idée de croisade au Moyen Âge*, Turín, Bottega d'Erasmo, 1980.

Demurger, Alain, «Le Religieux de Saint-Denis et la croisade», en *Saint-Denis et la royauté. Études offertes à Bernard Guenée*, París, Publications de la Sorbonne, 1999.

——, «Le pape Clément IV et l'Orient. Ligue ou Croisade?», en Paviot, J. y Verger, J. (comps.), *Guerre, pouvoir et noblesse au Moyen Âge, mélanges en l'honneur de Philippe Contamine*, París, Presses de l'Université Paris-Sorbonne, 2000.

——, *Chevaliers du Christ: Les ordres religieux militaires au Moyen Âge*, París, Le Seuil, 2002 (trad. cast.: *Caballeros de Cristo: templarios, hospitalarios, teutónicos y demás órdenes militares en la Edad Media*, Valencia, Universidad de Valencia, 2005).

——, *Jacques de Molay, le crépuscule des Templiers*, París, Payot, 2002.

——, *Les Templiers. Une chevalerie chrétienne au Moyen Âge*, París, Le Seuil, 2005 (trad. cast.: *El último gran templario, Jacques de Molay*, Teià, Robinbook, 2006).

Deschamps, Paul, *Les Châteaux des croisés en Terre sainte*, 3 vols., París, P. Geuthner, 1934-1973.

Dupront, Alphonse, *Du sacré; croisade et pèlerinage; images et langages*, París, Gallimard, 1987.

Ellenblum, Ronnie, *Frankish Rural Settlement in the Latin Kingdom of Jerusalem*, Cambridge, Cambridge University Press, 1998.

Erdmann, Carl, *Die Entsehung des Kreuzzugsgedankens*, Stuttgart, Darmstadt, 1935, 1965.

Faucherre, Nicolas, Mesqui, Jean y Prouteau, Nicolas (comps.), *La fortification au temps des croisades*, Rennes, Presses universitaires de Rennes, 2004.

Fletcher, Richard A., *La Croix et le Croissant: le christianisme et l'islam de Mahomet à la réforme*, París, Louis Audibert, 2003 (trad. cast.: *La cruz y la media luna: las dramáticas relaciones entre cristianismo e islam desde Mahoma hasta Isabel la Católica*, Barcelona, Península, 2005).

Flori, Jean, *L'Idéologie du glaive: Préhistoire de la chevalerie*, Ginebra, Droz, 1983.

——, *L'Épanouissement de la chevalerie*, Ginebra, Droz, 1985.

——, *Croisade et chevalerie, XIe-XIIe siècles*, París-Bruselas, De Boeck Université, 1998.

——, *Pierre l'Ermite et la première croisade*, París, Fayard, 1999.

——, *La Guerre sainte: La formation de l'idée de croisade dans l'Occident chrétien*, París, Aubier, 2001 (trad. cast.: *La guerra santa: la formación de la idea de cruzada en el Occidente cristiano*, Madrid, Trotta, 2003).

——, *Guerre sainte, jihad, croisade: Violence et religion dans le christianisme et l'islam*, París, Le Seuil, 2002 (trad. cast.: *Guerra santa, yihad, cruzada: violencia y religión en el cristianismo y el islam*, Granada, Universidad de Granada, 2004).

France, John, *Victory in the East. A Military History of the First Crusade*, Cambridge, Cambridge University Press, 1994.

Friedman, Yvonne, *Encounter between Enemies: Captivity and Ransom in the Latin Kingdom of Jerusalem*, Leyde, Brill, 2002.

Goñi Gastambide, José, *Historia de la bula de la Cruzada en España*, Madrid, 1958.

Graboïs, Arieh, *Le Pèlerin occidental en Terre sainte au Moyen Âge*, Bruselas, De Boeck université, 1998.

Harris, Jonathan, *Byzantium and the Crusades*, Londres, Hambledon Press, 2003.

Heyd, Wilhelm, *Histoire du commerce du Levant au Moyen Âge*, 2 vols., Leipzig, 1885-1886, 1967.

Hiestand, Rudolph, «Un centre intellectuel en Syrie du Nord? Notes sur la personnalité d'Aimery d'Antioche, Albert de Tarse et Rorgo Fretellus», en *Le Moyen Âge*, n° 100, 1994, págs. 7-36.

Hoch, Martin, *Jerusalem, Damaskus und der Zweite Kreuzzug*, Fráncfort, P. Lang, 1993.

Housley, Norman, *The Italian Crusades. The Papal-Angevin Alliance and the Crusades against Christian Lay Powers, 1254-1343*, Oxford, Clarendon Press, 1982.

——, *The Avignon Papacy and the Crusades, 1305-1378*, Oxford, Oxford University Press, 1986.

——, *Religious Warfare in Europe, 1400-1536*, Oxford, Oxford University Press, 2002.

——, *Contesting the Crusades*, Oxford, Blackwell, 1986.

Jotischky, Andrew, *The Perfection of Solitude. Hermits and Monks in the*

Crusader States, Philadelphia, Pennsylvania State University Press, 1995.

Kedar, Benjamin Z., *Crusade and Mission. European Approaches toward the Muslims*, Princeton, Princeton University Press, 1984.

Kennedy, Hugh, *Crusader Castles*, Cambridge, Cambridge University Press, 1994.

Le Goff, Jacques, *Saint Louis*, París, Gallimard, 1996.

Linder, Amon, *Raising Arms. Liturgy in the Struggle to Liberate Jerusalem in the Late Middle Ages*, Turnhout, Brepols, 2003.

Lloyd, Simon, *English Society and the Crusades, 1216-1307*, Oxford, Oxford University Press, 1988.

Longnon, Jean, *Les Compagnons de Villehardouin: Recherches sur les croisés de la quatrième croisade*, Ginebra, Droz, 1978.

Lower, Michael, *The Baron's Crusade, A Call to Arms and its Consequences*, Philadelphia, University of Pennsylvania Press, 2005.

Maier, Christopher, *Preaching the Crusades. Mendicant Friars and the Cross in the Thirteenth Century*, Cambridge, Cambridge University Press, 1994.

——, *Crusade Propaganda and Ideology. Model Sermons for the Preaching of the Cross*, Cambridge, Cambridge University Press, 2000.

Marschall, Christopher, *Warfare in the Latin East, 1192-1291*, Cambridge, Cambridge University Press, 1992.

Mastnak, Tomaz, *Crusading Peace: Christendom, the Muslim World and Western Political Order*, Berkeley, California University Press, 2004.

Meschini, Marco, *San Bernardo e la seconda crociata*, Milán, Mursia Editore, 1998.

——, *1204, l'incompiuta. La quarta crociat e le conqueste di constantinopoli*, Milán, Ancora Editrice, 2004.

Mitchell, Piers, *Medicine in the Crusades. Warfare, Wounds and the Medieval Surgeon*, Cambridge, Cambridge University Press, 2004.

Morris, Colin, *The Sepulchre of Christ and the Medieval West. From the Beginning to 1600*, Oxford, Oxford University Press, 2005.

Mutafian, Claude, *La Cilicie au carrefour des Empires*, París, Les Belles Lettres, 1988.

Nicholson, Helen, *Templars, Hospitallers, Teutonic Knights. Images of the Military Orders, 1128-1291*, Leicester, Leicester University Press, 1993.

O'Callaghan, Joseph F., *Reconquest and Crusade in Medieval Spain*, Philadelphia, University of Pennsylvania Press, 2003.

Paviot, Jacques, *Les Ducs de Bourgogne, la croisade et l'Orient (fin XIVe siècle-XVe siècle)*, París, Presses universitaires de Paris-Sorbonne, 2003.

Phillips, Jonathan, *Defenders of the Holy Land. Relation between the Latin East and the West, 1119-1187*, Oxford, Clarendon, 1996.

——, *The Fourth Crusade and the Sack of Constantinople*, Londres, J. Cape, 2004.

Pissard, Hippolyte, *La guerre sainte en pays chrétien*, París, 1912.

Powell, James M., *Anatomy of a Crusade, 1213-1221*, Philadelphia, University of Pennsylvania Press, 1986.

Prawer, Joshua, *The Latin Kingdom of Jerusalem. European Colonialism in the Middle Ages*, Londres, Weidenfeld and Nicholson, 1972.

——, *Crusader Institutions*, Oxford, Clarendon Press, 1980.

——, *Histoire du royaume latin de Jérusalem*, 2 vols., París, Éditions du CNRS, 1969-1970, 2003.

Pryor, John, *Commerce, Shipping and Naval Warfare in the Medieval Mediterranean*, Londres, Variorum, 1987.

Purcell, Maureen, *Papal Crusading Policy, 1244-1291: The Chief Instruments of Papal Crusading Policy and Crusade to the Holy Land from the Final Loss of Jerusalem to the Fall of Acre*, Leyde, Brill, 1975.

Queller, Donald E. y Madden, Thomas F., *The Fourth Crusade. The Conquest of Constantinople*, Philadelphia, University of Pennsylvania Press, 1997.

Regout, Robert, *La Doctrine de la guerre juste de saint Augustin à nos jours*, París, 1935.

Richard, Jean, *Histoire du royaume latin de Jérusalem*, París, 1953.

——, *Saint Louis*, París, Fayard, 1983.

——, «La croisade de 1270, premier passage général», en *Comptes rendus de l'Académie des Inscriptions et Belles Lettres*, 1989, págs. 510-523.

——, *Histoire des croisades*, París, Fayard, 1996.

——, *La Papauté et les missions d'Orient au Moyen Âge (XIIIe-XVe siècles)*, Roma, École française de Rome, 1998.

——, *L'Esprit de la croisade*, París, Cerf, 2000.

Riley-Smith, Jonathan, *The Knights of Saint John in Jerusalem and Cyprus, c. 1050-1310*, Londres, MacMillan, 1967.

——, *The First Crusade and the Idea of Crusading*, Philadelphia, University of Pennsylvania Press, 1986.

——, *The First Crusaders, 1095-1131*, Cambridge, Cambridge University Press, 1997.

Rousset, Paul, *Histoire d'une idéologie, La croisade*, Lausanne, L'Âge d'homme, 1983.

Schein, Sylvia, «*Fideles Crucis*»: *The Papacy, the West and the Recovery of the Holy Land,* 1274-1314, Oxford, Clarendon Press, 1991.

——, *Gateway to the Heavenly City: Crusader Jerusalem and the Catholic West (1099-1187)*, Aldershot, Ashgate, 2003.

Sénac, Philippe, *L'Occident médiéval face à l'Islam. L'image de l'autre*, París, Flammarion, 2000.

Siberry, Elizabeth, *Criticism of Crusading, 1095-1274*, Oxford, Clarendon Press, 1985.

Sivan, Emmanuel, *L'Islam et la croisade, Idéologie et propagande dans les réactions musulmanes aux croisades*, París, Librairie d'Amérique et d'Orient, 1968.

Smail, Raymond C., *Crusading Warfare (1097-1193)*, Cambridge, Cambridge University Press, 1986, 1995.

Throop, Palmer A., *Criticism of the Crusade: a Study of Public Opinion and Crusade Propaganda*, Amsterdam, 1940.

Tolan, John, *Les Sarrasins*, París, Aubier, 2003.

Vatin, Nicolas, *L'Ordre de Saint-Jean-de Jérusalem, l'Empire ottoman et la Méditerranée orientale entre les deux sièges de Rhodes, 1480-1522*, Paris-Louvain, 1995.

——, *Rhodes et l'ordre de Saint-Jean-de-Jérusalem*, París, Éditions du CNRS, 2000.

Villey, Michel, *La Croisade: essai sur la formation d'une théorie juridique*, París, 1942.

Riley-Smith, Jonathan, *The First Crusade and the Idea of Crusading*, Philadelphia, University of Pennsylvania Press, 1986.

Índice analítico y de nombres

abasí, dinastía, 25, 152, 242
Abd al-Rahim al-Bassani, 190
Abraham, 213
Abú Sulaymán Dawud, 235
Acre, 14, 62, 72, 80, 83, 84, 86, 91, 99, 100, 110, 152, 153, 163, 172, 177, 180, 181, 184, 190, 242, 267
Adalbéron de Laon, obispo, 22
Adam Marsh, 220
Adélard de Bath, 232
Adhémar de Monteil, obispo, 22, 44, 45, 63, 95, 151
Adramition, 255
Ager sanguinis, batalla del, 186
Agustín, san, 34, 35
Aigues-Mortes, puerto de, 74
Aimery de Limoges, 233
Al Ádil, sultán ayubí (1198-1218), 202
Alarcón, 191
al-Ashraf Jalil, sultán mameluco (1290-1293), 243
Albert d'Aix, 23
albigenses, herejes, 43, 61, 68, 101, 102, 133, 157, 175, 195, 196, 270, 281
Alcántara, orden de, 168
Alconchel, fortaleza de, 169
Alejandría, 177, 178, 181, 246, 261

Alejandro II, papa (1061-1073), 53, 115
Alejandro III, papa (1159-1181), 67, 79, 115-116
Alejandro VI, papa (1492-1503), 275
Alepo, 25, 158, 178, 188, 189, 207, 228
Alexis I Comneno, emperador de Bizancio (1081-1118), 37, 203
Alexis III el Ángel, emperador de Bizancio (1195-1203), 132
Alexis IV el Ángel, emperador de Bizancio (1203-1204), 132
Alexis V Murzuflo, emperador de Bizancio (1204), 132
Alfonso Enríquez, rey de Portugal (1140-1185), 127
Alfonso I el Batallador, rey de Aragón (1104-1134), 190
Alfonso VII, rey de Castilla (1109-1157), 127
Alfonso X el Sabio, rey de Castilla (1252-1284), 212
al-Hákim, califa fatimí, 29
al-Harawí, 230
Alí Ibn Abbas, 233
al-kámil, sultán ayubí (1218-1238), 14, 98-99
al-Makin, 91

Almería, 127, 168
almohades, dinastía de los, 168
almorávides, dinastía de los, 125
Alphandéry, Paul, 44
al-Sálih Ayyub, sultán ayubí (1240-1240), 99
Altavaux (Haute-Vienne), iglesia de Notre-Dame de, 231
Amadeo VI, conde de Saboya, 257, 261, 279
Amaury, rey de Jerusalén (1163-1174), 90, 152, 162, 167, 204, 223, 235
Ambroise, trovero normando, 50
Ana Comnena: *Alexiada*, 203
Anagni, atentado de, 81
André de Longjumeau, 215
Andrinópolis, 254
Andrónico II Paleólogo, emperador bizantino (1282-1328), 135
Andrónico III Paleólogo, emperador bizantino (1328-1341), 255
Angers, 24
Ankara, batalla de (1402), 254
Antequera, batalla de (1410), 274
Antíoco IV, rey seleyúcida de Siria (175-163 a.C.), 90
Antioquía, 26, 28, 44, 151, 152, 203, 232, 233, 243
Aristóteles, 201
Arsur, castillo de, 164
Arturo, rey, 269
As Sulami, tratado de, 205-206
Ascalón, 47, 152, 209
Atenas, ducado de, 153
Austorc d'Aurillac, 195
Averroes, Ibn Rushd, 201, 233
Avicena (Ibn Sina), 201
Aviñón, papado de, 43
Avis, orden de, 168
Ayala Martínez, Carlos de, 53

Aydin, emirato de, 253, 256
Ayn Yalut, batalla de, 242, 243
ayubíes, dinastía descendiente de Saladino, 98, 152, 158, 162, 241

Bacon, Roger, 220
Bagdad, califato de, 25, 178, 206, 214, 233, 242
Bagras, castillo de, 164
Balduino I, emperador latino de Constantinopla (1204-1205), 84, 132, 134
Balduino II, emperador latino de Constantinopla (1228-1261), 134, 196
Balduino I, rey de Jerusalén (1100-1118), 23, 47, 48, 95, 151, 222
Balduino II, rey de Jerusalén (1118-1131), 89, 151, 187
Balduino IV, rey de Jerusalén (1173-1185), 161, 235
Balduino, conde de Flandes, *véase* Balduino I, emperador latino
Balduino de Bolonia, *véase* Balduino I rey de Jerusalén
Balduino de Courtenay, *véase* Balduino II, emperador latino
Balduino de Ibelin, señor de Mirabel, 228, 232
Balduino del Bourcq, *véase* Balduino II, rey de Jerusalén
Ballard, Michel, 215
Bar Haebreus, 232
Barcelona, 72, 73, 177, 246
Basilea, concilio de, 252, 273
Basilio II, emperador bizantino (976-1025), 204
Baudri de Bourgueil (o de Dol), 23
Bayaceto I, sultán otomano (1389-1403), 195, 254, 258, 260
Baybars, sultán mameluco (1260-1277), 163, 241, 243

Beaufort, 164, 243

Belén, 26

Belgrado, 261, 262

Benjamín de Tudela, 209

Bernardo de Clairvaux, san, 14, 27, 38, 61, 89, 96, 119, 126, 127, 128, 195, 208, 211, 263

Elogio de la nueva caballería, 77-78, 276

Bertrandon de la Broquière, 215

Berzella Merxadro, 107

Betania, 84

Béziers, saqueo y matanza de, 138

Blanca de Castilla, madre de san Luis, 101

Bohémond, príncipe de Antioquía (1098-1104), 44, 47-48, 283

Boissonade, Prosper, 53

Bolonia, universidad de, 220

Boniface de Montferrat, patriarca, 132, 133

Bonifacio IX, papa (1389-1404), 258

Bonifacio VIII, papa (1294-1303), 81, 196, 247, 267

Bonvicino, comendador del Temple, 91

Bósforo, guerra del (1350), 183

Boucicaut, Jean Le Meingre, llamado, mariscal, 256, 276

Breslau (Wroclaw), 272

Breydenbach, Bernard, 82

Brindisi, puerto de, 72

Brioude, 30

Brundage, James A., 67-68

Buda, 260

Bugía, 202

Burchard de Estrasburgo, 231

Burchard de Mont-Sion, 80

Burns, Robert I., 154

Caffa, 181, 183

Cahen, Claude, 15, 30

Cairo, El, 158, 159, 188, 209, 214

Calatrava, fortaleza de, 168

Calatrava, orden de, 168

Calcedonia, concilio de (451), 221

Calixto III, papa (1455-1458), 256, 260

Caltabellota, paz de (1302), 249

Campo de los Mirlos, batalla del, en Kosovo, 254

Cardiff, 61

Carlomagno, emperador (768-814), 28, 54, 169

Carlos el Calvo, emperador (875-877), 36

Carlos IV, rey de Bohemia, emperador (1346-1378), 276

Carlos IV, rey de Francia (1322-1328), 261

Carlos V, rey de Francia (1364-1380), 262, 276

Carlos VI, rey de Francia (1380-1422), 251, 260, 261, 262

Carlos VII, rey de Francia (1422-1461),

Carlos VIII, rey de Francia (1483-1498), 92, 256, 262

Carlos I de Anjou, rey de Sicilia (1265-1285), 109, 142

Carlos II de Anjou, rey de Sicilia (1285-1300), 142, 245, 247, 248

Carlos de Valois, 135, 248, 249, 256, 279

Casal Imbert, 173

Castellum Regis, 173

Castillo Peregrino, 162-163, 165, 243

Catalina de Siena, 283

Catherine de Courtenay, 135

Celestino III, papa (1191-1198), 129

Cesarea, 159, 190, 243

Cesarini, Julián, cardenal, 254, 260

Charles de Tréveris, 268

Châteaudun, cofradía de laicos piadosos de, 107

Cheminon, convento cisterciense de, 75

Chioggia, guerra de (1377), 183

Chipre, 73, 74, 86, 91, 153, 174, 244

Cícladas, islas, 182

Cid, Rodrigo Díaz de Vivar, El, 207

Cien Años, guerra de los, 194, 249, 268

Cilicia, reino armenio de, 153, 180, 223, 244

Cipollone, Guido, 191

Císter, orden del, 62, 89

Civitate, batalla de, 35

Clairvaux, abadía de, 27, 89

Clemente IV, papa (1265-1268), 142, 196

Clemente V, papa (1305-1314), 81, 101, 102, 135, 247, 250, 268, 280

Clemente VI, papa (1342-1352), 60, 81, 96, 256, 263, 280

Clemente VII, papa de Aviñón (1378-1394), 194

Clermont, concilio de (1095), 13, 14, 21-22, 23, 37, 39, 40-41, 44, 47, 49, 51, 60, 67, 84, 96, 105, 114, 125, 146, 206, 217, 278, 281

Cluny, abadía y orden de, 105

Coeur, Jacques, 256

Cole, Penny J., 61

Collioure, 73

Colón, Cristóbal, 275

Compostela, 28, 106

Conrado III, rey de Germania (1138-1152), 14, 61, 126, 127, 195

Constantino IX Monómaco, emperador bizantino (1042-1055), 29

Constantino, emperador romano (324-337), 24, 26, 28, 34

Constantinopla, 14, 24, 45, 133, 133-134, 153, 177, 178, 180, 182, 248

caída de, 260, 262, 263

saqueo de (1204), 201

Constanza, concilio de (1415), 213, 269, 270

Constanza, reina de Aragón, 142

Córdoba, califato de, 25

Corfú, 182

Corón, 182

Cowdrey, Herbert E.J., 33, 41

Crac de los Caballeros, castillo de, 163, 164, 243

Creta, 72, 153, 182

Curzola, guerra de (1295), 183

Daimbert, arzobispo de Pisa, 151

Damasco, 25, 152, 158, 178, 180, 189, 205, 214, 228

Damieta, 83, 97, 107, 173-174, 218

Dante, 196-197

Dantzig, véase Gdansk

Darbsak, castillo de, 188

Derby, conde de, véase Enrique IV

Deschamps, Paul, 162

Dijon, 108

Domingo de Silos, santo, 188-189

dominicos, orden de los, 62, 219, 220

Duby, Georges, 193

Dupront, Alphonse, 44, 283

Edesa, condado de, 14, 23, 78, 95, 96, 125, 126, 151, 152, 223

Eduardo I, rey de Inglaterra (1273-1307), 66, 85, 100, 106, 161

Éfeso, concilio de (431), 221

Egipto, 14, 26, 74, 83, 152, 177

Eldmann, Carl, 51

Elias de Narbona, 79

Ellenblum, Ronnie, 162, 173, 198, 224, 236

Emich de Leuningen, 208

Emmanuel Piloti, 166

Enrico Dandolo, dux de Venecia, 74, 131

Enrique IV, emperador (1056-1106), 38, 39, 54-55, 141

Enrique, emperador latino de Constanti-
nopla (1206-1216), 133-134
Enrique VI, emperador (1190-1197), 72,
80, 223
Enrique II, rey de Chipre (1285-1324),
245
Enrique II, rey de Inglaterra (1154-1189),
105, 108
Enrique III, rey de Inglaterra (1216-
1272), 66
Enrique IV, rey de Inglaterra (1399-
1415), 268
Enrique el León, duque de Sajonia, 79
Enrique el Navegante, 275, 276
Enrique de Susa, *véase* Hostiensis
Erdmann, Carl, 53, 33
Étienne de Blois, 23, 66
Étienne de Cloyes, 63
Eudes Arpin, 105
Eudes de Deuil, 78
Eudes de Saint-Armand, maestre templa-
rio, 189
Eugenio III, papa (1145-1153), 60, 78,
79, 96, 126, 127, 223, 277
Eugenio IV, papa (1431-1447), 258
Eustache de Bolonia, 283
Évrard des Bares, 89
Ezzelino da Romano, 143

fatimíes, dinastía de los, 25, 26
Federico I Barbarroja (1152-1190), emperador, 14, 71, 141
Federico II, rey de Sicilia, emperador
(1211-1250), 14, 66, 91, 98, 98, 99,
120, 142, 152, 158, 233, 281
Felipe II Augusto, rey de Francia (1179-
1223), 14, 71, 75, 101, 108, 114,
118
Felipe III el Atrevido, rey de Francia
(1270-1285), 114, 170, 233, 249

Felipe IV el Hermoso, rey de Francia
(1285-1314), 100, 109, 251
Felipe VI, rey de Francia (1328-1350),
72, 73, 80, 255, 261, 263, 279
Felipe de Suabia, 132
Felipe el Atrevido, duque de Borgoña
(1363-1404),
Felipe el Bueno, duque de Borgoña
(1419-1467), 65, 215, 262, 283
Fernando I de Antequera, rey de Aragón
(1412-1416), 274
Fernando II, rey de Aragón (1479-1516),
274, 282
Fidenzo de Padua, 166, 245
Fletcher, Robert A., 54, 125, 129
Florencia, concilio de, 258
Flori, Jean, 23, 34, 35, 36, 40, 50, 51, 116
Focea, 183
Forbie, La, batalla de (1244), 99, 160, 165,
186, 189
Foucher de Chartres, 23, 38, 39, 171-172,
225
Foulques de Neuilly, 60
Foulques de Villaret, gran maestre del
Hospital, 63, 154, 245, 248, 250
France, John, 40
franciscanos, orden de los, 62, 81, 188,
219, 220
Francisco, san, 218, 220, 276
Fráncfort, 127
Froissart, Jean, 276
Fudge, Thomas, 273

Galilea, 26, 173
Gallípoli, 254, 257
Galvano da Levante, 245
Gautier Map, 217
Gazán, kan de Ilján (1295-1304), 244
Gdansk (Dantzig), 269
Gengis Kan, 241

Génova, 72, 73, 74, 177, 180, 181, 182, 183, 246, 255

Geoffroy de Villehardouin, cronista, 60, 74, 133

Geoffroy de Villehardouin, príncipe de Morea (1209-1228/1230), 133

Gérard de Cambrai, obispo, 22

Gérard de Ridefort, maestro del Temple, 90, 167

Geroh de Reichersberg, 195

gibelinos, 197

Gibraltar, 72

Gilbert d'Assailly, 167

Giraud le Cambrien, 61

Godefroy de Bouillon, 44, 47, 48, 63, 95, 105, 151, 234, 276, 283

Goñi-Gastambide, José, 53

Graboïs, Aryeh, 30, 78

Granada, conquista de, 130, 248, 274

Grande Mahomerie, La, 161, 173

Gregorio VII, papa (1073-1085), 21, 26, 35, 38, 39, 46, 54-55, 141, 202, 213, 223

Gregorio VIII, papa (1187), 61, 96, 114, 115

Gregorio IX, papa (1227-1241), 66, 98, 99, 134, 142, 189, 218

Gregorio X, papa (1271-1276), 109, 219

Gregorio XI, papa (1370-1378), 249

Grousset, René, 15, 53, 198, 236

güelfos, 249

Guibert de Nogent, 23, 39, 50, 214

Guigues, prior de los cartujos, 217

Guillaume Adam, 72, 245, 246, 249

Guillaume de Beaujeu, 167, 189, 232

Guillaume de Champlitte, 133

Guillaume de Machaut, 261

Guillaume de Malmesbury, 214

Guillaume de Maraval, 79

Guillaume de Nogaret, 81, 248, 250

Guillaume de Rubrouck, 215, 242

Guillaume de Tiro, 79, 162, 215, 232, 234

Guillaume Durand, obispo de Mende, 68

Guillaume Le Clerc, 98

Guillermo el Mariscal, 193

Guy de Lusignan, rey de Jerusalén, 167

Haifa, 243

Hama, 158

Hamilton, Bernard, 31

Hattín, batalla de (1187), 77, 90, 99, 152, 160, 162, 186, 188, 195

Hauteville, familia de los, 25

Henri d'Albano, 61

Henri de Champaña, conde, 205

Heraclio, emperador bizantino (610-641), 52

Hildesheim, 233

Hisn Kaifa, emir de, 207

Homero, 263

Homs (la «Camella»), batalla de, 158, 243, 244

Honorio III, papa, 26, 97, 98

Horda de Oro, véase Kiptchak

Hospital de San Juan de Jerusalén, orden del, 29, 79, 81, 88, 89, 101, 107, 112, 154, 163-164, 167, 168, 186, 191, 234, 245, 250, 253, 256, 258, 260, 276

Hostiensis, Henri de Suse, cronista, 120-121, 214, 280, 282

Housley, Norman, 146, 279

Hugues de la Houssay, 81

Hugues de Payns, maestre, 89

Hugues de Vermandois, 283

Hulagu, kan mongol, 242

Humbert, delfín de Viennois, 256, 263

Hungría, Maestro de, véase Jacques

Hunyadi, Jan, voivoda de Transilvania, rey de Hungría, 258, 260, 262

Hus, Jan, 270-271

Ibn Abd Al Rahim, 229
Ibn al-Azir, historiador, 204
Ibn Yubayr, 216, 227, 228, 229, 230
Ignacio, metropolitano de Alepo, 188
Ilgazi, 186
Ilján, kanato mongol de Persia, 180, 219, 224, 242, 243
Inocencio III, papa (1198-1216), 14, 26, 49, 59, 61, 62, 65, 66, 85, 96, 97, 108, 109, 116, 119-120, 129, 134, 137-138, 139, 141, 146, 190, 191, 202
Inocencio IV, papa (1243-1254), 99, 107, 120, 130, 142, 219
Inocencio VIII, papa (1484-1492), 68
Isaac de Stella, monje cisterciense, 217
Isaac II el Ángel, emperador bizantino (1185-1195), 132
Isabel, reina de Castilla (1474-1504), 274, 282
Isabelle de Brienne, 98

Jacques, llamado el maestro de Hungría, 63, 101
Jacques de Molay, gran maestre del Temple, 245, 248, 250
Jacques de Vitry, obispo de Acre, 61, 62, 80, 214, 218, 224, 225, 231
Jaffa, 28, 82, 99, 243
Jaime II, rey de Aragón, 100
Jaligny, capilla de, en Auvernia, 30
Jean, monje de Pontigny, 173
Jean de Falkenberg, dominico, 270
Jean de Joinville, 106, 108, 196
Jean de Matha, 190
Jericó, 29, 47
Jerusalén, reino de, 172-173, 184
Jerusalén
    como objetivo principal, 277, 280, 282, 283

conquista por los selyúcidas (1073), 30
conquistas por los fatimíes, 26
dominación cristiana de, 79, 99, 152
iglesia de la Resurrección, 29
matanzas de (1099), 201, 222
mezquita de al-Aqsa, 230
mezquita de la Cúpula de la Roca, 89, 230
negativa de los griegos a reconquistarla, 203-204
pérdida definitiva de (1244), 99, 167
peregrinaciones a, 28, 29, 31, 40, 44, 47, 78, 202, 264
población de la ciudad y del reino de, 172
Santo Sepulcro en, 13, 28, 30, 77, 79, 81, 151, 230
y los cruzados de la primera cruzada, 26-27, 55
Jijka, Jan, 271, 272-273
Jocelyn II de Courtenay, conde de Edesa (1131-1150), 188
Jocelyn, señor de Turbessel, 207
John le Romeyn, arzobispo de York, 62
Joinville (Haute-Marne), 74
Jorge de Podiébrad, rey de Bohemia (1458-1471), 252, 273
Josefo, Flavio: *Guerra de los judíos*, 52
Juan de Luxemburgo (Juan el Ciego), rey de Bohemia (1310-1346), 268
Juan II el Bueno, rey de Francia (1350-1364), 257, 261, 279
Juan sin Miedo, duque de Borgoña (1404-1419), 254, 260
Juan II Comneno, emperador bizantino (1118-1143), 203
Juan V Paleólogo, emperador bizantino (1341-1391), 256, 257, 258, 279

Juan VI Cantacuzeno, emperador bizantino usurpador (1347-1354), 254, 256, 257
Juan VIII Paleólogo, emperador bizantino (1425-1448), 258
Juan VIII, papa (872-882), 36
Juan XXII, papa (1316-1344), 246
Juan Cantacuzeno, *véase* Juan VI
Juan de Brienne, rey de Jerusalén (1210-1225), 97
Juan de Capistrano, franciscano, 262
Juana de Arco, 273
jwarizmíes, pueblo de los, 99

Kalaat Rawa, *véase* Calatrava,
Karasi, emirato tuco, 253, 255
Kedar, Benjamin Z., 182, 198
Kerak de Moab, fortaleza de, 228
Kerbogha, 45
Kiptchak, kanato mongol de Rusia u Horda de Oro, 180, 246, 247
Königsberg (Rusia, Kaliningrado), 174, 269
Külm (Polonia, Chelmno), 174

Ladislao III, rey de Polonia y Hungría (1434-1444), 254
Ladislao Jagellon, gran duque de Lituania, rey de Polonia (1386-1434), 269, 270
Languedoc, 62, 139, 175
Lascaris, dinastía bizantina, 133
Le Goff, Jacques, 100, 201
Ledesma Rubio, M.ª Luisa, 53
León IX, papa (1049-1054), 141
Leonardo, san, 188
Leonardo Fibonacci, 233
Leonor de Aquitania, 83
Lepanto, batalla de, 261
Letrán, cuarto concilio de (1215), 14, 49,
50, 51, 66, 97, 107, 108, 109, 111, 114, 116, 119, 138, 139, 145, 183, 246
Letrán, primer concilio de (1123), 125, 187
Letrán, segundo concilio de (1139), 81, 187
Letrán, tercer concilio de (1179), 137, 138, 145, 146, 183, 187, 246
Lévi-Strauss, Claude, 15
Linder, Amon, 60
Lipany, batalla de (1434), 273
Lisboa, conquista de, 127-128
Llull, Ramon, 220, 245, 248, 249, 250
Lourie, Elena, 155
Luis de Baviera, emperador (1314-1347), 143
Luis el Tartamudo, rey de Francia occidental (882-884), 36
Luis VII, rey de Francia (1137-1180), 14, 61, 78, 84, 108, 125, 126
Luis VIII, rey de Francia (1223-1226), 139, 166
Luis IX (san Luis), rey de Francia (1226-1270), 14, 16, 63, 65, 73, 74, 75, 83, 84, 85-86, 99-100, 101, 102, 107, 109, 142, 152, 158, 160, 167, 173-174, 189, 196, 215, 241, 242, 243, 251, 262, 282
Luis, rey de Hungría (1342-1382), 257
Luis I, duque de Borbón (1310-1342), 268
Luis II, duque de Borbón (1356-1410), 261-262
Lusignan, dinastía, 153
Lutero, Martín, 117
Lyon, concilio de (1245), 99, 145, 242, 250

Maarra, 46
macabeos, 59, 90, 272
Maestro de Hungría, *véase* Jacques

Maguncia, 208

Mahdiya, 115

Mahoma, profeta, 13, 25, 189, 214, 219, 270

Malagón, castillo de, 212

Malta, 261

mamelucos, dinastía de sultanes, 152, 153, 159, 163, 180, 242, 244, 255

Manfredo, rey de Sicilia, 91, 109, 120, 142, 196, 197, 281

Mansura, batalla de, 100, 241

Mantua, concilio de, 264, 283

Mantzikert, batalla de, 26, 37, 46

Manuel I Comneno, emperador bizantino (1143-1180), 203, 204, 223

Manuel II, emperador bizantino (1391-1425), 257, 258

Margat, castillo de, 164

Marienburg (Polonia, Malbork), 174, 247, 269

Marienwerder (Polonia, Kwydzin), 174

Marini, Antonio, 252

Marino Sanudo, 166, 245, 248, 249

Marsella, 65, 72, 73, 74, 79, 80, 101, 177, 190

Martín IV, papa (1281-1285), 142

Martín V, papa (1417-1431), 269, 270, 271

Martin, abad de Pairis, 62, 67

Mathieu de Edesa, 223

Matthieu Paris, 165, 173, 193, 231

Mayer, Hans Eberhard, 103, 277

Meca, La, 180

Medina, 180

Mehmet I, sultán otomano (1403-1421), 254

Mehmet II, sultán otomano (1451-1481), 254

Melun, vizconde de, 113-114

Memel (Lituania, Klapeida), 174

Mentese, emirato turco, 253

Merced, orden de la, 191

Mesina, 72, 83

Metz, 74, 106

Michel el Sirio, 223

Michel, Jean, 92

Michelet, Jules, 201

Miravet, fortaleza de, 169

Mirchell, Piers, 235

Modon, 182

Mohacs, batalla de (1526), 261

Mohámmed, véase Mahoma

Moissac, 235-236

Mongka, Gran Kan mongol, 242

mongoles, 99, 152, 165, 219, 242, 254

Montfort, castillo de, 163, 164, 243

Montgisard, batalla de (1177), 90, 161

Monzón, 169

Morea, principado franco, o Acaya, 153, 159, 254

Morea, territorio griego de, 14, 174

moriscos, expulsión de los, 275

Mosul, 25, 45, 233

Munich, 65

Muqáddasi, al-, 187

Murad I, sultán otomano (1362-1389), 254

Murad II, sultán otomano (1421-1451), 254, 260

Muret, batalla de (1213), 157

Nablús, 228

Násir, emir de Bugía, 213

Násir-i-Khusraw, viajero, 29

Navas de Tolosa, batalla de Las (1212), 77, 129, 130, 168, 212, 214

Negroponto, isla de Eubea, 182

Nestorio, patriarca de Constantinopla, 221

Nicea, 133

Nicea, concilio de (325), 221
Nicéforo II Focas, emperador bizantino (963-969), 204
Nicolás IV, papa (1288-1292), 80, 245, 250
Nicolás, cruzada de los niños y, 101
Nicolás, peregrino de Islandia, 72
Nicolas, trinitario, 190
Nicópolis, cruzada de, 87, 195, 251, 254, 258, 260, 261, 262
Ninfea, tratado de, 183
Niza, 74
Nompar de Caumont, 82
Norwich, cruzada del obispo de, 281
Nur al-Din, 152, 158, 190, 207

O'Callaghan, Joseph, 279
Olivier de la Marche, 65
Orhán, sultán otomano (1326-1362), 253
Osmán, sultán otomano (1288-1326), 253
otomanos, dinastía de los, 250, 254, 259
Ottokar II, rey de Bohemia (1252-1278), 130
Oxford, universidad de, 220

París, tratado de (1229), 139
París, universidad de, 220
Parisot de la Valette, Jean, 261
Pascual II, papa (1099-1118), 116, 125, 151
Passau, 72
Paul Wladimir, 270
Peckam, John, arzobispo de Canterbury, 220
Pedro II, rey de Aragón (1196-1213), 157
Pedro III, rey de Aragón (1276-1285), 142
Pedro I, rey de Chipre (1359-1369), 257, 257, 261, 279

Pedro, san, 35, 39
Pedro Nolasco, 191
Pedro el Ermitaño, 30-31, 44, 45, 63, 105
Pedro el Venerable, abad de Cluny, 195, 214, 217, 218
Pelagio, legado pontificio, 14, 97
Pera, 181, 183
Perugia, 60, 91, 102
Petite Mahomerie, La, 173
Philippe de Alsacia, conde de Flandes, 84
Philippe de Mézières, 62, 251, 262, 276, 283
Piacenza, concilio de, 37
Piccolomini, Eneas Silvio; véase Pío II
Pierre de Castelnau, 137
Pierre Dubois, 246, 248, 250
Pierre Roger, véase Clemente VI
Pierre Toudebode, 23
Pietro de Capua, 133
Pío II, papa (1458-1464), 252, 260, 263, 273, 283
Pisa, 177, 181
Pissard, Hyppolite, 138
Platón, 263
Polo, Marco, 183
Poumarède, Gerard, 283
Praga, 272
Prawer, Joshua, 126, 182, 198
Procopio el Rapado, 272

Qaeda, al-, 15
Qalawun, sultán mameluco (1279-1290), 184, 243
Quíos, 154, 183, 256

Raimbaut de Vaqueiras, 133
Ralph Niger, 194, 195
Ramón, arzobispo de Toledo, 233
Raoul, monje cisterciense, 126, 208

Raoul Glaber, 29
Raymond d'Aguilers, 23
Raymond III, conde de Trípoli, 167
Raymond IV de Saint-Gilles, conde de Toulouse, 43-44, 46, 48, 137
Raymond VI de Saint-Gilles, conde de Toulouse, 81
Renaud de Châtillon, 187, 189
Renaud de Sidón, 232
Reyes Católicos, *véase* Fernando II de Aragón; Isabel de Castilla
Ricardo I, Corazón de León, rey de Inglaterra (1189-1199), 14, 71, 80, 92, 108, 114, 153, 185
Ricardo II, rey de Inglaterra (1377-1399), 260
Ricaut Bonomel, 196
Richard, abad de Saint-Vannes, 29
Richard, Jean, 78, 115, 198
Ridwán, emir de Alepo, 207
Riga, 169, 267, 268
Riley-Smith, Jonathan, 41, 54, 85, 277, 278
Río Salado, batalla del (1340), 274
Robert, conde de Flandes, 23, 84, 85
Robert de Crésèque, 161
Robert de Normandía, 23
Robert el Monje, 23
Rodas, 91, 101, 154, 247, 253, 255, 261
Roger I, conde de Sicilia, 38
Roger de Wendower, 193
Roma, 72, 80
Romano IV Diógenes, emperador bizantino (1068-1071), 26
Rorgo Fretellus, 233
Rouche, Michel, 46
Rousset, Paul, 54, 139
Rucquoi, Adeline, 129
Rutebeuf, 194, 197

Safed, castillo de, 163, 165, 186, 243
Saint-Alban, abadía de, 193
Saint-Martin de Tours, abadía de, 114
Saint-Nectaire, iglesia de, 30
Saint-Seine, abadía de, 66
Saladino, sultán ayubí (1176-1183), 14, 80, 90, 92, 152, 158, 161, 186, 195, 207, 209, 229
Salamanca, universidad de, 220
Salomón, templo y palacio del rey, 89
San Lázaro, orden de, 164
San Sabas (Acre), guerra de, 183
Santiago, 188
Santiago, orden de, 168, 191
Santo Sepulcro, *véase* Jerusalén
Santo Tomás de Acre, orden de, 164, 191
Sarrebrück, conde de, 75
Saydnaya, iglesia griega de, 230-231
Schein, Sylvia, 47
Segismundo, rey de Hungría y de Bohemia, emperador (1411-1437), 254, 260, 271
selyúcidas, pueblo y dinastía, 25-26, 242, 253, 263, 284
Sevilla, 36
Siberry, Elisabeth, 193
Sidón, 152, 162, 163, 164, 243
Sigurd, rey de Noruega, 72
Simon de Monfort, 133, 139, 157
Simon de Saint-Quentin, 215
Sixto V, papa (1585-1590), 274
Smail, Raymond C., 162
Solimán el Magnífico, sultán otomano (1520-1566), 261
Spira, 146
Staufen, o Hohenstaufen, dinastía, 141, 142, 167
Stefano de Pisa, 232-233
Sultanyeh, en el Ilján, 249

Tabor, 271

Tabriz, 219, 242

Tamerlán, 254, 256

Tana, La, 180

Tancredo, príncipe de Antioquía, 48, 207, 212, 283

Tannenberg (Grunwald), batalla de (1410), 269

Temple, orden del, 79, 81, 86, 88, 89, 107, 112, 163, 164, 165, 166, 167, 168, 186, 191, 245, 250, 251, 268

Teodoro de Antioquía, 233

Teruel, 191

Tesalónica, 134, 153

Teutónicos, orden de Santa María de los, 112, 130, 154, 163, 164, 169, 170, 174, 265, 267, 269-270

Thibaud Gaudin, 189

Thibaud IV, conde de Champaña (1201-1253), rey de Navarra (1234-1253), 73, 134-135, 160, 196, 247

Thiermar, 188

Thierry de Alsacia, conde de Flandes, 84

Thietmar, franciscano, 215, 229, 231

Tiro, 72, 152, 172, 177, 180

Tito, 52

Toledo, 191

Tolstoi: *Guerra y paz*, 15

Tortosa (Cataluña), conquista de, 127, 128

Tortosa (condado de Trípoli), 162, 163, 164, 168, 243

Torun, Thorn, paz de (1413), 269

Toulon, 73

Trebisonda, 180

Trinitarios, orden de los, 190

Trípoli, condado de, 151, 152, 153, 163, 232

Troyes, concilio de (1129), 89

Túnez, 14, 86

Tyerman, Christopher, 50

Uclés, fortaleza de, 169

Umur Pachá, emir de Aydin, 253

Urbano II, papa (1088-1099), 13, 14, 15, 21-24, 30, 33-34, 36, 37-41, 43, 44, 47, 49, 51, 53, 54, 61, 63, 90, 111, 115, 125, 145, 193, 197, 202, 217, 252, 263, 264, 270, 275, 277, 283

Urbano IV, papa (1261-1264), 109, 142, 196

Urbano V, papa (1362-1370), 257, 279

Usama ibn Munquid, 189, 229, 229, 231, 234

valdenses, herejes, 195

Varna, batalla de (1444), 254, 260

Vauchez, André, 87

Vegecio, 166

Venecia, 73, 82, 131, 133, 177, 181, 182, 246, 255, 267, 280

Verona, 72

Vézelay, 61

Vicente, san, 127

Viena, concilio de, 145

Viena, sitio de, 261

Vienne, concilio de (1312), 220, 251

Villehardouin, *véase* Geoffrey

Vísperas Sicilianas, revuelta de las, 142, 249

Vitry-en-Champagne, 78

Voltaire, 201

Wenceslao, rey de Bohemia (1377-1420), 271

Yawali, atabeg de Mosul, 207

Yebel Ansariye, secta de los asesinos, 228

zagales, cruzada de los, 63, 101-102

Zara, Zadar (Croacia), 131-132, 133

Zengi, 96, 125, 152, 207